D1467061

LA FRANCE
D'AUJOURD'HUI

LA FRANCE D'AUJOURD'HUI

SON VISAGE - SA CIVILISATION

avant-propos
de MARC BLANCPAIN
Secrétaire général de l'Alliance Française

préface
de PIERRE CLARAC
Inspecteur général de l'Instruction publique

Troisième édition

Librairie Hatier, 8, rue d'Assas, Paris-VIe

table des matières

LES INSTITUTIONS

LA PRODUCTION ET LES ÉCHANGES

4

avant-propos

Pendant plus de deux siècles peut-être, le français a été la langue internationale de l'Occident civilisé. Langue diplomatique, langue juridique, langue des sciences et de la pensée abstraite — langue des Cours bien souvent —, sa connaissance conférait une sorte de brevet de distinction intellectuelle. Au XXe siècle, de rudes coups furent portés à sa prééminence.

La France victorieuse de 1918 était une France affaiblie et qui paraissait vieillissante. D'inexorables évolutions ou des révolutions brutales venaient d'amener au pouvoir politique ou à la puissance économique, ici ou là, des classes sociales nouvelles qui n'avaient pas appris le français et allaient parfois jusqu'à tirer gloire de leur inculture. Des nationalismes nouveaux ou brusquement rajeunis dressaient partout, non seulement des barrières douanières, mais des frontières spirituelles qui se prétendaient infranchissables; et ce siècle des communications rapides répudia hardiment, férocement quelquefois, tout ce qui pouvait rapprocher les esprits!

La religion de l'utile, dans le même temps, établit son règne impitoyable; on se fit un devoir d'apprendre la langue des riches, des puissants, des vainqueurs, ou de ceux qui passaient pour tels. Plus les nationalismes étaient étroits et jaloux et plus ils se voulaient conquérants; de véritables entreprises de propagande linguistique furent mises sur pied par les uns ou les autres; dans ses domaines traditionnels d'influence, le français fut âprement combattu.

Aujourd'hui, pourtant, notre langue semble regagner une partie du terrain qu'elle avait perdu. De 1910 à 1945, il y eut, hors de France, recul de l'usage du français; mais entre 1945 et 1960, le français, au contraire, reprend vaille que vaille sa marche en avant.

Car si la France figure encore parmi ceux qu'on appelle " les Grands ", elle n'est plus assez forte pour porter ombrage et inquiéter; il arrive même souvent qu'elle rassure par son désintéressement et que l'universalité des ambitions de son esprit apparaisse comme la plus sûre espérance d'un monde partagé et méfiant. On avait présenté le français, dans le dessein de lui nuire, comme un latin du monde moderne; le monde moderne s'aperçoit aujourd'hui qu'il ne peut se passer d'un latin!

Et voici qu'on découvre, en même temps, que ce latin du monde moderne est une langue utile. Elle est une des clefs du continent européen; elle ouvre la Méditerranée et l'Occident de l'Afrique. Elle est parlée dans cinq nations au moins dont l'importance n'est pas négligeable. Elle a gardé les qualités qui font d'elle, dans la plupart des disciplines, un instrument d'échange précis, souple et enrichissant. Un " réalisme " mieux compris lui ramène la confiance de ceux qu'un réalisme aux vues trop courtes avait éloignés d'elle.

Depuis plus de dix ans, nous assistons, sans aucun doute, à une reprise vigoureuse des études françaises hors de France. Malgré quelques " désappointements amers ", notre langue, tout bien pesé, s'enseigne davantage et mieux à présent qu'en 1939. Ce que les brutalités de la politique nous ont fait perdre depuis 1945 dans certains cantons de la planète, nous l'avons largement regagné dans la plupart des pays où l'esprit souffle encore où il veut.

**
*

Il n'empêche pourtant que cette langue française, depuis si longtemps enseignée hors de nos frontières, ne dispose pas encore d'une pédagogie suffisamment riche en outils appropriés. Dans leur " certitude que ce qui est français est en soi quasi divin ", les Français ont souvent tendance à s'imaginer que le rayonnement de leur langue, parce qu'il va de soi, n'a pas besoin d'être utilement servi.

Mais depuis quelques années, fort heureusement, les initiatives se multiplient. Des blocs pédagogiques, des méthodes audio-visuelles ont été mis au point. De nombreux ouvrages, méthodes d'enseignement du français élémentaire et manuels de langue et de civilisation à l'usage des étrangers, ont été publiés. Nos écoles spécialisées et nos centres de recherche forment des pédagogues. Nos Instituts et nos Ecoles d'enseignement aux étrangers, en France et hors de France, sont plus nombreux, plus prospères et mieux équipés. La pédagogie du " français langue étrangère " dispose à présent d'un corps de doctrine affermi et d'une série de moyens et de techniques remarquables.

Certes, nous avons peut-être encore tendance, trop souvent, à considérer l'enseignement de la langue comme une fin en soi et à laisser aux étrangers le soin d'accéder eux-mêmes, et selon leur démarche propre, aux richesses de notre littérature — particulièrement aux richesses de notre littérature contemporaine — et aux complexités de notre civilisation. Nous savons pourtant que langue, littérature et civilisation forment un tout et qu'un enseignement moderne ne peut plus les séparer. S'il est incontestable que la langue est la clef du reste, nous avons le tort de nous contenter trop souvent de donner cette clef; et c'est un fait qu'il existe trop peu d'anthologies littéraires de la France et de manuels de civilisation française à l'usage des étrangers. Beaucoup de professeurs et d'étudiants le déplorent, qui sont obligés, la plupart du temps, d'avoir recours à des ouvrages établis pour des Français et mal commodes pour eux.

Et si, d'autre part, la France est riche et forte de son illustre passé, ce passé, souvent, lui porte tort dans l'opinion commune de l'étranger et fournit des armes à la malveillance. Notre pays, dans l'estime de beaucoup de ses amis et par le zèle de certains de ses adversaires, apparaît comme figé dans son visage traditionnel. On n'admet pas volontiers que son génie demeure intact et qu'il est toujours jeune. On parle encore souvent de la France comme d'un musée de l'Occident. La fécondité et le renouvellement créateur de notre après-guerre sont presque toujours méconnus.

Le présent ouvrage a pour mérite de se présenter à la fois comme un manuel de civilisation française et comme un bilan de la France contemporaine.

Si le Secrétaire général de l'Alliance française a demandé à l'éditeur de le mettre en chantier, c'est qu'il sait, d'expérience, à quel besoin il répond. Dans les Universités étrangères, les professeurs sont nombreux à souhaiter la publication d'un manuel de cette sorte qui leur dise, et qui dise à leurs étudiants, ce que la France doit à son passé et, surtout, ce qu'elle fait depuis quinze ans, ce qu'elle est devenue, ce qu'elle entreprend de faire encore. Ce livre décrit le visage de la France et établit une sorte d'anatomie de son cerveau et de ses muscles.

Dans nos Instituts, dans nos Alliances, dans nos sociétés d'amitié française, la curiosité est la même. Les conférenciers qu'on nous demande d'entendre, appartiennent non seulement à toutes les disciplines de la recherche et de la création littéraire, artistique et scientifique, mais au monde de la politique et au monde des techniques et des affaires. 90 % d'entre eux sont sollicités de présenter à nos amis la France d'aujourd'hui.

Sous la direction de M. l'Inspecteur général Pierre Clarac, qui vient de parcourir le monde pendant près de dix ans et connaît ainsi fort exactement la nature et l'étendue des curiosités, des spécialistes français se sont rassemblés pour livrer, dans une série d'articles d'une admirable densité, l'essentiel de leurs préoccupations et le fruit de leurs travaux. La civilisation française, ils la façonnent et l'illustrent tous les jours; le tableau, ici, rejoint le témoignage.

Il était difficile de présenter un ouvrage qui fût à la fois bref, complet, harmonieux, et directement utilisable par les étrangers, maîtres et étudiants. Je crois que M. l'Inspecteur général Pierre Clarac et ses collaborateurs sont parvenus à mener à bonne fin cette entreprise difficile. Si j'avais à donner un titre à ce manuel et à ce bilan, je dirais, songeant à son contenu : " voici la France d'aujourd'hui ".

Oserais-je avouer qu'il m'a appris beaucoup de choses? Et que, déjà, je me suis maintes fois reporté au manuscrit pour éclairer ou étoffer les conférences de civilisation française contemporaine que je prononce chaque semaine devant les étudiants étrangers de l'Ecole des Hautes Etudes Commerciales? Ce serait dire, en même temps, que cet ouvrage est un outil, et que les services qu'il me rend, il les rendra à tous ceux qui, dans les Universités de l'étranger et leurs Instituts, les Alliances françaises et les Instituts français, ont à distribuer ou à recevoir un enseignement de civilisation française.

Marc BLANCPAIN
Secrétaire général de l'Alliance française.

préface

Nous n'avions pensé d'abord qu'à dresser une sorte d' " état de la France ", qu'à décrire à grands traits sa situation présente et les divers aspects de son activité. Une pareille enquête ne pouvait être menée à bonne fin que par un ensemble de spécialistes dont chacun eût, en sa partie, une autorité reconnue. Nous nous sommes donc adressés à des savants, à des artistes, à des critiques, à des professeurs, à des juristes, à des économistes, à des observateurs politiques. Ils ont répondu à notre appel avec une bonne grâce dont nous les remercions. Bien plus, non contents d'exposer ce qui est, ils ont presque tous indiqué avec force ce qui, à leurs yeux, devrait être. S'interrogeant avec anxiété, ils n'ont caché ni leur mécontentement ni parfois leur angoisse. Ils ont donné à leurs études l'accent d'un sévère examen de conscience.

Voilà bien les Français! Montaigne les peint, en voyage, " s'effarouchant des formes contraires aux leurs ", jugeant " barbare " tout ce qui ne s'accorde pas avec leurs habitudes. Mais l'étranger qui leur voit faire la moue, aurait tort de s'en offenser. Leur esprit critique n'est jamais si exigeant que lorsqu'ils s'examinent à leur tour. Ils ne manquent pas alors d'en retourner la pointe contre eux-mêmes. Les auteurs des articles qu'on va lire, loin de brosser un tableau idéalisé de la France contemporaine, auraient plutôt foncé les ombres çà et là, jugeant plus utile d'insister sur ce qui les alarme que sur ce qui les rassure, et sur ce qui reste à faire que sur ce qui a été déjà fait.

A la réflexion, il nous paraît heureux que chacun d'eux soit allé, sans ménagement, jusqu'au bout de sa pensée. La propagande de la franchise n'est peut-être pas la moins efficace. Que les Français se jugent avec sévérité, n'est-ce pas d'ailleurs la preuve de la confiance qu'ils gardent en eux-mêmes? Les motifs de perdre cœur ne leur manquent pas en ces années d'angoisse; mais ils se refusent à prendre leur parti des maux qui les accablent. En 1871, au lendemain de la défaite, Renan traçait le plan d'une " réforme intellectuelle et morale ". La volonté de renaissance qui s'est affirmée aux heures de la Libération est encore sensible à toutes les pages de notre recueil.

C'est pourquoi nous osons penser qu'il ne sera pas inutile. A ceux qui nous aiment au-delà de nos frontières, il nous montrera comme nous sommes, sans complaisance, et en même temps comme nous voudrions être, comme demain peut-être sera notre jeunesse en qui la sève surabonde. Aux Français eux-mêmes il apportera deux stimulants : l'inquiétude et l'espérance.

Pierre CLARAC.
Janvier 1958.

Note pour l'édition de 1961.

J'écrivais ces lignes il y a plus de trois ans. L'accueil favorable qu'a reçu notre livre nous permet d'en donner aujourd'hui une édition revue et mise à jour. Certains articles ont été complétés ou même refondus; d'autres sont entièrement nouveaux. Nous avons essayé de répondre aux vœux dont beaucoup de lecteurs nous ont fait part. Nous avons voulu aussi présenter de la France une image rajeunie, au moment où elle semblait rajeunir elle-même.

Nous nous sommes gardés de choisir les auteurs des études qu'on va lire, dans un secteur déterminé de l'opinion. Les dissonances qu'on a pu déjà relever dans notre première édition seront peut-être ici plus sensibles. En face des événements de Mai 1958, par exemple, il est évident que tous nos collaborateurs n'ont pas réagi de la même manière. Pourquoi aurions-nous demandé aux uns et aux autres de farder leur pensée? La liberté de la critique garantit la sincérité de l'éloge. Pour notre part, nous sommes heureux que plusieurs familles spirituelles soient ici représentées et que, de ces articles qu'anime un égal amour de la France, se dégage une impression, bien française elle-même, d'indépendance et de diversité.

P. C.

LA LANGUE FRANÇAISE

La France, pour beaucoup de ses amis lointains, c'est d'abord la langue française. Il en est qui, sans être jamais venus chez nous, la parlent ou du moins la lisent couramment, et en sentent les finesses.

Instrument jadis de tous les échanges européens, est-elle en passe de devenir une langue de luxe, qu'on n'étudierait que pour acquérir un brevet de distinction? Le français, langue morte? On a soutenu ce paradoxe. — Langue bien vivante, au contraire, et dont la sève n'est pas près de tarir, comme le montre ici M. Wagner, professeur de philologie française à la Sorbonne.

Au débarquer de l'avion ou du bateau, à bonne distance de votre pays natal, rien, vous semble-t-il, n'a changé dans sa substance des premiers objets sur lesquels se posent vos yeux. L'herbe que vous foulez, la pierre, le bois ou ces animaux familiers, comment seraient-ils *autres* ici que là? Une seconde suffit, cependant, à faire de vous un étranger dans le monde, un étranger au monde, si seulement vous ne parlez pas la langue des amis qui vous accueillent. A quoi vous servirait désormais la vôtre? Coupé net de tous les liens qu'elle nouait entre vous et les choses, entre vous et vous-même, il faut entrer dans le jeu des rapports nouveaux que propose celle d'ici.

Tout le monde le sait d'une manière plus ou moins confuse : *un idiome est une façon de penser*, autant dire *de voir et de sentir*. Qu'est-ce qu'une substance sans qualités? Or nous ne connaissons que les qualités des êtres qui nous entourent : leur nom propre en est une, au même titre que le parfum, la couleur, le charme, la grâce. Beaucoup de gens graves regrettent que la multiplicité des langues interdise une compréhension universelle entre les hommes. Ils la voient d'avance vaincue par le triomphe d'un parler qui couvrirait la terre entière... Le passé nous garantit que ce rêve n'est pas utopique : songez au latin. Admettons donc sérieusement une telle hypothèse, mais comprenons aussi que cette étape marquera pour l'homme le début de la maturité de son espèce. Dès lors, je n'en hâterais pas, pour ma part, l'avènement. Quitte à vieillir, laissons faire le temps et ne le poussons pas. Je me satisfais bien d'une faiblesse, sans doute, mais où je vois un trait de l'adolescence de l'homme. Que chaque langue fasse naître un univers à l'esprit et au cœur de ceux qui la parlent, que tout prenne ainsi cent et cent figures selon les lieux, quelle joie, puisqu'il suffit à chacun d'apprendre deux langues en plus de la sienne pour vivre trois existences! Triste réveil, le jour où cette féerie cessera! Mais nous en sommes loin, et le français attend, de bonne grâce, que vous exerciez sur lui votre désir de communiquer déjà avec nous.

*
* *

Écoutez-le, d'abord; prêtez l'oreille et réfléchissez un peu aux perceptions qu'elle reçoit; lancez-vous, enfin, et imitez sans vergogne ces Parisiens qui parlent. D'autres langues sont plus sonores, plus mélodieuses, plus rythmées naturellement que le français. Encore une grande diversité le partage-t-elle sur ce point, car de la Picardie à l'Auvergne, de Metz à Bordeaux ou aux frontières de la Bretagne gallo[1], une oreille avertie recueille autant d'articulations singulières et de chants que de provinces. Mais par *français* j'entends ici celui de France, ce "francien" d'aujourd'hui où les parlures régionales qui s'y

1. Partie du nord de la Bretagne où l'on parle un patois dérivé du Français.

A la devanture du libraire
Ph. A. D. P.

rejoignent arrondissent leurs aspérités et tempèrent l'écart de leurs claviers. La seule langue (quand on la parle bien), qui concilie, en tirant d'eux les qualités propres de leur style, les poèmes de Villon et ceux de Mallarmé, *Bérénice* et *Hernani*, la prose de Madame de Sévigné et celle de Giono. Les mots qui entrent dans une phrase y composent une famille intimement unie. Ne les martelez pas ni ne les séparez trop. Ils sont faits pour vivre en étroite compagnie, tous ceux que le sens apparente et rapproche étant unis par des glissements insensibles ou par de douces liaisons. Les yeux mentent, lorsqu'ils vous font décomposer en douze maigres syllabes : *Le jour n'est pas plus pur que le fond de mon cœur*, un groupe que l'oreille perçoit comme une ligne sonore continue.

Sans autre accent tonique que celui de groupe, sans longueur ni brièveté régulières des voyelles, le français semblerait au premier abord dépourvu des moyens d'où les langues romanes, ses congénères, et les langues germaniques tirent la structure de leur poésie. Ne retenant que les plus mécaniques, le nombre, la rime, on imagine mal qu'il traduise la couleur, la ligne sinueuse et le rythme des sentiments tendres ou passionnés. Réfléchissez cependant à ceci : que cette prétendue pauvreté le libère d'autant de servitudes, car sur la trame du pair et de l'impair il répartit au mieux du sens et de l'harmonie toutes ces marques qui, dans les autres langues, ont une place fixe. De six, huit, dix, onze ou douze temps, les vers n'ont de mesure rigoureuse qu'en apparence. Ils s'accourcissent ou se prolongent dès que la voix resserre une syllabe ou l'étend un peu au-delà des limites qu'elle aurait dans la prose. Et les accents d'affectivité, d'insistance, détachent au besoin un mot qui le mérite : il domine alors ceux qui l'entourent, beau diamant qui éclate au-dessus de roses plus modestes.

A la poésie encore de faire valoir deux ressources dont la prose ne tire parti que pour échapper à des embûches phonétiques : les *e* moyens ou assourdis, et cette coupe qui, de deux voyelles en contact, fait deux syllabes autonomes, épargnant à l'*i*, à *u*, à *ou* le sort de se changer en demi-consonnes. Dans une gerbe, quelques fleurs d'un coloris plus tendre aident à mieux vibrer la flamme vive des autres. Tout de même de nos *e*. Ils évitent, certes, le heurt choquant de trois consonnes, mais leur vertu est surtout de creuser un silencieux intervalle d'ombre qui ménage une transition entre l'éclat des voyelles aiguës ou entre les basses d'orgue des voyelles profondes.

De la prose au poème, l'écart est plus ou moins grand selon les idiomes. Je ne crois pas que, phonétiquement, il soit plus réduit que chez nous : ce qui rend d'ailleurs si difficile, en France, l'exercice de la poésie, et si délicate la perception de ses qualités authentiques. La meilleure poésie française est la forme parfaite du français parlé. D'où sa haute vertu éducatrice lors de l'apprentissage de notre langue. Si vous savez réciter comme il faut les plus beaux vers, sans que des accents trop vifs rompent leur cours, sans qu'une altération malencontreuse du timbre dévie la ligne mélodique des voyelles, vous aurez fait plus des deux tiers du chemin qui conduit à ce " beau parler " où l'on a toujours reconnu la marque d'une pure nationalité française.

Pour quel profit, je me le demande, agite-t-on comme un épouvantail devant les étrangers ces " pièges " qui, à en croire certains, feraient du français la plus difficile des langues ? Est-ce afin de lui donner du lustre ? Je crains plutôt que l'enthousiasme de ces bonnes âmes ne vienne de ce qu'elles n'ont pas appris elles-mêmes de langue étrangère. Qui, ayant poussé tant soit peu l'étude de l'anglais ou de l'espagnol, ne s'est rendu compte que ces idiomes proposaient au novice autant d'occasions d'embûches que le nôtre ?

Plus sage, celui qui essaierait de dessiner, à l'intention de ceux qui les ignorent, les lignes générales de sa structure grammaticale et des formes de pensée qu'elle commande. Ce travail, deux Français l'ont entrepris, mais, il faut le dire, en termes techniques trop rares et à l'usage exclusif des spécialistes. Quand réduira-t-on à des proportions convenables le monumental *Essai de Grammaire de la langue française* de Damourette et Pichon? Du moins, en attendant, les étrangers trouvent-ils dans *Le bon usage* de M. M. Grévisse (un Belge...) le moyen le plus commode et le plus sûr de résoudre les difficultés de grammaire qui se posent à eux : nombreux exemples, et bien classés, de bons écrivains, qui illustrent à peu près toute la variété des constructions de la langue écrite. Il ne manque à ce tableau, pour mon goût, que les reflets de la langue parlée.

" *Le français, langue abstraite* " disait Viggo Bröndal, ce linguiste danois que n'oublie aucun de ceux qui l'ont connu. J'admets cette définition, si l'on prend soin de préciser qu'elle exprime la limite d'une tendance. " *Concrète* " pourrait s'appliquer à une langue dont les formes grammaticales s'efforceraient de décrire dans toutes leurs particularités les objets et les événements qu'elles symbolisent. Quant aux choses, par exemple, le genre s'y appliquerait au sexe naturel, comportant un neutre pour les objets inanimés. Quant à l'espace et au mouvement, un système de préverbes et d'adverbes complémentaires y dessinerait les champs dimensionnels et les lignes de fuite : voyez là-dessus les langues germaniques. Quant aux événements, les verbes les décriraient dans leur cours, du début à la fin, au moyen des aspects ou des " formes de procès ", à la façon du grec ancien ou du russe encore.

Il est indéniable qu'un mouvement régulier, dû à la réflexion consciente des écrivains, des stylistes et des grammairiens, a conduit le français écrit dans une direction du tout opposée à celle-ci, vers la limite qu'a fort bien définie Bröndal dans l'opuscule que je rappelais tout à l'heure. Des preuves? On n'a que l'embarras du choix entre mille. Songez à l'étendue des emplois de ces prépositions les plus vides de signification concrète comme *à* et *de*; à la préférence que le français marque pour le substantif abstrait sur le verbe, pour la construction nominale (*une main de fer, une mine de papier mâché*) sur la détermination adjectivale; à ce glissement au terme duquel les formes composées du verbe en sont venues à exprimer le temps, la chronologie exacte, préférentiellement à l'action achevée....

Toutefois, *concret*, le français l'était de la façon la plus naturelle à sa naissance et il l'est demeuré, bien plus qu'on ne le pense, sous les formes qu'il prend dans la conversation. Là, libéré des ordres et des tours dits " logiques ", il dispose et assemble les termes selon les exigences de la sensibilité qui ne coïncident pas souvent avec celles de la raison.

Le besoin de décrire trouve dans la morphologie tous les moyens de figurer ce qu'il veut mettre en relief : l'achèvement, par le passé surcomposé absolu (*je l'ai eu vite fini, mon devoir!*), les premiers pas dans le durcissement d'un caractère (*il s'enmalice tous les jours, cet enfant-là*). Et si l'on vous enseignait, par malheur, que le français répugne aux suffixes, si pittoresques et parlants, écoutez avec politesse, mais croyez-en plutôt vos yeux et vos oreilles. Toutes les mines affectées, tous les propos vains et creux, toutes les tares de la misère passent dans ces mots-construits que les écrivains n'hésitent pas à recueillir de la bouche d'un parleur ironique. Le *bigotage* d'une femme hypocrite est ancien, mais classique, puisque Grenaille l'emploie dans son traité de *L'Honneste Fille* au début du XVIIᵉ siècle. Sur son modèle Hugo flétrira le *parlage* des orateurs de la Chambre en attendant que Péguy fouaille les " *intellectuels politiques parlementaires, politiquant, politicaillant, parlant, parlementant, parlementaillant, parlementarisant* ". Une force destructrice en puissance émane aussi bien du *séchard* (ce mauvais vent que Rousseau nomme dans *La Nouvelle Héloïse*) que de ces *crevards de la faim sans pudeur* peureusement évoqués par E. de Goncourt.

Mais quel poète, en revanche, n'a su glacer un vers du beau vernis solennel que propose le suffixe *-al*? Au *nuital* heureusement hardi de Ronsard, à ce noble adjectif de *fatal* que Malherbe mit si souvent à sa place avec un art consommé, répond à l'autre bout du temps ce *vespéral* dans un vers, au moins, de Mallarmé dont nulle exégèse n'épuisera la charge poétique :

> *Comme mourir pourpre la roue*
> *Du seul vespéral de mes chars.*

Quittons l'esthétique. Serait-il vrai que la morphologie nous refuse un moyen d'exprimer la notion d'agent (habituel ou occasionnel) ou bien que nous répugnions à nous en servir? Ce serait oublier que Diderot caractérise sous le nom de *rediseurs* ces perroquets qui vivent sur les idées d'autrui; Voltaire, sous le nom de *ressusciteurs*, les théologiens qui *répondent très pertinemment* à ceux qui *se défient de la résurrection* du Christ. Et pour Goncourt *Helleu est un croqueur des ondulations et des serpentements du corps féminin*. Pour Rollinat *appreneurs*, ces gens qui manquent d'originalité naturelle; tandis qu'Asselineau emploie sans vergogne *besogneur*, Marcel Arland *les cueilleurs* (de prunes), Georges Penchenier les *descendeurs* (en ski) dont le nom était hier les *slalomeurs*; et cependant que les amateurs de cyclisme ont, de longue date, appelé *poursuiteurs* les spécialistes d'une certaine forme de course.

Non. Ni la morphologie ni la grammaire ne contraignent le français à exprimer en tout et pour tout un certain type de pensée. La vérité est qu'elles se prêtent aussi bien au langage du cœur qu'à celui de la raison, à la couleur qu'au dessin sévère d'une épure, à l'improvisation qu'au discours.

Suivez maintenant les premières mesures d'une belle histoire lyrique :

Quatre maisons fleuries d'orchis jusque sous les tuiles émergent des blés drus et hauts.

C'est entre les collines, là où la chair de la terre se plie en bourrelets gras.

Le sainfoin fleuri saigne dessous les oliviers. Les avettes dansent autour des bouleaux gluants de sève.

Le surplus d'une fontaine chante en deux sources. Elles tombent du roc et le vent les éparpille. Elles pantèlent sous l'herbe, puis s'unissent et coulent ensemble sur un lit de jonc.

> *Le vent bourdonne dans les platanes.*
> *Ce sont les Bastides Blanches.*

En fermant les yeux je suis tombé par hasard sur Giono, parmi cent exemples choisis entre La Fontaine et Claudel. Ils me servent à introduire d'emblée les auditeurs non-français de mes conférences dans une langue qui ne leur est pas assez familière. La plupart débarquent à Paris avec un bagage de solides connaissances philologiques, des moyens à coup sûr suffisants pour circuler entre Auteuil, Montmartre et Montsouris; avec, enfin, le souci de pratiquer un français " à la page ", un français " avancé " comme l'appellent (assez malencontreusement) les linguistes suisses. Mais tout cela les dispose mal à comprendre la langue de nos meilleurs écrivains modernes et du même coup celle que *parlent* les neuf dixièmes des Français.

S'agissant de lexique, je leur dis alors : " Pour cela, de deux choses l'une. Quittez Paris dès que vous en aurez pris l'accent, car ce n'est plus dans son atmosphère concentrationnaire que vous apprendrez la désignation singulière, exacte, des êtres et des choses. Circulez lentement. C'est sur les petits chemins de

campagne, dans les villages haut ou bas perchés, à l'auberge
ou sur la place les jours de marché, que tous ces mots s'offriront à vous. Mais si Paris vous retient, faites ce voyage dans
votre chambre. Des cartes et un bon guide vous révéleront déjà
bonne partie de ces termes que vos yeux auraient relevés sur
les bornes ou au hasard de vos promenades à travers les rues;
et pour les autres, lisez non pas, bien sûr, ces textes de glace
où un intellectuel congèle des idées, mais tous les autres : ces
pages de prose ou de vers, innombrables, où l'art concentre
et exalte toutes les sensations que nous communiqueraient directement les mille rumeurs d'un village au travail, le cours frais
d'un ru sous les saules, la blancheur d'une épine, le parfum des
herbes de la Saint-Jean ou l'âpre salure de ce port où les
pinasses regorgent de sardines bleues. ''

Les linguistes, souvent plus enclins à la théorie qu'à l'observation ingénue des faits, vont disant que le lexique commun
du français serait riche, surtout, en termes généraux. Ils proposent là une demi-vérité. Ce n'est pas un hasard, j'y consens,
que le premier texte rédigé en gallo-roman vulgaire soit une
convention diplomatique dont les clauses, nettes et précises,
laissaient peu de place aux faux-fuyants. On ne pouvait que
l'observer ou la répudier; il était difficile de la tourner. Tenons
donc pour vrai que, dès ses origines, le français s'est révélé
propre à cerner délicatement et efficacement des notions abstraites,
apte à dissocier pour chacune d'elles, au moyen d'un second
mot qui représentait alors une variante, des éléments accessoires,
le terme de base n'exprimant plus alors qu'une valeur fondamentale. Ce travail d'analyse entrepris dès le XIe siècle a permis
au français de mettre très tôt à la portée des lecteurs tous les
hauts sujets de philosophie, de morale et de science que les
spécialistes agitaient en latin. Aussi, quand cette langue morte
devint incapable d'exprimer l'humanisme moderne, le français
était-il tout prêt à lui succéder dans ce rôle. Il n'y a donc pas de

domaine, dans l'ordre de la pensée abstraite, que notre lexique ne recouvre d'autant de *systèmes* de vocabulaire : un mot général, spécifique, y jouant le rôle de planétaire, environné de tous les mots-satellites susceptibles de lui apporter ces nuances complémentaires que requièrent les circonstances.

Mais la diversité presque infinie des choses? Si vous croyez que le français soit en peine de la rendre, c'est que vous n'avez pas lu, encore, les œuvres qui manifestent son extraordinaire aptitude à désigner d'un terme juste, imagé, descriptif et pittoresque une plante, un oiseau, tel accident de terrain, telle pièce d'une mécanique....

Serait-ce en vain que les laboureurs et les pêcheurs, les pâtres, les artisans, tous les hommes " mécaniques " (les techniciens disons-nous aujourd'hui) se sont créé des vocabulaires où se peignent les formes de leur imagination et de leurs sentiments? Non. Rabelais, prosateur, Ronsard, poète, tiraient déjà systématiquement de ce trésor le fonds de leur langue littéraire. C'est ce que firent après eux, en plein âge classique, La Fontaine, Madame de Sévigné, Molière; un peu plus tard, les écrivains que l'esprit encyclopédique inclinait à une vive curiosité à l'égard du commerce et de l'industrie; plus tard encore Hugo, Balzac, Zola; hier et aujourd'hui Marcel Proust, Colette, François Mauriac, Jean Giono. Ignorer ces désignations populaires, de grande extension régionale, ces mots de condition ou de métier, ce n'est pas seulement vous couper de la vie française, c'est vous interdire aussi de comprendre, dans ses nuances, la signification des œuvres littéraires auxquelles l'emploi judicieux et motivé de ces termes confère une forme de beauté.

*
**

Lorsque je m'adresse à ces amis d'ailleurs qui viennent parmi nous pour mieux connaître la France et y trouver des raisons d'aimer le français davantage, il me revient toujours le souvenir de Moréas, d'Apollinaire, de Beckett, de Kédros, de Dormandi. Pourquoi ne s'en trouverait-il pas un qui, comme ceux-là, nous ferait un jour l'honneur d'écrire dans notre langue, de devenir un écrivain français? C'est pourquoi, professeur, je ne saurais borner mes conseils à l'explication pure et simple de la grammaire usuelle. Pour moi, toute initiation au français doit se faire à partir de la littérature et s'achever sur la littérature encore. Qui n'aborderait une cathédrale par les arches de son porche royal? Ainsi du français. Peu m'importe que vous bronchiez une fois sur le genre d'un substantif ou sur un accord. Tirez-vous déjà du plaisir, une sorte de satisfaction sensuelle, à entendre lire tel poème, telle page de prose? Voilà la chose qui compte, la seule. Le reste — l'acquisition des détails — viendra tôt de surcroît. Analyse-t-on la structure d'un être avant de s'éprendre de lui? Il vous attire, vous l'aimez, et tout le temps vous reste pour apprendre à le connaître. Aussitôt acquises les données premières qui vous mettront en pouvoir de parler français, laissez-vous aller à l'amour. Écoutez, lisez, écrivez hardiment cette langue aux mille résonances, aussi diverse que les paysages, aussi savoureuse que les crus royaux de France.

R.-L. WAGNER
Professeur à la Sorbonne.

LE VISAGE DE LA FRANCE

Essayons de guider cet ami étranger qui ne se contente pas d'une distante sympathie, qui veut nous connaître et nous comprendre. Il arrive, de loin peut-être. Déjà la portière de la voiture ou du wagon encadre des paysages de chez nous, à moins que, plus soudainement, du paquebot ne se découvrent nos côtes ou de l'avion nos champs en damier.

La terre de France a fait les Français; et les Français ont fait la terre de France. Voici donc le moment d'écouter un géographe. Auteur d'une Géographie de Marcel Proust, M. André Ferré est habile à saisir entre l'homme et le sol de subtiles correspondances. Après avoir décrit à grands traits nos paysages, leurs contrastes, leurs harmonies, il présente, en un diptyque, Paris dont les apparences laissent à peine deviner la vie profonde, et la province, plus secrète encore, d'où Paris, inépuisablement, tire sa sève.

LA TERRE ET LES PAYSAGES DE FRANCE

La terre et les paysages, c'est le corps et le visage d'une nation. Comme dans le corps et le visage d'un être humain, quelque chose de sa nature spirituelle s'y exprime, surtout quand terre et paysage sont marqués par l'effort séculaire des hommes. Comment l'âme de la personne France transparaît-elle dans son aspect physique? Par quels traits originaux d'anatomie et de physionomie se distingue-t-elle des autres personnalités nationales, celles de ses voisines européennes en particulier?

ÉTENDUE, FORME ET LIMITES.

Avec une superficie de 550 000 kilomètres carrés, la France est le plus étendu des pays qui appartiennent exclusivement au continent européen. Son image sur une carte peut s'inscrire dans un hexagone à peu près régulier. Cette image a paru un symbole et même une cause lointaine de l'équilibre et de la mesure qui distingueraient l'esprit français. Mais de telles vues de l'esprit sont bien arbitraires.

Plus que par l'harmonie, celui qui parcourt notre pays est d'abord frappé par les contrastes. Entre les reliefs tourmentés de Savoie, les étendues interminablement arides des Causses, la pointe du Raz que bat la mer furieuse et les vertigineux abrupts des gorges du Verdon, les oppositions sont aussi marquées qu'entre les génies extrêmes de Pascal, de Hugo, de Rimbaud.

Dans ses limites relativement étroites, la France offre comme un abrégé de l'Europe occidentale : les verts pâturages normands, plantés de pommiers et cernés par des haies vives, ont leur réplique dans le Sussex anglais ; quelque chose de la Zélande se retrouve dans le quadrillage de canaux de notre marais poitevin ; le Quercy ressemble, par l'âpreté de son sol comme par la lumière de son ciel, à un fragment de Castille ; un habitant de la Camargue ne se sentirait pas dépaysé dans l'île scandinave d'Oeland, autre paradis des oiseaux aquatiques.

Sans l'arrêt imposé par les formalités douanières, à quoi saurait-on que l'on passe de Flandre belge en Flandre française, du Massif schisteux rhénan à l'Ardenne, de la Forêt-Noire et de la plaine badoise à l'Alsace et aux Vosges, des Alpes piémontaises à celles du Dauphiné, du Jura suisse au Jura français ? Seule, la frontière d'Espagne, du moins dans la partie centrale et orientale des Pyrénées, nous sépare d'un autre monde, — d'un monde déjà africain. Encore cette opposition d'aspects ne fait-elle obstacle ni à la communauté du genre de vie ni à l'activité des échanges.

De même, Bretons du nord et Gallois du sud se retrouvent presque chez eux de l'autre côté de la Manche, et les dialectes gaéliques auxquels ils sont restés fidèles leur permettent de se comprendre sans truchement. La frontière française par excellence, celle où notre pays se tient le plus sur ses gardes, est aussi la plus artificielle (en même temps que la plus courte) : cette partie de la ligne de démarcation franco-allemande, dont le tracé a connu tant de vicissitudes, à travers la zone où les invasions se sont ruées périodiquement pendant des siècles ; tracé d'à peine 150 kilomètres, qui court du Rhin à la Moselle, tranchant arbitrairement lignes de relief, forêts, cours d'eau et bassins miniers.

En fait, c'est l'homme plus que la nature qui a donné à nos paysages leur caractère original et qui, si divers qu'ils soient, a fait régner entre eux une certaine unité. La terre de France a pu dans une certaine mesure façonner les Français. Dans une mesure bien plus large, ce sont les Français qui ont fait la France.

LE BASTION CENTRAL.

Plaçons-nous maintenant au cœur même de cette France, en un point dominant d'où se découvrent les grandes lignes de son architecture, quelque part dans ce Massif Central dont la présence au milieu des bassins environnants caractérise l'anatomie française.

De climat rude et de sol en général ingrat, ce massif se montre plus hostile à l'homme que les plaines voisines; pourtant, il ne s'oppose pas à la pénétration, à l'installation et à l'exploitation humaines. Sans doute, les chaînons de son glacis oriental bordent le couloir rhodanien de pentes raides, que les routes ne peuvent gravir qu'en longs lacets, et sa partie centrale a été surhaussée par les cônes éruptifs de la chaîne des Puys, par d'énormes cratères, par des coulées basaltiques, par toute une effervescence volcanique dont les hommes préhistoriques ont pu être témoins, et qui laisse son souvenir dans les sources thermales d'Auvergne.

Mais l'altitude générale est modeste, fort éloignée de celle de la grande montagne; plus de glaciers; le Puy de Sancy, point culminant, atteint seulement 1 886 mètres. En outre, de longues et creuses vallées tracent, à l'ouest, des voies d'accès jusqu'au cœur du Massif; au nord-est, la Loire et l'Allier ont colmaté des chapelets de bassins fertiles; des vignobles s'y rencontrent, que la rudesse du climat exclut du reste du Massif; au sud s'étendent les grands Causses, tables poreuses qui recouvrent les étranges secrets de rivières souterraines circulant à travers galeries, grottes, siphons et gouffres.

Les matériaux dominants de ce puissant socle sont des roches anciennes et dures. Des millénaires d'érosion ont raboté jusqu'à la racine leurs plis aigus de jadis, ont disloqué en plusieurs tronçons leur masse qui à l'origine couvrait presque toute la France. Sur le pourtour du bastion central, ces roches plongent, comme un rivage plonge sous la mer, sous des couches sédimentaires, plus récentes et plus plastiques, pour réapparaître, vers l'ouest dans le Massif armoricain, vers le nord-est dans les Vosges et l'Ardenne. La carte géologique, qui représente la France décapée de son sol végétal (ainsi qu'un " écorché " d'amphithéâtre, supposé dépouillé de sa peau, laisse voir le dispositif musculaire) indique d'autres lambeaux des mêmes roches anciennes dans les parties les plus hautes des Alpes et des Pyrénées; elles forment encore, sur le littoral méditerranéen, les petits massifs des Maures et de l'Esterel.

Du sommet du mont Aigoual, dans les Cévennes, point privilégié d'observation, le panorama que l'on découvre illustre en un pittoresque impressionnant la structure du Massif Central. Sur la plate-forme battue des vents qui surplombe l'observatoire et porte une table d'orientation, le regard embrasse, dans tous les secteurs de l'horizon, l'une des plus vastes étendues de paysage terrestre, qu'en France on puisse dominer en restant au sol. Vers le nord, au-delà des sèches et rocailleuses tables calcaires, s'échelonnent des bombements boisés; de l'horizon émerge le Plomb du Cantal, deuxième géant des anciens volcans d'Auvergne. Vers l'ouest, c'est un réseau de vallonnements creusés par le Tarn et ses affluents à travers des terrains dont la pente générale s'incline lentement vers les terrasses occidentales. Vers le sud-ouest, à deux cents kilomètres à vol d'oiseau, le Canigou est visible par temps clair, avec sa pointe enneigée. En avant de la barrière pyrénéenne s'étale la vallée largement déblayée de l'Aude, au plus creux de la plaine du Bas-Languedoc. Vers l'est et le sud-est, au-delà des pentes forestières, ravinées par les torrents, la vallée du Rhône allonge à l'arrière-plan son ample couloir en avant des Préalpes, où se détache le mont Ventoux, avec la silhouette d'un autre observatoire perceptible à la longue-vue; ce miroir scintillant au loin, c'est l'étang de Vaccarès, entre les branches du delta; et la nappe de la Méditerranée occupe le fond de l'horizon.

Nous sommes à l'un des points-clefs de l'architecture et de l'hydrographie françaises. La distribution du relief y est rendue plus saisissante par les frontières du ciel, du ciel qu'on ne peut jamais séparer de la terre à laquelle il donne, selon chaque climat, son éclairement particulier. Celui de l'Aigoual, fidèle abrégé du ciel de France, se partage entre trois aspects. Dans les plus lointaines perspectives de l'ouest et du sud-ouest, c'est un ciel atlantique, aux lentes houles de nuages blancs poussées par le vent d'Océan, coupées de pâles éclaircies et s'égouttant en pluie sur les pentes. Aux abords immédiats du mont et loin vers le nord, les sombres masses nébuleuses amorphes où menace l'orage qui, au printemps et en été, se déchaîne en terribles colères, sont le propre d'un ciel montagnard et déjà continental. Mais quand on se tourne vers le sud-est, on ne voit généralement que la voûte d'un bleu profond et lumineux, où ne traîne aucune vapeur : c'est le ciel méditerranéen, qui fait des plaines et des terrasses frangeant la mer intérieure un monde à part.

Paysage vraiment peu humanisé. S'il mérite le qualificatif de français, alors que la pure et brute nature y apparaît presque absolue souveraine, c'est moins parce qu'il porte une marque caractéristiquement nationale qu'à cause de son emplacement

**Saint-Père-sous-Vezelay
(Yonne)**

Ph. Rapho P. Pougnet

même, de sa position typiquement française, à la jonction des influences atlantiques, méditerranéennes et continentales qui se partagent l'Europe dans son ensemble.

*
* *

BASSINS ET SEUILS.

Autour du Massif Central se distribuent les parties basses du relief français, domaines des cours moyens et inférieurs de nos quatre grands fleuves. Le plus septentrional de ces systèmes de plaines et de collines est le Bassin parisien, zone de convergence des eaux et d'attraction humaine, avec la capitale politique établie en son centre. Il contraste avec le Massif Central pourtant mitoyen, d'où les rivières s'échappent en tous sens, d'où les habitants émigrent traditionnellement et où les réfractaires au pouvoir central ont toujours cherché refuge : Arvernes traqués par Jules César, Camisards rebelles à la conversion catholique, forces clandestines de la Libération.

Ce contraste n'est d'ailleurs pas exclusif d'une assez intime association. Ce sont les mêmes cours d'eau, là sauvages, ici assagis, qui y tracent leurs lits; ils ont arraché aux flancs du Massif et déposé dans tout le sud du Bassin des débris siliceux. Ainsi le voisinage de ces régions fort différentes crée entre elles une association bien plus qu'une simple juxtaposition. Ce rôle complémentaire à l'égard l'une de l'autre, de régions contiguës mais contrastées, est accentué par l'action des hommes dans l'exploitation des ressources, l'établissement des voies de communication et l'échange des produits. On est toujours ramené à l'idée que, loin que la France ait imposé aux Français sa personnalité, c'est des Français que la France a reçu son visage.

Ce n'est nulle part plus vrai que dans le Bassin parisien. Rares sont les secteurs de cette vaste région qui n'aient pas fortement reçu l'empreinte humaine. A mesure qu'on approche de son centre, de la Ville tentaculaire, cette empreinte se fait, avec les agglomérations pressées les unes contre les autres, les usines, les routes et les chemins de fer resserrant leurs réseaux, plus constante et plus impérieuse. Mais jusque dans les campagnes de sa périphérie, on distingue toujours, à proximité ou vers les lointains, quelque clocher, quelque château d'eau, quelque silo, une fumée, la lisière d'arbres d'un chemin ou d'un canal, des bêtes au pacage. Le tapis végétal, à part les surfaces forestières d'ailleurs entretenues et exploitées, est entièrement l'œuvre du paysan français : prairies et pâturages, champs et vignobles découpent la terre, presque sans hiatus inculte, en une géométrie rectiligne, ourlée de clôtures de pierres ou de haies vives dans la partie occidentale, ailleurs bariolée en habit d'Arlequin. Des régions naguère déshéritées, comme la Sologne, sont aujourd'hui aménagées pour fournir gibier, poisson, bois d'œuvre et de chauffage.

Sur ces cent vingt mille kilomètres carrés, ce qu'a donné la nature, outre une humidité modérée et régulièrement répartie dans l'année, c'est le relief, un relief de plaines allongées, à l'horizon souvent barré, dans toute leur longueur, par des " côtes ". Chaque alignement de côtes correspond au rebord d'une sorte de cuvette, emboîtée dans une cuvette plus large, tandis qu'elle-même est dominée vers l'intérieur par le rebord d'une cuvette plus étroite. Toutes ces cuvettes sont faites de terrains calcaires, mais (selon l'époque de leur formation par entassement de dépôts au fond des mers) plus ou moins durs, plus ou moins homogènes, plus ou moins perméables, de sorte que leurs zones de contact ont été déblayées par les agents atmosphériques, par le ruissellement ou l'infiltration des eaux. La disposition en auréoles concentriques est surtout sensible dans la partie orientale du Bassin. Que l'on vienne par la route de Belfort, de Nancy ou de Metz à Paris, c'est la même succession de longs paliers à pente descendante à peine perceptible, et de courtes montées, parfois non sans raideur.

C'est de Langres, sur les remparts face à l'est, qu'on peut le mieux reconnaître le type d'architecture du Bassin parisien, et le situer dans son encadrement périphérique. Ici encore, une table d'orientation aide à repérer les accidents du paysage et facilite son interpénétration. On se trouve sur la crête de la plus orientale des côtes, si abrupte qu'il faut un funiculaire à crémaillère pour relier la citadelle à la basse ville. Dans le sillon qui court au pied de la falaise, le mince filet de la Marne naissante frappe moins la vue que le canal rectiligne qui le double et s'enfonce au sud sous un tunnel. Un peu en arrière, un lac artificiel alimente ce canal. Au-delà, vers le nord-est, la vallée de la Meuse est empruntée par une route et un chemin de fer. Les constructions humaines sont partout : masses urbaines d'où émane, la nuit, une auréole rougeâtre, villages avec leur église, leur réservoir, fermes disséminées. Les données physiques brutes du paysage, c'est ici d'abord la matière terrestre elle-même, invisible sous son vêtement de cultures, ce sol marneux où le dosage naturel d'argile et de calcaire donne une terre végétale " chaude ", meuble, modérément humide, propice aux céréales comme aux prairies; et c'est encore la pente générale, s'élevant de façon insensible vers l'est, pour se redresser brusquement à l'horizon, où les nappes du plateau s'adossent aux croupes vosgiennes et au bourrelet du Jura, continuant toutefois à s'étaler entre ces deux môles dans la trouée de Belfort. Les lointaines Alpes, dont les plissements gigantesques achèvent de déferler, amortis, dans les ondulations jurassiennes, ne se laissent pas oublier : la double cime blanche de la Jungfrau s'inscrit dans une échancrure de l'horizon, à 240 kilomètres au sud-est.

L'architecture en cuvette, moins nette dans les autres secteurs du Bassin, y demeure cependant perceptible. En Normandie, les falaises crayeuses d'où l'on domine le site de Rouen sur un méandre très encaissé de la Seine, rendent sensible l'importance du mouvement du sol qui rehausse le Bassin dans sa partie occidentale. Il se relève aussi, plus faiblement, vers le nord, avec les collines d'Artois. Cette médiocre ride calcaire épouse, en l'émoussant (comme la neige efface les aspérités qu'elle recouvre), un bombement du fond schisteux et granitique de la cuvette, fond qui apparaît à nu dans le Boulonnais. Au-delà de l'Artois, le socle sous-jacent de roches anciennes se rapproche assez de la surface pour qu'on ait pu atteindre, en creusant des puits de mines, les dépôts houillers accumulés jadis dans ses anfractuosités. Autour de ces mines de houille, des industries nombreuses et variées se sont agglomérées; les unes et les autres imposent au paysage, comme dans le Hainaut belge voisin, leurs noirs crassiers, leurs cheminées d'usines, leurs mornes corons.

Que la capitale nationale se soit établie au centre approximatif de ce vaste amphithéâtre, c'est un phénomène dont on trouve des exemples ailleurs qu'en notre pays. Et si la concentration démographique, administrative, économique et intellectuelle d'une nation n'est nulle part aussi intense et exclusive qu'à Paris, c'est pour des raisons historiques, sociales et psychologiques bien plus que géographiques : à cet égard encore, les Français ont créé la France plus qu'ils n'ont été créés par elle.

Le bassin aquitain, lui, s'évase d'est en ouest en s'inclinant vers l'Atlantique. Son relief est fait de molles terrasses étagées, descendant par paliers sur les lits des rivières. Le dernier palier, la plaine landaise isolée de la côte par un cordon de hautes dunes, est occupé sur d'interminables étendues par la forêt de pins, aux alignements réguliers, œuvre récente de la volonté humaine et du travail humain. Dans le reste du bassin, les éléments végétaux actuels du paysage ont aussi tous été substitués par l'homme, depuis plus ou moins longtemps, aux plantes autochtones ; les plus caractéristiques sont la vigne, qui accompagna jadis la conquête romaine et fournit depuis des siècles les vins de Bordeaux ; le maïs, importé d'Amérique, céréale exigeante ; le tabac, également d'origine américaine, culture régie par une minutieuse rigueur administrative ; enfin les vergers, plantations géométriques au creux des vallées et sur leurs premières pentes.

La Saône et (à partir de Lyon) le Rhône forment du nord au sud, entre la bordure du Massif Central et le Jura puis les contreforts des Préalpes, l'axe d'un couloir plutôt que d'un bassin. La partie septentrionale de ce long vestibule, avec la plaine de Bourgogne et la Bresse, terres d'élection du blé, du maïs et aussi des volailles, est la plus large ; on n'y perd cependant jamais de vue l'une ou l'autre des bordures latérales de hautes terres, dont les premières pentes portent les meilleurs vignobles français. A partir de Lyon, c'est à travers un décor industriel, dans une véritable rue d'usines, que le fleuve roule ses eaux limoneuses et pressées ; mais ces usines, dont la force est fournie par la houille blanche des proches massifs montagneux, ne noircissent pas le ciel et la terre comme celles de Flandre. Et quand la vallée s'élargit en petits bassins, comme la plaine de Valence, les cultures : vignes, mûriers, arbres fruitiers, reprennent leur place au soleil. Après un dernier étranglement, à la hauteur de Donzère, le Rhône entre dans le midi méditerranéen.

Le trait le plus original de l'architecture du sol français, il faut le voir dans les facilités ménagées par la nature pour faire communiquer entre eux nos bassins fluviaux, en dépit des obstacles opposés par le bastion central et les hautes chaînes ou les boucliers périphériques. L'encadrement montueux de ces bassins s'affaisse en certaines zones privilégiées, ménageant des passages de terres basses qui permettent de circuler aisément de l'un à l'autre. Ces régions de trait d'union, ce sont des " seuils ". Le seuil de Lauraguais, que nous avons découvert du sommet de l'Aigoual, joint le bassin de la Garonne à celui du Rhône, à son tour relié à celui du Rhin par la trouée de Belfort, qu'on aperçoit de Langres; le plateau auquel cette ville donne son nom forme lui-même seuil entre les réseaux de la Seine et de la Saône; enfin, le seuil du Poitou, où le sort des armes décida en 732 que la civilisation de la France et de l'Europe ne serait pas musulmane, mais chrétienne, unit le bassin de la Loire à ceux de la Charente et de la Garonne. Ce sont zones de passage, où les voies de communication furent faciles à établir. Le train de Paris à Hendaye par Poitiers, celui de Bordeaux à Marseille par Carcassonne, roulent sur un parcours tout entier de plaine. Des canaux de jonction empruntent ces seuils, créant autour du Massif Central une ceinture navigable presque continue.

Nulle part peut-être un Français n'éprouve plus intimement l'impression toute physique d'être en France que dans ces contrées de transition, devant ces paysages neutres, sans vertu séductrice immédiate, peu faits pour retenir le touriste qui les traverse, mais où l'effacement même du pittoresque pour cartes postales engage à une familiarité solide et sans surprises.

TYPES DE PAYSAGES FRANÇAIS.

Ce sommaire tour de France nous a fait entrevoir des aspects de la terre française très différents les uns des autres, avec peut-être, comme donnée presque constante, une participation humaine aux traits physiques des paysages s'affirmant dans le sens suggéré par la nature, s'imposant à cette nature pour la compléter plus que pour l'altérer. Faut-il tenter de répartir ces paysages par types ?

On mettrait alors à part le pittoresque de la haute montagne (Alpes et Pyrénées) avec l'étagement de bas en haut des cultures, des pâturages d'hiver, des forêts d'arbres à feuilles caduques puis de résineux, enfin des alpages ou pâturages d'été, pentes dégagées de neige à la belle saison, et au-dessus desquelles s'étendent jusqu'aux sommets des neiges persistantes, matrices des glaciers qui alimentent les torrents : pittoresque qui se déshumanise à mesure qu'augmente l'altitude.

Les montagnes moyennes, d'origine géologique très diverse (Auvergne, Jura, Vosges, Corse) se ressemblent toutes par l'ampleur des vallonnements qui les modèlent, la fréquente accumulation des eaux en amont de barrages naturels (sans compter ceux que l'homme édifie de sa main), l'alternance de forêts et de prairies toutes peuplées de troupeaux, la dissémination des maisons aux toits à forte pente ; çà et là, au creux d'une vallée, surgit, à la faveur d'un gisement minier ou d'une source, quelque agglomération industrielle ou quelque station thermale.

Les paysages méditerranéens se distinguent par des traits originaux. Sous un ciel presque toujours pur, nettoyé par le mistral, le cers ou la tramontane, mais d'où les averses tombent aussi violentes que rares, s'étendent des plaines ou des plateaux que rident des chaînons aux pentes rocailleuses. Le cadre montagneux qui enserre ces pays ensoleillés n'est jamais loin, sauf dans l'échancrure où s'étale la vallée du Rhône ; la mer elle aussi est toujours proche. Des fleuves courts, au débit capricieux, réduits presque toute l'année à un maigre filet courant à travers des lits de cailloux roulés, se gonflent et ravinent les pentes de leur vallée dès qu'éclate un orage. De maigres formations de touffes épineuses, parsemées d'arbustes, couvrent les parties les plus pauvres : garrigues et maquis; ailleurs, les forêts mêlent aux hêtres et aux châtaigniers les pins maritimes, les pins-parasols, les chênes-liège; des ifs, des cyprès droits et sombres encadrent les fermes au toit de tuiles presque plat; cactus, aloès et agaves bordent les routes et décorent les jardins. Mais l'essence méditerranéenne par excellence, c'est l'olivier; ce petit arbre noueux, gris de tronc comme de feuillage, fournit au décor du Languedoc et de la Provence son élément le plus typique : on l'y rencontre partout, et on ne le rencontre que là en France. Les autres cultures : vignes, jardins maraîchers et vergers, plantations florales, prospèrent dans les parties faciles à irriguer et soustraites aux inondations.

Les paysages côtiers de l'Atlantique et de la Manche sont bien différents de ceux de la Méditerranée, ne serait-ce que par l'aspect du ciel souvent nuageux ou estompé de brume, ne serait-ce aussi que par les variations quotidiennes apportées dans ces paysages par le rythme des marées, qui fait passer deux fois par jour le Mont Saint-Michel de l'état d'île à celui de presqu'île. Sauf dans le secteur landais ourlé de dunes et sur le littoral de Picardie, ces côtes sont presque toujours rocheuses, découpées en anses ou en baies qu'enserrent des caps, et leurs anfractuosités naturelles abritent de petits ports de pêche au pittoresque très prenant. Le seul élément végétal commun avec le paysage méditerranéen, c'est le pin maritime, dont les alignements festonnent les hauteurs voisines du rivage.

Loin à l'arrière des côtes bretonnes et normandes, dans tout l'ouest de la France, s'étendent des régions dont les paysages ont un air de famille qui tient à un commun aspect de la végétation : le bocage. Il revêt des croupes de faible altitude, à la terre grasse, morcelées par de menus cours d'eau; prairies et champs, en parcelles de médiocre surface, y sont séparés par des haies vives plantées d'arbres, dont on coupe les branches pour la litière et le chauffage. Là où l'horizon est limité, on a l'impression de se trouver en pays de bois; c'est seulement quand on peut embrasser une plus vaste étendue qu'on se rend compte de la faible densité des arbres. Ceux-ci sont d'ailleurs les témoins d'anciennes forêts, qui continuent d'occuper les plus hautes parties du relief. Les fermes, isolées, s'établissent auprès de puits partout faciles à forer.

Au paysage du bocage s'oppose celui de la champagne ou campagne, plat, découvert, où les seuls arbres sont ceux qui bordent les routes. Dans ces pays au sol poreux, les habitations se pressent au creux des rares vallées qui ont pu entailler la roche, et où débouchent de grosses sources. Le plateau lui-même, sec, porte de maigres pâturages où paissent des moutons; toutefois, les versants cailouteux bien exposés sont propices à la vigne. La Champagne pouilleuse est la plus connue de ces régions; mais les campagnes ou champagnes de Normandie, du Berri et des Charentes, présentent des caractères analogues. On peut même en rapprocher la grande plaine à blé de la Beauce, où la proximité de la couche imperméable permet de riches cultures, sans que toutefois les arbres soient moins rares.

Par sa situation géographique, la France est à la rencontre des grandes influences climatiques qui se partagent l'Europe. Ainsi s'explique la diversité de ses paysages : on retrouve en elle presque tous les aspects et tous les contrastes de la nature européenne.

D'autre part la distribution de son relief, surtout grâce aux " seuils ", favorise la solidarité française interne et en même temps la solidarité de la France avec le reste de l'Europe.

L'originalité physique de cette France n'est-elle pas en définitive de fondre ou d'harmoniser en elle des traits qui par eux-mêmes ne sont pas originaux, puisqu'on les retrouve dans les pays voisins ? Ainsi il n'est pas absurde de reconnaître une manière d'accord — à défaut de véritable relation — entre cette donnée géographique et certaines dispositions d'esprit que l'étranger accorde volontiers aux Français : aptitude à entrer dans les idées d'autrui, sens de la conciliation internationale, vocation de l'universel.

PARIS

Paris a eu longtemps, sur les cartes à grande échelle, la forme d'un cœur au contour dentelé par le dessin des fortifications. Il faut voir là plus qu'un symbole : Paris est vraiment le cœur de la France. Au temps de la Convention, les Girondins entendaient, contre les Montagnards, "réduire Paris à son quatre-vingt-troisième d'influence", c'est-à-dire ne pas lui reconnaître un rôle plus étendu qu'à n'importe quel autre département français. On sait que Paris fit aussi vite que tragiquement justice d'une telle prétention. Qui songerait aujourd'hui à l'émettre ? Au seul point de vue démographique, l'agglomération parisienne concentre plus du huitième de la population nationale. Et Paris compte bien davantage dans la vie française que dix départements de moyenne importance rassemblés, Paris est bien autre chose que Bordeaux multiplié par vingt. La centralisation politique, économique et culturelle en fait la tête énorme et monstrueuse d'un corps qui finit par sembler n'avoir d'autre raison d'être que la porter, la nourrir, se vider à son profit du meilleur de sa propre substance.

Le présent et le passé. Naissance et croissance de Paris.

On ne sait plus où finit Paris. La marée de bâtiments submerge peu à peu, dans un rayon toujours plus étendu, les champs et les prés, les jardins et les forêts de sa banlieue. Il faut une pro-

43

tection spéciale pour assurer la survie, aux portes de la capitale, des deux espaces boisés annexés administrativement à la ville : bois de Boulogne et de Vincennes, qui sur le plan dessinent les excroissances symétriques de deux branchies. Ces banlieues font de plus en plus intimement corps avec la ville-mère qui déborde sur elles et déverse en elles son trop-plein. Bientôt toutes les communes de la Seine se fondront dans un Paris démesuré. Dès maintenant l'agglomération déborde les limites du département; les tentacules parisiens s'étendent sur une partie de la Seine-et-Oise et de la Seine-et-Marne. Pour trouver un peu de nature agreste, il faut aller à une quinzaine de kilomètres de la place du parvis Notre-Dame, point de départ du kilométrage des routes nationales.

Cet espace purement urbain, de 500 kilomètres carrés, est peuplé de 9 000 habitants en moyenne au kilomètre carré; le quartier des Enfants Rouges, avec la densité à peine croyable de 79 500, détient le record mondial. Aucune grande ville ne connaît une telle congestion démographique. La densité de cette population semble encore accrue par sa mobilité, Parisiens et banlieusards ne cessant de se déplacer pour leur travail, leurs repas, leur plaisir ou leur simple fantaisie de badauds. Ce perpétuel bouillonnement humain, ce brassage de foules changeantes ont sans doute un pouvoir excitant qui contribue à donner à l'esprit parisien sa vivacité, sa curiosité, son ouverture aux problèmes les plus divers, avec en contre-partie quelque chose de dispersé, de superficiel et de versatile : comblés de contacts sociaux et de vie grégaire, les Parisiens ne peuvent en revanche qu'à grand peine jouir des privilèges de la solitude.

Cette force d'expansion urbaine est un phénomène aussi ancien que l'existence même de Paris. De siècle en siècle, la ville a fait éclater les murailles qui la corsetaient sur un périmètre toujours plus dilaté, pour se répandre toujours plus au-delà. De ce Paris d'autrefois subsistent quelques vestiges de pierre, noyés aujourd'hui dans la masse urbaine; en subsistent surtout des vestiges verbaux dans la toponymie parisienne.

Le souvenir de l'antique Lutèce est conservé dans le nom d'une rue de la Cité, île où s'étaient établis les Gaulois. Les Arènes et les Thermes de Cluny attestent que la ville gallo-romaine se développa sur la rive gauche, aux flancs de la colline qui, depuis que Geneviève sauva la ville de la menace des Huns, porte le nom de la sainte. Les invasions barbares contraignirent Lutèce à se réfugier dans l'île. Durant tout le haut moyen âge, Paris (dont le nom, celui des habitants du pays environnant, remplaça celui de Lutèce à partir du ve siècle) conserva dans l'île ses organes essentiels : palais du roi, évêché et cathédrale; la Cité était reliée aux rives par des ponts dont les ouvrages fortifiés, les " Chatelets ", défendaient les têtes. Celui du Pont-au-Change (ainsi appelé à cause des orfèvres qui s'y étaient installés) a laissé son nom à la place actuelle. Cependant les écoles essaimaient sur la rive gauche, où se fonda par la suite l'Université, dans ce qui devint dès lors, et reste de nos jours, le Quartier Latin, tandis que la rive droite voyait se développer les installations commerciales, les demeures de négociants, les banques juives et lombardes, les ateliers d'artisans, autour de la place de Grève où les bateaux venant de Champagne ou de Normandie débarquaient leurs cargaisons. La corporation des " marchands de l'eau " détenait le monopole des transports fluviaux qui assuraient alors le ravitaillement de la ville. Leur nef symbolique, qui flotte et ne sombre pas, fournit aux armoiries de la capitale sa principale figure et sa devise.

Philippe-Auguste fit entourer cette ville de remparts dont un pan subsiste encore rue Clovis. Puis, le palais royal ayant quitté l'île pour la rive droite, celle-ci se développa à tel point qu'il fallut, sous Charles V, bâtir une nouvelle enceinte plus extérieure; elle fut prolongée vers l'ouest sous Louis XIII, protégeant le nouveau palais du roi construit sur le sol argileux qu'exploitaient jusqu'alors des tuileries. Le tracé de ce terre-plein (ou, selon le vocabulaire militaire du temps, de ce boulevard) correspond à peu près, de la Madeleine à la Bastille, à celui des Grands Boulevards actuels ; les portes Saint-Denis et Saint-Martin y furent édifiées au XVIIe siècle, pour célébrer les victoires de Louis XIV, alors que les remparts, rendus inutiles par ces victoires, étaient en cours de démolition. Quant au mur construit sous Louis XVI par les Fermiers Généraux, il était destiné à faciliter la perception des taxes d'octroi ; il englobait une surface quadruple de celle qu'abritait l'enceinte précédente, gravissait les collines de Passy et du Montparnasse. Un demi-siècle plus tard, une nouvelle ceinture fortifiée, tracée au-delà des hauteurs de Montmartre, de Belleville, de Ménilmontant et de Chaillot, corsetait une ville qui avait doublé de superficie et presque triplé de population. Cette enceinte des " fortifs " à son tour démolie après 1918, parce qu'elle n'offrait plus aucun intérêt militaire, l'expansion de Paris ne connaît plus de bornes.

Ce phénomène de géographie humaine a des causes essentiellement humaines : c'est parce que Paris est la capitale d'un État fortement centralisé que sa population s'accroît démesurément par les apports provinciaux et déborde sur une périphérie toujours plus reculée ; c'est parce qu'il exerce une attraction irrésistible que la vie commerciale et industrielle, artistique et intellectuelle du pays y connaît une intensité sans égale. Paris est un produit de l'histoire plus encore que de la géographie.

On peut toutefois se demander si des conditions naturelles ne prédisposaient pas son site à voir s'y établir une agglomération urbaine, dût-elle ou non devenir capitale d'État.

Si la convergence des voies d'eau à proximité immédiate n'a pas fait naître la ville, la ville en se développant y a du moins trouvé des avantages. Les bateliers trouvaient au pied du promontoire Sainte-Geneviève une rive ferme pour accoster et débarquer, alors qu'ailleurs le cours du fleuve divaguait dans des marais (dont le nom est resté au quartier entourant la place des Vosges) et sinuait entre des îles basses aux contours incertains. Une de ces îles jouissait d'une situation privilégiée parce qu'elle facilitait le franchissement de la Seine dans l'axe de la grande voie nord-sud qui, des Flandres à la Beauce et au Val de Loire, ouvrait, dans le massif forestier couvrant le centre du bassin parisien, une large trouée, de parcours relativement sûr. Cette voie débouche sur le site de Paris, au nord par le col qui sépare Montmartre de Belleville, au sud par la vallée de la Bièvre tranchant le plateau qui frange la vallée du fleuve sur sa rive gauche; les rues Saint-Martin et Saint-Denis, la rue Saint-Jacques tracent depuis longtemps, de part et d'autre de la Cité, une voie de commerce terrestre croisant la voie fluviale. Enfin la ceinture forestière offrait en abondance le bois pour les ponts, les pilotis, la réparation des bateaux; d'autres matériaux de construction se trouvaient sur place : argile à briques et à tuiles, blanc calcaire de carrières exploitées dès l'antiquité sous les " trois monts " (Montparnasse, Montrouge et Montsouris) dans les galeries des actuelles Catacombes, pierre à plâtre des carrières de gypse de Bagnolet et Ménilmontant.

ÉLÉMENTS NATURELS ET HUMAINS DES PAYSAGES PARISIENS.

Dans la figure du Paris d'aujourd'hui, immense espace minéral dont chaque élément a été disposé par l'industrie des hommes, tout semble création artificielle. Pourtant la nature a imposé à ces paysages des données certaines, et qui transparaissent encore dans le pittoresque de la capitale.

Ces données naturelles, ce sont d'abord celles du relief. Certes, le point culminant de Paris, le balcon du campanile de la Tour Eiffel, à 327 mètres au-dessus du niveau de la mer, est le sommet d'une éminence tout artificielle érigée dans l'une des parties les plus basses de la plaine parisienne. Il dépasse de beaucoup l'altitude de l'éminence naturelle de la butte Montmartre (129 mètres). Cependant de vraies collines se profilent aux horizons citadins des deux rives, et le hérissement des bâtisses qui ont poussé sur elles doit épouser leur modelé. D'un accès relativement malaisé, elles forment, topographiquement et aussi socialement, autant de petits mondes un peu à part. La plus abrupte et la plus isolée, celle de Montmartre, ne propose-t-elle pas aux touristes assoiffés d'étrangeté comme aux Parisiens qui s'y aventurent, un exotisme à la fois " artiste " et quasi-champêtre qui a quelque chose d'insulaire ? Sur les hauteurs de Belleville, les Buttes-Chaumont posent un îlot tourmenté de ravins, de talus herbeux et de bosquets. Quant aux collines de la rive gauche, elles demeurent quelque peu en marge du courant si animé de la vie contemporaine : la Butte-aux-Cailles a encore ses friches; la montagne Sainte-Geneviève, aux alentours du Panthéon, connaît un calme insolite, tout provincial.

En revanche, dans l'étalement des zones plates de la vallée, ainsi que sur la dorsale très étirée de Passy, quartiers aux larges avenues, à l'aspect tout moderne, s'agite un Paris non plus clos comme ces refuges escarpés du passé, mais au contraire très ouvert aux nouveautés cosmopolites et où, pour le pittoresque urbain comme pour les mœurs des habitants, la mode l'emporte sur la coutume.

Autre donnée de la nature : la Seine. A vrai dire, à part la matière liquide et la direction générale du lit, il ne lui reste plus grand chose de naturel. Son lit comprimé entre des quais, son cours enjambé par trente-trois ponts, la Seine dans Paris présente le type même du fleuve domestiqué.

Le fleuve ne laisse pourtant pas de signifier parfois aux hommes la toute-puissance des forces élémentaires qu'ils ont cru dominer. Que la pluie tombe avec force et persistance sur

Vue aérienne du centre de Paris
(la Seine, les ponts, la Cité, la rive gauche)
Ph. R. Henrard

le Morvan et le plateau de Langres, et le niveau de la Seine se met à monter le long des parois abruptes des quais; ses eaux submergent presque les statues de soldats ornant les piles du pont de l'Alma, obstruent les arches, se répandent même dans les parties déprimées de la vallée. Les vieux Parisiens gardent le souvenir des crues de 1910, qui s'étaient avancées jusqu'à la gare de Lyon, jusqu'à la gare Saint-Lazare. Les grands travaux entrepris depuis lors n'ont pas supprimé la menace, et au cours de l'hiver 1955, la Seine a inondé ses berges en banlieue et à Paris même.

Mais en dehors de ces rares et brèves crises, elle reprend sa vocation de fleuve utile, de fleuve amical aussi. Qui est sensible au charme de Paris éprouve une prédilection pour ceux de ses paysages où la Seine tient son rôle, même si elle se borne à se laisser deviner au pied des grands arbres dont les ramures ombragent les quais surélevés, derrière les parapets où s'alignent les boîtes des bouquinistes. Une des plus recommandables façons de faire connaissance avec la capitale française, n'est-ce pas de suivre le cours du fleuve dans l'un des bateaux-mouches amarrés près du pont de l'Alma? Cette croisière fluviale fait passer en revue un décor historique et architectural d'une impressionnante beauté, sans que se laisse oublier l'activité commerciale qui fait de Paris le troisième port de France pour le tonnage des marchandises. Elle donne en outre quelque idée de l'activité industrielle de la région parisienne, longeant les usines qui occupent les rives de Javel, Billancourt, Suresnes.

Enfin, il ne faut pas négliger de mettre au compte de la nature, dans les paysages parisiens, un autre " élément " fondamental : l'air, le ciel. Sans doute poussières et fumées ne sont pas sans effet sur l'atmosphère où baigne une grande ville. A Paris, elles contribuent à ombrer l'impalpable voile qui, presque en toute saison, enveloppe les perspectives urbaines, et à hâter le revêtement des édifices par une patine noirâtre. Les lointains vaporeux, le gris léger du ciel, font partie de la poésie de Paris. Il y tombe pourtant moins d'eau qu'à Marseille, mais les nuées atlantiques entretiennent au cœur de la cuvette parisienne une humidité permanente. Les jardins publics en profitent.

Tout ce qui dans Paris n'est pas relief du sol, lit du fleuve, état du ciel, relève de la création humaine. La topographie parisienne, sauf aux abords immédiats de la Seine et sur les collines, est entièrement l'œuvre des hommes; on pourrait presque dire l'œuvre d'un homme : le baron Haussmann, préfet du Second Empire, dont le plan détermina la percée, à travers la masse compacte des maisons vétustes et des rues étroites, de larges voies de dégagement articulées les unes aux autres. Cette topographie a ses points-clefs dans les vastes places autour desquelles rayonnent de grandes avenues. Ce plan en étoile des divers secteurs parisiens donne à la ville des perspectives harmonieuses, à la fois variées et équilibrées, où la beauté des monuments s'offre au regard sous des angles changeants.

Places monumentales et spacieuses, avenues bordées d'arbres composent un décor urbain d'une noble beauté. Celui qui se déroule du Carrousel à la porte Maillot par la Concorde, les Champs-Élysées et l'Étoile, suscite l'admiration des touristes. Cependant, en marge de ces brillantes façades, un pittoresque moins avouable, celui du Paris secret, indigent et souvent sordide de Balzac, est loin d'avoir disparu. A Vaugirard comme au Temple, à Charonne comme aux Épinettes, et dans les vieux quartiers du centre comme dans les anciens " villages " des derniers arrondissements, des milliers d'hommes et de femmes, parmi lesquels ces artisans des objets de luxe auxquels Paris doit sa renommée mondiale, ces élégantes vendeuses des riches magasins, ces midinettes à la grâce légère, vivent dans un cadre ingrat de vétusté et de misère. Même contraste, en banlieue, entre l'aspect cossu des villes résidentielles comme Neuilly, Sceaux et Saint-Mandé, et les ignobles faubourgs qui, par exemple, à Aubervilliers ou à l'Ile-Saint-Denis, étalent encore leur lèpre dans une atmosphère empuantie par les industries chimiques. Cette extrême inégalité des conditions de résidence et d'existence au sein d'une même masse urbaine ne contribue pas peu à entretenir les tendances politiques révolutionnaires qui sont une tradition du peuple laborieux de Paris.

*
* *

CAPITALE POLITIQUE ET CAPITALE ÉCONOMIQUE.

Son rôle de capitale d'un État fortement centralisé explique non seulement le prodigieux développement démographique de Paris, mais encore la variété et l'intensité de sa vie économique.

Les organes de sa fonction politique : Présidence de la République, Ministères, Assemblées parlementaires, Conseil d'État, Cour de Cassation et Cour des Comptes, sont implantés au cœur de la ville, à l'intérieur d'un périmètre qui reste bien en-deçà des Grands Boulevards au nord, du boulevard du Montparnasse au sud, et à l'ouest ne dépasse guère l'Étoile et le Trocadéro. A la primauté politique est liée la primauté spirituelle de la capitale française, siège des Académies, des grandes écoles nationales (Sorbonne et Collège de France), des principales maisons d'édition, qui, subissant l'attraction séculaire du Quartier Latin, se concentrent sur la rive gauche, dans les VIe et XIVe arrondissements. Les bibliothèques, les musées, les théâtres, autres foyers de la vie intellectuelle et artistique, plus nombreux et plus actifs à Paris que dans l'ensemble de la province française, sont plus disséminés, et établis en majorité sur la rive droite.

La fonction commerciale de la ville dérive directement de sa fonction politique. Siège des grands établissements de crédit, des compagnies de navigation, tête de ligne des régions ferroviaires et des compagnies d'aviation, Paris est le lieu de grandes foires commerciales et d'expositions universelles périodiques. C'est à Paris que se traitent la majeure partie des importations et des exportations françaises, même celles des entreprises provinciales, ainsi que la plupart des échanges entre les régions de France.

L'industrie parisienne est née de la nécessité de nourrir et vêtir une population immense, de satisfaire aux exigences d'une clientèle raffinée, enfin de pourvoir aux besoins des entreprises urbaines les plus diverses. La région parisienne exerce une invincible attraction sur toutes les formes de l'activité manufacturière. C'est pourquoi le Grand Paris est devenu le centre industriel le plus important de France, tant par le nombre d'ouvriers et d'artisans qui y travaillent (environ un million et demi de personnes) que par la quantité et la valeur marchande des produits fabriqués. De plus, cette industrie a un caractère d'extrême variété, qui s'oppose à la spécialisation de beaucoup d'autres centres industriels : produits alimentaires, vêtements, meubles, parure féminine, matériaux de construction, papier et impression, automobiles, avions, matériel roulant, produits pharmaceutiques, colorants ont leurs usines ou leurs ateliers répartis sur le territoire du Grand Paris où chaque activité occupe une zone nettement circonscrite.

Paris est loin de se limiter au Tout-Paris des grands événements mondains, ou encore au Paris qui s'amuse dont le touriste superficiel se donne volontiers le spectacle. Le Paris qui travaille, s'il revêt des aspects moins propres à séduire, s'il anime des décors moins agréables et même franchement ingrats, est une réalité plus consistante, et d'incomparablement plus grand intérêt.

Quant à l'agriculture parisienne, elle est surtout représentée par les jardins maraîchers où, dans une terre presque toute artificielle, la culture est poussée par des procédés scientifiques, quasi-industriels, qui procurent de gros rendements sur des superficies minimes. Mais c'est de province, dans un rayon de plus en plus reculé, que vient à peu près toute la nourriture de la capitale : blé, viande, lait, légumes, objets d'un trafic ferroviaire et routier intense et incessant.

*
* *

LES PROBLÈMES VITAUX.

On ne travaille pas à Paris seulement pour produire des richesses et pour en échanger. Une part considérable de l'énergie humaine y est employée à résoudre les problèmes complexes que pose l'entassement sur un espace étroit d'une population anormalement nombreuse et dense. Ces problèmes concernent trois primordiales nécessités de la vie sociale : l'approvisionnement, l'écoulement des déchets, le transport des personnes.

La France entière nourrit l'agglomération parisienne, fournissant des centaines de milliers de têtes de bétail aux abattoirs de la Villette et de Vaugirard. Fruits, légumes et œufs arrivent chaque nuit en quantités énormes dans le grand marché de redistribution des Halles centrales; ces Halles occupent, assez malencontreusement pour la circulation, tout un quartier au cœur même de Paris; les commerçants détaillants viennent s'y approvisionner dès le petit jour : c'est l'occasion, pendant quelques heures, d'une extraordinaire animation, avec le mouvement de véhicules de toutes sortes encombrant la chaussée, depuis le lourd camion jusqu'à la poussette à bras : spectacle aux scènes bruyantes autant que colorées, odorantes aussi.

Quant à l'eau potable, on en amène la plus grande partie

dans les énormes réservoirs de Ménilmontant, Montsouris et Montretout, par des aqueducs ou des canalisations souterraines atteignant jusqu'à 173 kilomètres de longueur, des sources de divers sous-affluents de la Seine. Le reste est pompé directement dans la Marne et dans la Seine en amont de la ville, et distribué après stérilisation par les usines de Saint-Maur et d'Ivry. Le gaz d'éclairage est fabriqué dans six grandes usines et réparti aux consommateurs par 2 500 kilomètres de canalisations. Six autres usines de la proche banlieue fournissent l'électricité pour laquelle l'agglomération parisienne fait en outre appel aux centrales thermiques ou hydrauliques du bassin houiller du Nord, du Massif Central, du Rhin et des Alpes.

Les " boueux " enlèvent chaque année au pas des portes un million de tonnes d'ordures ménagères, que leurs bennes automobiles emmènent vers les usines de Romainville, Saint-Ouen, Issy-les-Moulineaux et Pantin, où elles sont brûlées. Les égouts, curiosité parisienne peu connue, valent pourtant une visite. Leur réseau d'environ 2 000 kilomètres, calquant exactement sous terre celui des rues, est fait de galeries bétonnées et voûtées où l'on peut circuler en bateau comme à pied. De grands collecteurs conduisent les eaux polluées aux usines de Clichy et Colombes où elles sont épurées, puis refoulées jusqu'au-delà du confluent de l'Oise. Avant de se déverser dans la Seine, elles arrosent 5 000 hectares de cultures maraîchères.

Les nécessités de leur travail obligent les Parisiens à se déplacer chaque jour sur d'assez longues distances. Au cœur de la capitale les gares terminus déversent chaque matin des dizaines de milliers de banlieusards qui, le soir, reprennent le train pour rentrer chez eux. Un réseau serré de lignes d'autobus (près de 2 000 kilomètres) dessert toute la vaste agglomération. La circulation des voitures privées est si dense que le trafic s'en trouve souvent ralenti ou même bloqué, malgré la virtuosité des agents et la pratique généralisée des voies à sens unique. L'encombrement des rues est pourtant très atténué grâce au Métropolitain, moyen à la fois le plus rapide et le moins onéreux de se déplacer dans Paris ; le réseau de ce chemin de fer presque entièrement souterrain atteint actuellement 180 kilomètres, avec plusieurs lignes prolongées jusqu'en banlieue. La pratique fréquente du métro est indispensable au visiteur étranger soucieux de se familiariser avec le pittoresque social de Paris.

Dans cet aperçu d'ensemble, on a négligé les particularités locales qui donnent à chaque quartier de Paris, à chaque commune de banlieue, son individualité propre. Beaucoup de Parisiens se considèrent pourtant eux-mêmes comme des sortes de villageois attachés à un terroir étroitement circonscrit, presque étranger au reste de l'immense ville : ils sont de Saint-Germain-des-Prés, d'Auteuil, des Ternes ou de Pantin, avant d'être de Paris. On n'a pas insisté non plus sur la psychologie du Parisien et de la Parisienne, êtres déconcertants qui cachent sous la désinvolture ou la gouaille la plus vive sensibilité, avec une promptitude enfantine à l'enthousiasme, confondant volontiers le bagout avec la pensée, et donnant le change de la profondeur par un esprit qui joue des mots plus que des idées, à l'affût des nouveautés et des modes bien qu'attachés, à un fond solide de traditions, accueillants et hospitaliers mais moqueurs ; surtout, ne concevant pas de vie possible, sauf aux vacances, hors de leur océan d'immeubles et de rues pavées.

Par quel sortilège, malgré la fatigue qu'imposent à ses habitants son bruit, son mouvement, sa trépidation, ses clignotements nocturnes multicolores, Paris les enchaîne-t-il et exerce-t-il aussi sur les étrangers une attirance incomparable ? Ce n'est pas la plus belle capitale du monde quant au cadre de nature propre à la mettre en valeur : celui de Rio-de-Janeiro, celui de Vienne avec son horizon alpestre, sont autrement admirables. Elle le cède de loin à Rome et à Athènes pour la richesse en souvenirs du passé; elle est moins harmonieusement bâtie que La Haye; Bruxelles est plus lumineuse que la Ville-Lumière; Londres et New-York sont riches d'autant de ressources, et dans l'ensemble offrent plus de confort aux particuliers. La séduction de Paris tient sans doute à la personnalité même de cette ville. Plus que de toute autre, on peut dire d'elle ce que Michelet disait de la France en général : qu'elle est une personne. On s'y attache comme à un être humain. Elle est complexe, riche de variétés et de contradictions. Elle a, malgré ses disgrâces et ses verrues, un " chic " qui n'est pas fait seulement de celui de ses femmes. Elle vit et elle fait vivre intensément. Elle exerce, par son climat social et spirituel, un pouvoir excitant qui fait que chacun s'y sent porté au-dessus de lui-même. C'est grâce à ce " je ne sais quoi " que Paris, capitale de la France et capitale de la Communauté, mérite en outre que l'ensemble du monde civilisé admire et aime en lui, comme faisait en Rome le monde antique, la Ville par excellence.

LA VIE PROVINCIALE

Les étrangers qui lisent nos romanciers, de Balzac et Flaubert à Mauriac et Jouhandeau, peuvent y prendre une idée de la province française. Idée juste en somme, bien qu'infléchie par la partialité de l'art. Le pittoresque provincial du roman est stylisé dans ses lignes, plus encore dans sa couleur, où les dominantes de teintes sombres et de grisaille sont toujours systématiquement poussées, à moins que n'y soit complaisamment appuyé le ridicule de mœurs démodées. C'est qu'aux écrivains français, presque tous parisiens ou parisianisés, la vie provinciale fournit un thème de dépaysement, propose la plus proche étape du même exotisme qu'ils vont chercher aussi à l'étranger et jusqu'au bout du monde. Ils la peignent du dehors, en témoins détachés, ayant rompu les amarres de la tacite complicité avec le milieu qu'y tisse une longue existence quotidienne. Il faut donc apporter à la province schématique évoquée par ses explorateurs parisiens le contrepoids de vies réellement vécues à Parthenay, ou à Sarlat, ou à Quimper, pour comprendre que son atmosphère n'est pas toujours aussi oppressante, sa société pas toujours aussi hypocrite, son esprit pas toujours aussi étriqué, son charme enfin pas toujours aussi suranné que les livres le feraient croire, et que les ressources offertes par elle ne sont pas tellement méprisables au regard de celles dont Paris prétend détenir la primauté.

LA PROVINCE, NOTION PARISIENNE.

La notion même de province est toute parisienne d'origine et d'acception. Littré définit la province " tout ce qui est en dehors de la capitale (souvent avec l'idée de ce qui est arriéré en fait de mode, de manière, de goût) ". A vrai dire, l'opposition entre les deux termes du couple Paris-Province s'est bien atténuée depuis que le ridicule de Cathos et Madelon tenait à leur condition de pecques provinciales au moins autant qu'à leur étalage de bel-esprit, depuis que La Bruyère associait dans une manière de pléonasme " les provinciaux et les sots "[1].

1. *Les Caractères*, V, 51.

Mais si le contraste de jadis se réduit aujourd'hui à des nuances, ces nuances sont plus sensibles aux Français du xxe siècle que des différences plus profondes ne l'étaient à ceux d'hier. Le provincial, mieux au courant des nouveautés parisiennes, a acquis une conscience plus aiguë de sa condition. Il se connaît comme provincial en raison même de son expérience parisienne.

Cette expérience est à certains égards supérieure à celle des Parisiens les plus enracinés, lesquels n'éprouvent pas aussi vivement le désir de découvrir leur ville, trop habitués à elle pour la considérer en touristes. Un habitant d'une lointaine et somnolente petite ville vient passer huit jours chaque année à Paris, il s'y gorge de théâtre, de concerts et d'expositions, et c'est souvent lui qui indiquera à ses amis parisiens, moins avides de ces spectacles qu'ils savent à portée permanente de leur main, quels sont ceux à ne pas manquer. Faut-il ajouter que les Parisiens n'éprouvent jamais une curiosité réciproque pour les choses de la province? Ils les traitent avec indifférence et désinvolture; ils s'étonnent qu'on puisse habiter Guéret et Saint-Flour autant que leurs concitoyens de jadis s'étonnaient qu'on pût être Persan.

Que la résidence du provincial soit une grande cité, un modeste chef-lieu de canton ou une bourgade infime, cela détermine d'ailleurs des degrés dans le provincialisme : on est plus provincial à Clamecy qu'à Nevers, et à Nevers qu'à Dijon. L'éloignement de Paris et la difficulté d'accès jouent dans le même sens : la Basse-Bretagne, l'Auvergne, et naturellement la lointaine et déjà exotique Provence dont le nom propre a fourni un nom commun à toutes ses sœurs, ont quelque chose de superlativement provincial. Aux abords de Paris se dessine une subtile frontière des mœurs et de l'atmosphère sociale : Rambouillet, c'est encore la banlieue parisienne; à 12 kilomètres, Épernon, c'est déjà la province.

En somme, la réalité provinciale tient à des conditions d'emplacement géographique intimement mêlées à un certain régime de l'existence quotidienne. La province est un phénomène de nature sociale et morale, on pourrait presque dire un état d'esprit. Dans le milieu provincial par excellence qu'est la toute petite ville, chaque habitant connaît tous les autres et est connu d'eux tous, chacun s'intéresse à ses voisins, tandis que le Parisien ignore les siens. Le loisir, l'étroitesse du champ, la faible mobilité des observateurs et des observés (qui sont les mêmes), la pénurie d'autres sollicitations favorisent l'exercice d'une curiosité gratuite, qui prolonge ses minces découvertes par des hypothèses à n'en plus finir. Ainsi leurs prochains occupent la pensée et alimentent la conversation des provinciaux. La médisance n'est pas absente de ces propos, où le " cancan ", rapporté d'un ton scandalisé avec des précisions réalistes, remplace le léger et spirituel " potin " parisien, plus stylisé. On comprend que le souci du qu'en dira-t-on obsède les gens soumis à cette enquête insidieuse et permanente, et qui peuvent supputer la malveillance des autres d'après la leur propre.

Or, ce qui permet le mieux de conjurer les redoutables commentaires du chœur provincial, c'est de ne pas s'écarter des prescriptions tacites du code au nom duquel les jugements sont rendus, le code du " comme il faut ". L'originalité n'a pas bonne presse en province; pourtant les originaux y sont légion. A Paris, on ne les remarquerait pas; dans la petite ville, ils font tache.

Tout ce qui trouble l'ordre régulier de l'existence est en province objet de scandale. Les passions, grands facteurs de désordre, y sont donc réprouvées au premier chef. Elles ne sont ni moins fréquentes, ni moins ravageantes en province qu'à Paris : le secret même dont elles se couvrent les exaspère. Selon l'image de la province reflétée par les romans, les adultères, les liaisons déclassantes, les maternités hors mariage et les avortements, les haines familiales et conjugales inexpiables, les âpres convoitises d'héritage, les pensées de meurtre qui vont parfois un peu plus loin que l'intention, tout cela s'agite et grimace à l'abri d'une façade conventionnelle de bienséance et de placidité, derrière volets clos et portes verrouillées. Cependant, derrière d'autres volets clos des yeux épient, des oreilles se tendent, à l'affût des moindres indices, de sorte que le secret passionnel le mieux étouffé finit toujours par être au moins pressenti.

Une solidarité, apparemment faite de méfiance mutuelle, de jalousie et d'accord sur les faux-semblants, cimenterait ainsi chaque petite unité provinciale repliée sur elle-même. Mais la vie provinciale ne tisse-t-elle pas des liens plus chaleureux? Médisance et curiosité mal intentionnée apparaissent comme la menue monnaie d'un attachement mutuel singulièrement tenace, assez solide pour leur résister; elles n'excluent pas la serviabilité, l'entraide efficace, et si les actes comptent plus que les pensées, c'est cela qu'il faut d'abord considérer. Qu'une catastrophe ou un deuil frappe le microcosme provincial, que la brillante réussite d'un enfant du cru jette sur lui quelque éclat, la peine ou la joie des plus directement touchés est prise en charge et partagée par tous, on voit chacun s'affliger ou se réjouir avec un minimum d'arrière-pensées, et contribuer à réparer le malheur ou à rendre plus manifeste la réjouissance.

CARACTÈRES DE LA VIE PROVINCIALE : LENTEUR ET LOISIR.

Les vrais caractères distinctifs de la vie provinciale se décèlent dans son rythme et dans l'étendue circonscrite de son champ d'intérêt.

Certes la province a cessé d'être arriérée ou retardataire :

les journaux féminins y propagent la mode des Champs-Élysées en même temps que sur les lieux de sa création; les devantures des libraires étalent les nouveautés du jour; les cinémas font passer les films récents avant qu'ait cessé leur vogue éphémère. N'empêche qu'on vit plus lentement et plus calmement dans les villes provinciales que dans la ruche parisienne. Y contribue d'abord le décalage de l'horaire quotidien, plus proche de la distribution astronomique du jour et de la nuit. Si l'on ne se lève guère plus tôt, du moins se couche-t-on moins tard. Il arrive sans doute que des provinciaux prolongent hors de chez eux la soirée, mais pas de façon constante ni même coutumière. Et quand ils regagnent leur logis au milieu de la nuit déserte, ils sentent tout ce qu'a d'insolite leur ombre tour à tour étirée et raccourcie le long de l'échelonnement des réverbères, l'écho de leur pas frappant un pavé plus sonore que de jour, la résonance de leur voix dans le silence des rues endormies. Car la province dort la nuit, elle dort plus et mieux que la capitale.

Ce ne sont pas seulement les heures nocturnes qui ménagent aux provinciaux un repos dont les Parisiens aux nerfs tendus auraient plus besoin qu'eux. Entre chaque matin et chaque soir, les travaux que l'on mène, les plaisirs que l'on poursuit et dont les habitants des petites villes et même des grandes ont la chance que leur soit épargnée la profusion, réservent des marges de répit et de détente. L'agenda du médecin, du journaliste, du fonctionnaire, du conseiller municipal, de l'ingénieur, du chef d'entreprise, si rempli soit-il, laisse çà et là des blancs que ne connaît pas l'emploi du temps âprement minuté et tout de précipitation, de leurs confrères de la capitale. On peut rêver et méditer en province autrement qu'en courant ou en s'activant à autre chose. La notion de loisir est devenue, en notre milieu du xxe siècle, une notion presque exclusivement provinciale.

Aux loisirs provinciaux est lié un trait de mœurs bien typique des petites et des moyennes villes françaises : la vie de café. Les cafés de province ne sont comparables à ceux de Paris que par les éléments tout extérieurs du décor; ils en diffèrent sensiblement dans leur pittoresque humain et plus encore par leur rôle social. Le stable contingent de leurs usagers est fourni par des habitués, où l'on ne compte guère que des hommes, et qui se réunissent en fin d'après-midi par petits groupes, à des places attitrées. On serre la main du patron en entrant, on lance une galanterie à la caissière, on tutoie volontiers les garçons, ou du moins on les appelle par leur prénom. Ils ont à peine besoin, ces garçons, de prendre les commandes, le choix des consommations étant régi par des habitudes immémoriales.

L'emplacement et la composition des tables reflètent une certaine hiérarchie. Plus encore, la spécialisation des différents cafés eux-mêmes dans telle clientèle. Fréquenter le Café de la Promenade est le privilège des notables (et c'est encore une notion bien provinciale que celle de notable), tandis que le Café du Commerce reçoit les boutiquiers et que le petit peuple ouvrier hante le Café de la Paix. Mais la spécialisation la plus significative des cafés, c'est celle qui les distingue selon les opinions politiques de leurs habitués, faisant de celui-ci un café de gauche et de cet autre un café de droite, opposant un café bien-pensant ou clérical à un café laïque et franc-maçon. C'est que la politique est le grand sujet de conversation des piliers de café; les politiciens du cru fournissent la matière privilégiée des cancans provinciaux; et cette politique à laquelle le bridge, la belote ou le jacquet servent de prétextes, est en réalité le plus passionnant des jeux de café : pour les Français de province, la politique représente un peu l'équivalent du sport pour les Britanniques, de la culture florale pour les Hollandais, de la galanterie et de la conquête amoureuse pour les Espagnols, du tir à l'arc et de l'élevage des coqs de combat pour les Belges, de la musique pour les Allemands. Et c'est au café que s'élabore et s'entretient

la puissance éparse de l'opinion publique; le café est la matrice
des petites destinées politiques, et même de quelques grandes.

Le café n'absorbe cependant pas tous les loisirs provinciaux.
Ceux-ci permettent encore à chacun de cultiver quelque marotte
ou quelque violon d'Ingres. Bricolage ou jardinage sont poussés
en province jusqu'à ces confins où l'amateur, par ses exigences
à l'égard de lui-même et sa possession de la technique, rejoint
le spécialiste. La flûte est pour ce notaire, l'alto pour ce percep-
teur, plus et mieux qu'un art d'agrément. Il n'y a qu'en province
qu'on peut voir se constituer ces discrètes équipes de musique
de chambre, où chacun travaille à fond sa partie d'un quintette
de Mozart, qui sera joué dans l'intimité chez l'un des amateurs
pour le seul et pur plaisir de l'édification sonore, sans autre
public que la maîtresse de maison et un tout petit nombre d'invités, qui d'ailleurs préféreront peut-être bavarder dans la pièce
voisine. C'est encore en province que le théâtre d'amateurs a ses
adeptes, et les Parisiens les plus blasés sont surpris de l'excellence des productions de leurs meilleures troupes.

Il faut aussi mettre à l'actif de la province la qualité des études
que la jeunesse y mène. Elle est attestée chaque année par les
résultats du concours général, où les autres départements font
fort bonne figure à côté de la Seine. Cependant, l'attraction
universitaire de Paris tarit peu à peu le courant de la recherche
scientifique et des hautes études, sinon encore de l'érudition,
dans le reste de la France. Au-delà du baccalauréat, les familles
croient assurer à leurs enfants un plus rapide, plus sûr et plus
brillant avenir en les envoyant à Paris : la Sorbonne et ses
annexes se trouvent engorgées, tandis que les Facultés de
province dispensent leurs cours à de trop maigres effectifs.
Ainsi, la vie intellectuelle parisienne doit à l'apport de la province son progrès, sa richesse, et en définitive le meilleur
d'elle-même. Ne faisons pourtant pas fi des travaux que poursuivent dans l'ombre les modestes chercheurs groupés dans les

sociétés savantes de sous-préfecture ou les académies régionales. L'archéologie et la préhistoire, la géologie et la botanique, le folklore et la géographie doivent beaucoup à ces isolés, dont les découvertes sont le fruit des loisirs provinciaux.

REPLIEMENT SUR SOI.

Avec le loisir, le repliement sur soi de chaque cellule sociale est l'autre trait marquant de la vie en province. Tout entraînée qu'elle soit dans le mouvement général de la nation, la province se tient plus immédiatement et plus intimement attentive à ses problèmes locaux et régionaux. Elle aime d'ailleurs être tenue au courant des problèmes généraux par sa presse à elle, par ses quotidiens à la fois d'information et d'opinion, tels la *Dépêche du Midi*, le *Progrès de Lyon*, la *France de Bordeaux*, la *République du Centre* : c'est qu'ils lui donnent, avec l'actualité nationale et mondiale, des pages départementales où chaque ville se complaît à trouver un reflet de ses fastes et de ses misères, de ses joies et de ses deuils.

Les historiens de l'avenir trouveront dans ces journaux des documents qui les aideront à comprendre en quoi consistait, de notre temps, l'esprit de clocher. Ceux qu'il possède sont exclusivement attentifs aux incidents locaux; ils les enregistrent avec l'application d'un écolier apprenant la liste des rois de France et l'avidité d'un avare accroissant son trésor; ils apportent à leur commentaire une conviction concentrée, y mettent en œuvre toutes les ressources de leur ingéniosité intellectuelle et toutes les exigences de leur sens moral. L'installation d'un nouveau réverbère à un croisement de rues, le départ de l'agent-voyer et la nomination de son remplaçant, la modernisation de la boutique de nouveautés, le bruit du prochain mariage de la fille de l'architecte (" Vous m'en direz tant! Mais

Conversation au bord du trottoir
Ph. Rapho-Ergy-Landau.

Un marché provençal
Ph. Rapho-Robert Doisneau

Le dimanche matin au village
Ph. Rapho-Gérard Billoin

avec qui ? ") et plus encore les démentis qui lui sont bientôt apportés, voilà qui vaut la peine d'y consacrer sa pensée, cette pensée en laquelle réside toute la dignité de l'espèce humaine.

Les cérémonies locales exaltent l'esprit de clocher, le parent de toutes ses pompes, mais en même temps exaspèrent en sourdine les rivalités, qui sont presque toujours de préséance. Bon nombre de ces cérémonies, locales par leur cadre et leurs participants, n'en sont pas moins nationales dans leur sens profond et en raison de la date qu'elle commémorent : 11 novembre, 14 juillet, etc..., de sorte que l'esprit de clocher s'accorde paradoxalement avec la cohésion nationale. Quel provincial parisianisé composera l'éloge de cet esprit, dans lequel on peut voir l'aspect local, quotidien et familier, du plus authentique patriotisme? N'apparaît-il pas comme une sorte de sauvegarde morale de l'indépendance régionale, une salutaire réaction de défense des diversités de terroir contre une uniformisation abstraite et en définitive appauvrissante des thèmes de pensée et de sensibilité?

On peut regretter que dans la France une et indivisible s'efface tout ce qui faisait l'originalité des mœurs régionales. Les costumes locaux ne sont plus que souvenirs, et quand on les revêt pour quelque festivité, c'est avec le sentiment de se travestir. Même les spécialités culinaires régionales sont répandues sur tout le territoire français par la diffusion de la gastronomie. Quant à la diversité des anciens parlers, elle est recouverte par le français officiel obligatoirement enseigné à tous les enfants.

C'est pourtant dans le domaine de la langue que les survivances du particularisme provincial restent le plus tenaces, non seulement à cause des accents, mais aussi par l'emploi de certains vocables et de certaines tournures. A cet égard, la province française apparaît comme une sorte de musée linguistique riche en savoureuses surprises. Bien des provincialismes ont plus de vertu expressive que leurs approximatifs équivalents en français littéraire. Par exemple, le verbe poitevin " buffer " ne se traduit qu'imparfaitement par " être essoufflé ", trop purement passif. Dans le Périgord et le Quercy, on " fait " aux cartes, on " fait " aux boules, au lieu d'y jouer, ce qui implique une participation plus sérieuse et moins enfantine à ces occupations. " Être haut ", c'est en pays lyonnais être en colère, mais sans éclat, et l'expression est plus absolue qu' "être monté ". En Haute-Bretagne, les durs d'oreille " entendent haut ", mais en somme ils peuvent entendre, et cela dicte leur conduite aux interlocuteurs. Dans un terroir limité autour de Chateaubriant, on " prend dur " quand on s'acharne à un travail; et " prendre dur " n'est pas exactement synonyme de prendre de la peine, car l'idée d'effort prime celle de souffrance ou de fatigue. Un Picard emporte ses provisions " pour lui manger ", vous conseille de boire le soir du tilleul " pour vous dormir " et ces formules intéressent plus intimement l'agent à son action. " Avec qui l'as-tu eu ? " demande, au lieu de " Qui te l'a donné ? " le Bas-Breton, accentuant l'idée de possession pour le nouveau propriétaire du bien transféré. Ainsi, quand la province aura été apparemment tout annexée et digérée par la capitale, quand la banlieue parisienne se sera étendue jusqu'aux Vosges et aux Pyrénées, pourra-t-on encore déceler fortuitement, au détour d'un propos en l'air, l'origine bourguignonne, limousine ou béarnaise de tel Français, comme avec un fragment fossile de mandibule l'anthropologue peut reconstituer le squelette d'une espèce disparue.

*
*

Vie provinciale : vie sédative et quelque peu repliée sur soi, vie pleine néanmoins de ressources et riche de possibilités. La province française n'est plus, si elle l'a jamais été, une Béotie dont Paris figurerait l'Attique. Elle sert de refuge au Parisien surmené qui vient s'y détendre le corps et l'âme; mais elle est aussi le vivier où ce Paris qui consomme tant d'esprit, tant de renommées, tant de personnalités et de figurants, ne cesse de puiser pour renouveler sa parade. C'est de province qu'est originaire presque tout ce que Paris offre de mieux dans tous les domaines, l'économique comme le spirituel, le solide et le profond comme le fantaisiste. Et les " figures bien parisiennes " sont elles-mêmes neuf fois sur dix importées des départements, à moins que ce ne soit de l'étranger. La conquête de Paris par les provinciaux est un phénomène social bien antérieur à Rastignac, et qui se renouvelle et s'amplifie à chaque génération, avec pour corollaire l'assimilation par Paris de ces provinciaux conquérants. C'est la preuve sans doute de la vertu des disciplines sérieuses de la province : elles mettent ceux qu'elles ont formés en mesure de réaliser au maximum leurs dons dans un climat favorable. Quoi qu'il en soit, il semble plus aisé à un provincial de devenir Parisien et de faire figure à Paris, qu'à un Parisien de se naturaliser provincial. C'est bien parce que le mouvement démographique, social, économique et culturel de la province à la capitale s'effectue à sens unique que les jours, ou du moins les années, des originalités et des particularismes provinciaux sont comptés. Peut-être faudra-t-il un jour transférer à nos provinces d'outre-mer le sens traditionnel inclus dans le mot province, tel qu'on a tenté de le définir en cette esquisse.

André Ferré
*Secrétaire général de la
Société des Amis de Marcel Proust.*

LA RÉPUBLIQUE FRANÇAISE
ET LA COMMUNAUTÉ

De tous les problèmes qui se posent aujourd'hui à la France, voici le plus grave sans doute, le plus complexe, celui qui soulève le plus de passions.

Le titre XII de la nouvelle Constitution est intitulé : " De la Communauté ". Nul n'était mieux qualifié que M. le Gouverneur général Robert Delavignette pour définir le sens de ce mot, mesurer sa portée et marquer les raisons d'espoir qu'il nous apporte.

I. La Communauté dans son contexte mondial.

Dans son chapitre consacré à l'Union Française, la précédente édition de ce livre marquait déjà, à l'automne de 1957, que la transformation des rapports organiques entre la France et ses anciennes colonies était chose aussi complexe que grave. Au printemps de 1961, cette transformation est toujours en cours et elle se développe, même en le modifiant, dans le cadre que la Constitution du 4 octobre 1958 a fixé : *La Communauté.*

Qu'est-ce qu'une telle Communauté ? Précisons tout de suite ce qu'elle n'est pas. Elle n'est pas, comme on le croit trop souvent, une juxtaposition d'anciennes colonies par rapport à la France. Elle est l'organisation composée de la République Française et des Républiques africaines et malgache.

Avant de décrire la Communauté, de rappeler sa gestation et d'évoquer ses perspectives, trois remarques préliminaires s'imposent.

La première écarte une critique superficielle selon laquelle la France se bornerait à changer les mots sans toucher au fond des choses. Avant 1939, elle parlait d'Empire; après 1946, elle a parlé d'Union Française; après 1958 c'est le terme de Communauté qu'elle met en faveur[1]. En réalité, sous ces variations de vocable, il s'agit d'une évolution ardue et profonde, ainsi que nous le montrerons sans rien cacher des difficultés qu'elle rencontre ni des espoirs qu'elle suscite.

La deuxième remarque a justement trait au fond des choses : on oublie trop ce que fut la diversité de l'Empire français d'outre-mer. Diversité dans l'espace et aussi dans le temps. Il n'était pas localisé à une région de la planète, mais il s'étendait de l'Afrique méditerranéenne aux Afriques tropicale et équatoriale; il était en Indochine et en Océanie; il n'était pas absent des eaux américaines ni de l'Amérique latine; le nombre de ses habitants — 68 millions environ en 1939 — avait moins de signification que leur hétérogénéité historique. Certains étaient liés à la France par des relations politiques trois fois séculaires, d'autres par un contact de quelques lustres. Mais le fait capital tenait à la disparité des structures familiales, sociales, économiques. Ici des peuples de vieille civilisation asiatique ou musulmane, là des clans à l'âge de pierre. C'est dans ces mondes contrastés que chemina le processus conduisant de l'Empire à la Communauté.

---

1. L'idée de Communauté, bien antérieure à la Constitution de 1958, et qui se trouve notamment dans le statut de la République du Togo dont les " rapports avec la République Française sont définis dans une *communauté* d'esprit et d'intérêts ", a été formulée avant 1939 dans des articles et des ouvrages parmi lesquels on peut citer : " La Communauté impériale française ", paru en 1944, avec la collaboration de MM. Senghor, Le Maignen et Sisowath Mohivong.

Troisième remarque enfin. Si la France a l'air de tâtonner en s'engageant dans sa voie outre-mer, c'est qu'elle doit, en ce qui la concerne, faire face à une situation qui a pris des développements planétaires et qui pourrait être caractérisée par les interrogations suivantes : comment les peuples d'Europe occidentale et d'Amérique du Nord, puissants par l'industrie, relèveront-ils le reproche ou le défi que leur jettent la pauvreté, le dénuement du reste du monde? Comment les peuples dits de couleur, dont la crue démographique déborde déjà de l'Asie et de l'Afrique, utiliseront-ils leur supériorité numérique alliée à leur volonté de mieux-être? Comment les nations de la terre, que les techniques tendent à unir mais que cloisonnent tant de différences de race, de religion, de mœurs, apprendront-elles à vivre ensemble? Située dans ce contexte mondial, la Communauté que la France expérimente n'est que le cas particulier du problème global qui saisit toute l'humanité.

II. Douze ans de réformes avaient préparé la Communauté de 1958.

Personne ne commettra l'erreur de penser que la Communauté a été en 1958 tirée d'une masse informe et édifiée sur une table rase par la simple vertu d'un texte juridique. Elle avait été préparée par une suite de réformes qu'il convient de mentionner, ne serait-ce que pour signaler les étapes parcourues par la France et par les peuples d'outre-mer, confrontés comme elle-même, avec les problèmes politiques, économiques et sociaux de l'indépendance des colonies et de l'équipement des pays sous-développés.

Dès 1946, au sortir de l'occupation allemande, la France libérée met en œuvre outre-mer une politique dont l'originalité éclate en Afrique Noire et à Madagascar.

On a prétendu que cette politique était assimilatrice, et qu'elle était par là conforme au génie français, rationnel par excellence, qui fait abstraction des diversités africaines et malgaches pour tout ramener à cette sorte d'universalisme où il place la civilisation.

La vérité historique est autrement nuancée. Oui, la France en 1946 a étendu à tous ses ressortissants d'Afrique Noire et de Madagascar la qualité de citoyen français et les droits civiques afférents, que ses vieilles colonies des Antilles, de Guyane et de la Réunion, ainsi que quatre communes sénégalaises, étaient seules à posséder depuis la Révolution de 1848. Et en procédant à cette extension sans précédent, la France a été assimilatrice en ce point. Mais — et ceci ne saurait être trop souligné — la France n'a plus lié l'octroi de sa citoyenneté à l'adoption de son code. Elle a naturalisé français les Africains et les Malgaches *dans leur propre statut civil*. Devenus citoyens en 1946, ils n'abandonnèrent pas pour autant leurs institutions coutumières en ce qui concernait la condition des personnes et des biens. Cela n'est pas de l'assimilation, c'en est même le contraire.

Et l'on assista en Afrique Noire et à Madagascar à un phénomène politique dont la singularité et l'ampleur déconcertèrent les observateurs qui l'ont souvent passé sous silence. Des centaines de milliers de citoyens nouveaux firent une irruption, bientôt accélérée et massive, dans la vie politique française, et modifièrent la composition du corps électoral, du parlement et du gouvernement français. Quelques chiffres suffiront à fixer les idées. Avant 1946, en Afrique Occidentale Française, il n'est que quatre communes du Sénégal à voter et elles élisent un député qui, en 1913, sera un noir de Dakar. Dès 1946, l'Afrique Occidentale Française compte 500 000 électeurs. Au referendum de 1958, ils sont 10 200 000. De 1946 à 1958, l'Afrique Noire et Madagascar ajoutent quelque

15 millions d'électeurs et d'électrices aux 27 millions de la métropole. Dans cette période de 12 ans, les 63 députés d'outre-mer à l'Assemblée Nationale Française (sans parler des sénateurs) influeront sur les options qui engagent l'avenir français. La présence de ministres africains, qui seront parfois musulmans, deviendra rituelle dans le gouvernement de Paris. Ce que les chiffres ne rendent pas, c'est l'extraordinaire coloration humaine de la montée africaine et malgache sur le plan politique français. Grands nomades chameliers de Mauritanie, bouviers peuls et paysans noirs de la savane soudanienne, planteurs de la côte occidentale d'Afrique, riziculteurs malgaches, prennent l'habitude du vote. Souvent analphabètes, ils choisissent un totem pour figurer leur candidat. Ne sourions pas : ils pénètrent dans un réseau de relations humaines qui les met en communication avec les Français d'Europe.

Non moins fondamentale pour la gestation de la Communauté a été la loi du 30 avril 1946 créant le Fonds de développement économique et social d'outre-mer. Cet acte introduit dans la législation et dans l'opinion publique une notion très nouvelle en matière d'assistance, financière et technique, à ces pays sous-développés qui, avant 1946, dans leur statut colonial, étaient réduits à leurs propres ressources. De 1946 à 1958, leur équipement sera alimenté par des prêts à fonds perdus, équivalant à de véritables dons, et qui proviennent de la redistribution partielle du revenu national français produit par le travail métropolitain. Quoique ruinée par l'invasion, la France de 1946 assume en faveur de ses anciennes colonies une charge qui sera, en 1958, supérieure en valeur relative à celle de toute autre nation dispensatrice de crédits aux pays sous-développés. Avant la Communauté, le principe de solidarité a été appliqué. La métropole française sait qu'il n'y a plus de colonies; que, sous les anciennes dénominations coloniales, surgit la vérité de pays pauvres et que ces pays constituent non pas un trésor

Un collège en Afrique Noire Ph. A. D. P.
Barrage de Sansanding au Soudan. Ph. George Rodger

Vue générale de Dakar
Ph. *Information A. O. F.*

Un visiteur d'Outre-Mer
(S. Ex. M. Tsiranana, Président de la République malgache)
Ph. *A. D. P.*

à prendre ni un domaine à exploiter, mais un fardeau à bien équilibrer dans une commune solidarité.

Dernier fait capital : de 1946 à 1958, chaque Territoire français d'outre-mer est pourvu de sa propre assemblée représentative. Élue au suffrage universel, elle préfigure l'assemblée législative qui apparaîtra en 1957 avec le gouvernement autonome qu'elle contrôlera. Les deux pièces maîtresses du régime démocratique sont installées en Afrique Noire et à Madagascar : le législatif et l'exécutif, à l'échelon de chaque territoire. On a pu dire avec raison qu'en Afrique Noire, sinon à Madagascar, chaque territoire avait été découpé arbitrairement dans l'épaisseur des pays à l'époque coloniale. On constate aujourd'hui que l'Afrique moderne et autonome installe spontanément ses jeunes Républiques dans les lotissements coloniaux et que *le Territoire colonial*, loin d'être une entité administrative, imposée de l'extérieur, *s'est mué en réalité africaine*.

En résumé, de 1946 à 1958, douze années de réformes ont transformé l'Afrique Noire Française et Madagascar plus que ne l'avaient fait un demi-siècle colonial et des siècles précoloniaux. Cette grande œuvre s'est déroulée sans grand bruit, tandis que la guerre d'Indochine (1945-1954) et que la guerre d'Algérie (ouverte en 1954) occupaient l'attention.

III. La Communauté. Ce qu'est la République Française par rapport a la Communauté.

Voyons d'abord comment la Communauté fut fondée en 1958. Elle eut pour principe vital l'égalité et la solidarité des peuples qui y adhérèrent librement.

Ces peuples, quels étaient-ils en 1958? Par le referendum de septembre 1958, onze territoires d'Afrique Noire et Madagascar signifièrent leur volonté de former avec la République Française, leur ancienne métropole, une Communauté.

De ces onze territoires d'Afrique Noire, sept provenaient de l'ancienne Afrique Occidentale Française : Mauritanie, Sénégal, Côte d'Ivoire, Dahomey, Soudan, Haute-Volta, Niger, et quatre, de l'ancienne Afrique Équatoriale Française : Gabon, Congo, Oubangui, Tchad. De toutes les anciennes colonies de l'Afrique Noire Française, une seule a choisi, par le referendum de 1958, de ne pas entrer dans la Communauté, ce fut la Guinée. Son refus atteste que l'acceptation des onze autres résulte bien de leur libre détermination. Chacune des onze a proclamé la République, et a élaboré sa propre constitution.

La grande île de Madagascar a également proclamé la République, et a adhéré à la Communauté.

Il s'agit d'une communauté *ouverte*, c'est-à-dire que tout État membre peut en sortir. En 1960, après un essai infructueux de fédération avec le Sénégal, un État, le Soudan, a quitté la Communauté, et est devenu la République du Mali.

Dans la même année 1960 l'échafaudage juridique, qui avait servi en 1958 à édifier la Communauté, a subi de profondes modifications. La Communauté de 1958 était caractérisée par des compétences communes à tous les États membres. Ces compétences, qui portaient sur la Défense militaire, la Diplomatie, la Monnaie, le développement économique, ont été en 1960 transférées à chacun des États africains et à l'État malgache, avec lesquels la République Française a signé des accords de coopération.

Le trait commun de ces divers accords réside dans la reconnaissance des Républiques africaines et de la République malgache en tant qu'États souverains qui traitent d'égal à égal avec la République Française pour coopérer avec elle. Souveraineté qui prend toute sa signification par l'entrée des États africains et de l'État malgache à l'O.N.U. sous le parrainage de la République Française, en cette même année 1960.

Ainsi donc, en deux ans, de 1958 à 1960, sous l'égide de la

formule communautaire, le processus de décolonisation de l'Afrique Noire et de Madagascar s'est achevé par l'indépendance complète de ces nouveaux États sur le plan national qui leur est propre comme sur le plan international. Le cadre juridique de 1958 a éclaté, mais l'esprit de coopération subsiste. Le Président Félix Houphouët-Boigny, chef d'État de la Côte d'Ivoire, déclarait à ce sujet : " Dans une construction neuve et difficile comme l'est la construction des jeunes États africains... il faut tenir compte davantage des réalités que du droit. Pour certains, rien n'est possible en dehors d'un cadre juridique déterminé. Nous disons, nous, que le mouvement se prouve en marchant et que c'est dans la coopération de chaque jour, sur la base de la confiance réciproque et de l'égalité, que se créera et se fortifiera la volonté commune de vivre en commun. »

Nous indiquerons ultérieurement les données fondamentales de la coopération. Précisons que les accords de coopération, qui se sont substitués aux compétencee de la Communauté initiale, intéressent aussi deux États, anciens Territoires sous tutelle, qui n'avaient jamais appartenu à la Communauté de 1958 : le Togo et le Cameroun.

*
* *

Examinons maintenant ce qu'est la République Française par rapport à l'œuvre de coopération qu'elle entreprend avec ces États d'Afrique Noire et de Madagascar.

Là surgissent des nouveautés plus fortes qu'il n'y paraît. La République Française n'est pas inscrite en Europe seulement. Elle comprend l'*Algérie, deux départements sahariens, des départements d'outre-mer* et des *territoires d'outre-mer*. Que représentent ces deux dernières entités administratives?

Les départements d'outre-mer sont quatre : deux îles antillaises, Martinique et Guadeloupe — en Amérique du Sud, la Guyane — une île de l'Océan Indien, la Réunion. C'est là l'héritage de l'empire colonial français du XVIIIe siècle.

Les *territoires d'outre-mer* sont cinq : la Côte des Somalis en Afrique orientale, les îles Comores dans l'océan indien, la Nouvelle Calédonie et la Polynésie française dans le Pacifique sud, et les îlots de St-Pierre et Miquelon en Amérique du Nord. Ces cinq territoires, au referendum de 1958, n'ont pas accepté de devenir départements ni états membres de la Communauté. Ils ont préféré rester dans leur ancien statut de territoire intégré à la République, statut qui les dote d'une assemblée et d'un gouvernement locaux et qui leur permet de gérer administrativement leurs propres affaires.

Cette description de la République Française était nécessaire à l'intelligence de ce qui va suivre et qui a trait aux données fondamentales de la coopération avec les États issus de la Communauté.

IV. LES DONNÉES FONDAMENTALES DE LA COOPÉRATION ET LES TÂCHES D'AVENIR.

Peut-on prévoir l'évolution de la Communauté? Tout calcul prévisionnel repose sur les données démographiques qui sont schématisées dans le tableau de la page suivante.

Il montre que le *rapport des forces démographiques* à l'intérieur de la Communauté est appelé à varier. La République Française — et, dans la République Française, la France d'Europe — possèdent encore une supériorité numérique qui ira en s'atténuant dans le proche avenir.

Pour mieux éclairer cette situation, ajoutons que les populations d'outre-mer comportent *une plus forte proportion d'éléments jeunes* que la métropole. Déjà sur les 9 millions d'Algériens musulmans, on recense plus de 4 500 000 enfants et adolescents de moins de 20 ans.

Désignation des Pays	Population recensée en 1955	Population prévue en 1975
RÉPUBLIQUE FRANÇAISE		
France d'Europe .	45 000 000	48 000 000
Algérie	10 000 000 (dont 9 millions de musulmans)	17 000 000 (dont 15 500 000 musulmans)
Départements d'outre-mer . . .	800 000	1 300 000
Territoires d'outre-mer . . .	360 000	500 000
TOTAL	56 160 000	66 800 000
Républiques africaines	21 500 000	31 000 000
République malgache.	4 690 000	6 150 000
TOTAL	26 190 000	37 150 000

*(Accolade de gauche : **COMMUNAUTÉ**)*

L'explosion démographique et juvénile d'Outre-mer dictera à la coopération ses tâches essentielles : dans la structure agraire et archaïque où ils sont encore enfoncés, les peuples africains et malgache seront menacés par le déséquilibre entre l'augmentation des bouches à nourrir et la diminution des marges alimentaires. Ils auront besoin de terres arables qu'il faudra reconstituer ou créer sur un sol souvent épuisé par l'érosion. Ils auront besoin d'une industrie capable de leur procurer des emplois et de subvenir aux dépenses causées par la modernisation de l'agriculture et par les services sociaux des Républiques africaines ou malgache. Ils auront besoin, pour la formation professionnelle de leur jeunesse, de lutter contre l'analphabétisme et la routine.

Pour ne parler ici que de l'enseignement, voici quelques chiffres tirés des statistiques de 1960 : les Républiques africaines — y compris celles du Mali, du Togo et du Cameroun, et la République de Madagascar — avec lesquelles la République Française a contracté des accords de coopération, totalisent 1 612 000 élèves dans les écoles du 1er degré, 67 000 dans les établissements du 2e degré, et 17 000 dans l'enseignement technique. Partout le français est la langue d'enseignement. Mesurons à ces chiffres le travail accompli. Mais en les rapprochant des chiffres de la population qui ont été donnés précédemment, mesurons l'ampleur de la tâche qui reste à faire. En 1961, les Républiques africaines et la République malgache demandent à la France, pour l'enseignement du 2e degré, 900 professeurs qui s'ajouteront aux 5 200 actuellement en fonction dans les lycées et collèges publics et privés. En ce qui concerne l'enseignement supérieur, une Université se développe à Dakar, une autre à Tananarive, une est en voie de création à Abidjan. Enfin, en France, les universités accueillent 6 000 étudiants africains

Sur le plan financier, la coopération se manifeste par le soutien que la France fournit aux produits africains et aux budgets africains. 5 % du budget français de 1960 sont consacrés à l'aide aux pays d'outre-mer, ce qui représente une charge de 180 NF par personne active en France d'Europe.

La solidarité de la République Française et, dans la République Française, la productivité de la France d'Europe, devront jouer à plein.

Mais les peuples africains et malgache devront également accomplir un *travail interne de mutation sociale*, afin de mener à bien le périlleux et douloureux passage qu'ils font en quittant leur genre de vie pour un autre genre de vie. A la civilisation technique dont ils ressentent la nécessité, ils devront ajuster leurs institutions, leurs modes de travail, leurs formes de pensée, leur tempérament, leur génie.

V. Vers un nouvel art de vivre ensemble.

Par certains côtés, la Communauté instituée en 1958 peut être interprétée comme un compromis transitoire entre les responsabilités que la France entend garder outre-mer et les aspirations de peuples qui désirent son aide tout en limitant son intervention. Et l'on se doute bien que ce compromis est dénoncé par les partisans d'une indépendance immédiate et totale, tandis qu'il est déploré par ceux qui ont la nostalgie d'un temps où la souveraineté impériale se déployait d'Alger à Dakar, de Brazzaville à Saïgon et à Tananarive, et recouvrait les protectorats tunisien et marocain.

Mais l'esprit de coopération qui animera la Communauté se meut sur le plan mondial et se tourne vers l'avenir. Sur le plan mondial, deux tendances se heurtent en tout pays, l'une pousse à l'unification de la planète par le couplage de l'homme avec la machine, l'autre porte chaque pays à l'indépendance qui avive les caractères nationaux. Puisse la Communauté harmoniser ces deux tendances en donnant à ses peuples une grande espérance commune d'avenir. Il s'agit de bien autre chose que de liquider à l'amiable un passé colonial. Il s'agit même de quelque chose qui dépasse la simple dotation en moyens techniques et financiers et la recherche d'un meilleur niveau de vie. Il s'agit d'une nouvelle vie, d'un *nouvel art de vivre* entre peuples divers qui auront ensemble l'espoir commun de se cultiver et de s'enrichir, selon le mot de Paul Valéry, par leurs mutuelles différences.

Déjà, poètes et écrivains africains et malgaches font entendre, en français, un accent qui annonce un humanisme élargi et nouveau, l'humanisme de la Communauté.

Robert Delavignette

*Gouverneur général honoraire de la France d'Outre-Mer
et Vice-Président du Comité Directeur de l'Alliance Française.*

LA FRANCE DANS LES
DEUX GUERRES MONDIALES

Comment comprendre la France d'aujourd'hui, si l'on ne se représente qu'elle a perdu dans les deux dernières guerres deux millions d'hommes, le vingtième de sa population, et que, par une sélection cruellement anti-naturelle, ces jeunes morts étaient, entre ceux de leur âge, les plus vaillants et les meilleurs? Presque tous ceux-là sont tombés, qui seraient maintenant aux postes de commande.

Professeur d'Université, M. Jean-Baptiste Duroselle traite en historien de problèmes qui aujourd'hui encore passionnent et divisent les esprits.

Lorsque l'on s'interroge sur les conséquences des deux guerres qui ont ensanglanté la première moitié du XXᵉ siècle, on s'aperçoit que les pertes en vies humaines, le bouleversement des frontières, le progrès des techniques, ont eu sur le plan politique une répercussion d'une formidable ampleur. Les vieilles notions d' " équilibre européen ", de " concert européen ", de " balance of power " ont été reléguées dans le domaine du passé et n'appartiennent plus qu'à l'histoire. Deux puissances naguère modestes ont prodigieusement accru leurs forces.

La France, au contraire, pays de dimensions et de population moyennes, appartient à cette catégorie de puissances qui sont passées du tout premier rang au second. Aux conditions géographiques qui impliquaient ce recul relatif, se sont ajoutés les sacrifices particulièrement élevés qu'elle a subis lors de l'une

et l'autre guerre : 1 394 000 tués entre 1914 et 1918; 625 000 entre 1939 et 1945, sans compter l'occupation du territoire, d'immenses destructions de maisons, de moyens de production et de transport. Songe-t-on que, pour la deuxième guerre seule, ses pertes en vies humaines sont près de trois fois supérieures à celles des États-Unis?

1914-1918.

En 1914, lorsque l'Allemagne déclare la guerre à la France, l'immense majorité des Français a clairement conscience de n'en être pas responsable.

Dans la première phase, la France joue le rôle essentiel. Tous les Français sentent que leur indépendance est en jeu, et " l'Union sacrée " s'opère dans l'enthousiasme. A la tête de leurs forces se trouve par chance un homme à l'esprit impassible, au caractère inébranlable, Joffre; son armée menacée d'être encerclée par les armées allemandes, avec calme il ordonne la retraite, évite qu'elle soit une débandade, fait glisser les troupes de l'Est vers l'Ouest pour rejoindre le gros des forces allemandes sur la Marne et masse toutes les réserves disponibles autour de Paris.

C'est le 5 septembre qu'il donne l'ordre de contre-attaquer sur le flanc de l'aile droite ennemie, tandis qu'en Lorraine les Français résistent pied à pied à une puissante offensive. Le 9 septembre, la bataille est gagnée. Les armées allemandes se replient au nord de la Marne. La poursuite par les troupes françaises épuisées ne tarde guère d'ailleurs à s'arrêter. Finalement la ligne de front s'établit, presque immobile jusqu'en mars 1918.

Le problème est maintenant de briser ce front. Pendant trois ans, les deux adversaires vont s'y employer sans succès.

Rouen après le bombardement. Ph. A. D. P.

Les ruines de Lorient. Ph. A. D. P.

En 1915, les puissances centrales ont l'avantage du nombre, du matériel et surtout des munitions, malgré l'accroissement constant des renforts anglais. Mais de part et d'autre les pertes sont terribles pour ne conquérir que des lambeaux de territoires.

En 1916, c'est encore la France qui va supporter le poids le plus lourd, et ceci est dû à une nouvelle méthode de guerre que les Allemands, le 21 février, entreprennent d'expérimenter dans la région de Verdun. Au lieu de tenter une nouvelle et vaine " offensive de rupture ", pourquoi ne pas engager une bataille " d'usure "? Une fois l'armée française " usée " par d'effroyables pertes, le front occidental tombera de lui-même.

Telle est l'origine de la plus terrible bataille de tous les temps, par l'étendue des pertes en vies humaines. Elle va durer six mois. Guerre d'usure, oui, mais usure à peu près aussi forte pour les Allemands — qui ont perdu 240 000 hommes — que pour les Français dont les pertes s'élèvent à 275 000.

Un problème nouveau se présente désormais aux deux camps, celui des effectifs. En même temps, la lassitude de l'opinion s'affirme. 1917 va être une année de crise.

Crise intérieure française d'abord. En décembre 1916, Briand, qui a succédé à Viviani en octobre 1915, croit devoir remplacer Joffre par un général brillant, mais trop intellectuel, Nivelle. Lorsque l'offensive préparée par celui-ci échoue en avril 1917, le désespoir atteint son comble. Certains éléments d'extrême-gauche commencent à rejeter " l'Union sacrée " et s'orientent vers la " paix à tout prix ". Du 20 mai au 10 juin, quelques régiments refusent de monter en ligne. Le général Pétain, nouveau généralissime, rétablit humainement la situation, en limitant au maximum la répression et en essayant d'améliorer les conditions matérielles de la troupe.

Crise extérieure aussi. La révolution russe de mars affaiblit l'alliance sans la disloquer. La révolution d'octobre amène au pouvoir les bolcheviks qui s'empressent de signer avec les Allemands l'armistice de Brest-Litowsk. Les États-Unis, il est vrai, entrent dans la guerre comme " associés " des Alliés, en avril 1917. Mais une période dangereuse s'ouvre pour l'Entente, celle où, l'armée américaine n'étant pas encore équipée, transportée, de nombreuses divisions allemandes, libérées du côté de l'Est, refluent en masse vers le front occidental. Pendant la première moitié de 1918, le commandement allemand disposera d'une large supériorité numérique. C'est sa dernière chance de gagner la guerre.

Pour en profiter, Ludendorff imagine une stratégie nouvelle, fondée sur la surprise et sur la puissance du feu, suivie d'une attaque brusquée appuyée par l'aviation et les gaz; et tout cela, pense Ludendorff, permettra la fameuse rupture. Le 21 mars 1918 commence la grande bataille dans la région de Saint-Quentin. Pour la première fois, le front est rompu. Les Anglais songent à ramener leurs troupes vers les ports, Pétain vers Paris. Ce serait la brèche par où s'engouffreraient les armées allemandes. L'énergie de Clemenceau, Président du Conseil depuis le 16 novembre 1917, celle de Lloyd George conduisent à la décision prise le 26 mars à la conférence de Doullens, de confier le commandement de toutes les troupes alliées au général Foch. Celui-ci organise aussitôt le " colmatage " de la brèche, et les assaillants allemands, épuisés, sont arrêtés enfin après une avance de 65 kilomètres.

Pour l'Allemagne, c'est vraiment la chance ultime. Le grand revirement s'opère en juillet. Le 18 juillet, l'armée Mangin engage une contre-offensive de flanc, en utilisant les mêmes méthodes de surprise que l'adversaire. En même temps les Américains affluent. Chaque mois, il en débarque plus de 250 000 et leur effectif atteint le million en juillet. En septembre et octobre, l'offensive générale amène le recul des troupes allemandes sur presque toute la ligne. Les alliés de l'Allemagne abandonnent la guerre. Le 4 octobre, le nouveau chancelier Max de Bade demande au Président des États-Unis " de prendre en main le rétablissement de la paix ", sur la base des " quatorze points " du Président Wilson. La situation morale et politique de l'Allemagne se désagrège, le Kaiser est renversé, et le 11 novembre 1918 les pays de l'Entente convoquent les délégués allemands pour la signature d'un armistice à Rethondes. C'est la Victoire. Mais la Victoire est fragile. Un traité imparfait, la désunion entre alliés, la crise économique mondiale, et surtout l'Hitlérisme suscitent, vingt ans après, une nouvelle guerre européenne.

1939-1945

Pour la France, la guerre de 1939-1945 comporte trois phases extrêmement nettes. Jusqu'à l'armistice du 22 juin 1940, elle est l'un des principaux belligérants. Vient ensuite la période de l'occupation, qui suscite une réaction nationale, la Résistance, extérieure et intérieure. Puis, à partir de la Libération (août-septembre 1944), la France joue le rôle d'un allié, fidèle certes, mais secondaire dans la balance des forces.

On dut assister, impuissant, à l'effondrement de l'armée polonaise, prise au surplus à revers le 17 septembre par les Russes. Le 28, c'en est fait. Désormais, presque toutes les troupes allemandes stationnent sur le front Ouest. Tandis que Goebbels orchestre une lancinante " guerre des nerfs ", les deux adversaires restent l'arme au pied. C'est la " drôle de guerre ". Le 10 mai, Hitler entreprend la guerre-éclair en envahissant la Hollande et la Belgique.

La campagne de France se règle en quatre jours. Derrière l'Ardenne, que l'on croyait inaccessible aux chars, a été concentrée l'armée blindée du général Guderian. Du 14 au 16 mai, tandis que l'élite des forces anglo-françaises s'est portée au secours de la Belgique, Guderian perce les lignes dans la région de Sedan. Faute de réserve générale, on ne peut empêcher les tanks allemands, suivis par une puissante infanterie motorisée, de s'insérer en coin entre la ligne Maginot, qui tient bon à l'Est, et les forces mobiles qui combattent en Belgique. Le gouvernement Paul Reynaud, hâtivement, remplace Gamelin par Weygand, et celui-ci essaie désespérément d'organiser une riposte : une offensive en tenaille, venant du Nord et du Sud, qui isolerait les chars allemands aventurés entre Amiens et Abbeville, et rétablirait le contact. La tentative échoue. Malgré un succès local remporté près d'Abbeville par le colonel de Gaulle, il faut se résigner au pire. Toute l'armée du Nord encerclée reflue vers Dunkerque. De ce port, sous un intense bombardement aérien, une immense flottille improvisée transporte en Angleterre les soldats britanniques, puis les français. Mais un matériel considérable est perdu.

Weygand essaie alors, avec les 50 divisions qui lui restent, d'établir une ligne de défense Ouest-Est sur la Somme et le canal de l'Aisne. Les 5 et 6 juin, cette ligne est enfoncée. Le 10 juin, le gouvernement Reynaud — où siège depuis le 18 mai le maréchal Pétain — gagne la région de Tours qu'il quittera le 14 pour Bordeaux. Le même jour, Mussolini, malgré l'immense majorité de l'opinion publique italienne, déclare la guerre à la France et à l'Angleterre.

Deux solutions s'offrent alors à la France. Celle de M. Paul Reynaud : continuer la guerre en se repliant en Afrique du Nord. Celle du maréchal Pétain et du général Weygand : conclure un armistice, qui mettrait fin aux opérations militaires, mais permettrait de réserver en France une zone non-occupée. L'Angleterre, se fondant sur l'accord du 28 mars 1940 qui écartait tout armistice séparé, n'admettrait à la rigueur cette solution que si la flotte française était conduite dans les ports anglais. Le gouvernement Churchill, le 16 juin, va même jusqu'à proposer la création d'une " Union franco-britannique ".

Il est trop tard. Après des discussions passionnées les 15 et 16 juin à Bordeaux, Paul Reynaud donne sa démission. Il sait ce que cela signifie : la désignation du maréchal Pétain comme Président du Conseil, et la demande d'armistice. Le 17 juin, en effet, le nouveau gouvernement, par l'intermédiaire de l'Espagne, entre en pourparlers avec l'Allemagne. Parlant à la radio, Pétain annonce aux Français, pour la plupart fuyant sur les routes, que " l'heure est venue de cesser le combat ". L'armistice avec l'Allemagne est signé le 22 juin. Il entre en vigueur le 25, après la signature de l'armistice avec l'Italie.

Outre les clauses de désarmement, l'armistice comporte deux points essentiels : l'armée allemande occupe un territoire situé au Nord d'une ligne Genève-Tours, avec une bande le long de la côte atlantique. D'autre part, la flotte doit être désarmée et ramenée à ses ports d'attache de 1939. Le général de Gaulle, sous-secrétaire d'État de Paul Reynaud, qui avait gagné Londres, déclare le 18 juin que la France doit continuer la guerre, et il lance un appel à tous les Français pour les inviter à venir le rejoindre.

La deuxième phase est, pour la France, celle de l'occupation. Le gouvernement installé à Vichy, impuissant, perd de plus en plus sa popularité. De puissants mouvements de résistance intérieure se sont constitués, qui harcèlent les troupes allemandes, coupent leurs communications, fournissent des renseignements aux alliés, et facilitent grandement les débarquements du 6 juin 1944 en Normandie et du 15 août sur la côte d'Azur.

Les prisonniers, au nombre d'un million 500 000, restent en Allemagne. Les Allemands réquisitionnent des centaines de milliers de travailleurs. Bien plus, la Gestapo, arrêtant et déportant les Juifs, les Résistants, les livrant aux horreurs des camps de concentration et des exécutions massives, accroît la haine des Français contre l'occupant.

En face du Maréchal, le général de Gaulle représentait tout l'orgueil et tout l'espoir d'une France dont la défaite avait exaspéré le patriotisme. Son obstination, l'énergie avec laquelle il défendait le point de vue français dans les cercles alliés, n'allaient pas sans causer quelques frictions avec Mr. Churchill; médiocres avec les Anglais, ses rapports furent plus mauvais encore avec les Américains. Ces mésententes entre les alliés et le général de Gaulle, qui de plus était peu populaire auprès des troupes d'Afrique du Nord, expliquent les dissensions et les remous qui se sont produits dans le commandement français à Alger après le débarquement anglo-américain en Afrique du Nord, le 8 novembre 1942. L'unité entre les " Français de Londres " et les " Français d'Alger ", qui luttaient également contre l'Allemagne, ne fut rétablie qu'en juin 1943. Quelques mois après, De Gaulle devenait seul président du gouvernement provisoire. Les Américains refusaient encore de reconnaître *de jure* ce gouvernement, et il fallut l'enthousiaste accueil des Parisiens au chef des résistants, en août 1944, pour qu'ils acceptassent de réviser leur position. Les trois grands alliés reconnurent le gouvernement De Gaulle le 23 octobre 1944.

La troisième phase de la guerre est celle qui suit la Libération, c'est-à-dire les mois d'août et septembre 1944. La France, toute à la joie de l'indépendance retrouvée, se rend bientôt compte de l'étendue de ses ruines. L'hiver 1944-45 est pénible pour le ravitaillement et le chauffage. Un certain malaise règne, entretenu par les luttes politiques. La victoire se dessine, mais la France n'a guère que dix divisions pour y participer. L'on éprouve à la fois l'orgueil d'être aux côtés des vainqueurs et la nostalgie de 1918 où la France était le principal d'entre eux.

Le retour des prisonniers efface cette impression dans les semaines qui suivent, et la convalescence du pays commence. Quinze ans après, les ruines sont réparées. Les haines s'effacent. Malgré deux guerres terribles, la France, par son dynamisme démographique et économique, est un pays qui regarde vers l'avenir.

J.-B. DUROSELLE
*Directeur d'études et de recherches
à la Fondation nationale des Sciences politiques.*

LA MONTÉE DES JEUNES

Ces deux effrayantes saignées, à vingt-cinq ans de distance, n'avaient-elles pas épuisé les forces vives de la Nation? Tout au contraire, dès le lendemain de la dernière guerre, la France semble renaître. Elle était un pays vieilli; elle devient un pays jeune. Aux classes creuses succèdent les classes fortes. C'est là une véritable révolution qui, en tous domaines, commande une politique de hardiesse et de générosité. M. Alfred Sauvy, titulaire de la chaire de démographie sociale au Collège de France, rappelle rudement les Français à l'espoir.

Pendant plus d'un siècle, la France a détenu les records de stérilité. Dès le XVIIIe siècle et cent ans avant l'Angleterre, elle avait vu diminuer le nombre de ses enfants et avait, depuis, été toujours dangereusement en avance dans cette marche. Celle-ci est certes logique et conforme à l'évolution générale sociale, économique et médicale; mais toute population qui dépasse les mesures raisonnables est en danger de mort.

De cette parcimonie dans le don de la vie, découle un phénomène encore mal connu de l'opinion et des historiens, bien que parfaitement mesuré : le vieillissement de la population, c'est-à-dire l'accroissement de la proportion des personnes âgées.

Pendant longtemps, la population française n'avait maintenu apparemment son volume que par la prolongation des vivants, procédé certes recommandable en soi, mais qui ne pouvait que masquer un temps la décadence fatale. A la veille de la deuxième guerre, la situation de la France était extrêmement sérieuse. Non seulement le vieillissement se poursuivait implacablement (15 % de sexagénaires), avec ses inévitables conséquences matérielles et morales, mais le nombre des décès dépassait déjà celui des naissances.

De cette décadence, les nations dictatoriales, Italie et Allemagne, ne doutèrent pas un instant. D'éminents savants ont même connu de fâcheuses défaillances, mettant au service d'une politique combien contestable, une théorie pseudo-scientifique sur la soi-disant dégénérescence biologique irrémédiable de certains peuples, opposée à la vitalité naturelle de certains autres.

Ce qui est certain, c'est que la France manquait de jeunesse. L'équilibre entre les divers âges n'étant plus assuré, un redoutable mouvement de bascule vers la vieillesse était amorcé, risquant d'entraîner une chute définitive.

Bien des esprits jugeaient sans remède ce mal, qui s'étendait du reste à d'autres pays occidentaux. Selon certains, c'est toute la race blanche qui était menacée d'extinction. Mal moral, affirmaient ces mêmes personnes, qu'on ne saurait combattre par des aides matérielles, ni plus généralement par des lois. Auguste lui-même, malgré ses pouvoirs, n'a pas réussi dans sa tentative, faisaient-ils observer.

Et les années coulaient.

UNE GRANDE DATE.

En 1939, s'est produit, en France, un grand événement; il ne s'agit pas de la guerre qui était déjà " écrite " et dont seule la date exacte restait en blanc. Cet événement, ce fut une volte-face inattendue vers les sources de jeunesse.

Au moment le moins favorable apparemment, en pleine

tension des esprits, lorsque toutes les forces matérielles et morales devaient se concentrer en vue de la guerre, a été promulgué le code de la Famille, révolutionnaire, explosif dans les concepts autant que dans les comptes financiers, et aussi inopportun que possible, apparemment.

Ainsi, voilà un pays qui marche, à pas lents mais sûrs, vers sa fin, pendant un siècle et demi, qui subit deux terribles punitions en 1870 et 1914-1918, qui s'intéresse à son niveau de vie et non à sa survie, qui refuse aux Cassandre tout porte-voix et toute confiance, qui, dans les phases de plus belle prospérité, gaspille ses ressources, et qui, au moment où approche la grande sanction, produit un effort invraisemblable, déconcertant.

Cet effort sublime, inattendu, au bord même de l'effondrement, est-ce vraiment le pays qui l'a voulu? Ce sont deux hommes, Edouard Daladier et Paul Reynaud, qui l'ont décidé. Le code de la Famille a été accepté par l'opinion sans difficulté, parce que les soucis étaient ailleurs et que ses libéralités apparaissaient plus en évidence que les charges de contrepartie; il n'a pas été voulu ou, tout au moins, demandé. Mais qu'il n'ait pas suscité d'opposition notable dans le clan malthusien, ou simplement chez les parties versantes, est déjà significatif. *Un certain remords national faisait son œuvre.* La proximité du désastre qui flottait dans l'air a provoqué une réaction vitale, vainement attendue pendant un siècle de facilités.

L'historien de demain dira que, par une sorte de volonté nationale, transcendante aux individus, le pays a entendu jeter le germe d'une nouvelle France, au moment même où l'ancienne allait sombrer. Tout cela s'est passé comme si la nation avait agi délibérément, sans qu'aucun de ses membres toutefois en eût la conscience.

Cette interprétation est confirmée par le fait suivant : après juin 1940, la France éprouva de terribles secousses politiques. Ses gouvernements successifs ne se contentèrent pas de diverger; ils furent radicalement opposés. Sur un point toutefois, ils ont tous poussé dans la même direction : redonner une jeunesse au pays. Charles de Gaulle et Philippe Pétain se sont réciproquement condamnés à mort; leurs politiques étrangères ont été le jour et la nuit. Mais tous deux ont vu la nécessité d'encourager la famille et ont œuvré dans ce sens. Leurs adversaires communs, les communistes, les ont accompagnés sur ce point.

Ainsi s'est produit un curieux phénomène. Mettons-nous à la place de quelque observateur lointain, insensible aux détails et ne pouvant percevoir que les changements profonds : il admirerait " l'étonnante suite dans les idées des Français qui, oubliant à travers la grande guerre mondiale leurs divisions et leurs souffrances, n'ont pensé résolument qu'à leur avenir lointain ".

Laissons les interprétations philosophiques de l'histoire et venons-en aux résultats :

LES JEUNES MONTENT.

A la veille de la guerre, 612 000 naissances par an; aujourd'hui, plus de 800 000. Cette augmentation n'est pas absolument propre à la France et n'est pas due entièrement à la politique familiale. D'autres facteurs ont joué. Mais, si nous limitons le champ à l'Europe occidentale (les dominions anglo-saxons et les Etats-Unis se trouvent dans des conditions bien différentes), nous voyons que la France a bénéficié de la plus forte augmentation des naissances. Du dernier rang parmi les pays développés, elle est passée presque au premier.

La reprise véritable n'a commencé qu'en 1946; il y a une cassure profonde entre les générations nées avant ou depuis cette date. Les enfants qui ont, en 1961, 15 ans appartiennent à des classes fortes, ou tout au moins normales, alors que les plus âgés et les adolescents appartiennent à des classes creuses.

Bien que cette progression ait dépassé les espoirs les plus optimistes, il faut la situer à sa vraie place. La famille française, qui avait en moyenne deux enfants avant la guerre, en a aujourd'hui deux et demi. Ce n'est ni un retour (loin de là) à une situation d'autrefois, ni une situation comparable à l'exubérance des pays sous-développés. Les générations françaises qui, avant guerre, n'assuraient pas leur propre remplacement, réussissent aujourd'hui ce renouvellement de façon large, avec 25 % environ d'augmentation d'une génération à la suivante (28 ans environ d'intervalle).

La forte amélioration qui s'est produite n'est donc accompagnée d'aucun excès. Elle est intéressante moins par l'augmentation de nombre que par le rajeunissement qui en résulte.

L'ESPACE EST LARGE.

Avec 80 habitants au kilomètre carré, la France reste loin derrière les autres pays d'Europe occidentale (Irlande et Espagne exceptées); les 80 personnes d'un kilomètre carré français ont beaucoup plus d'espace que les 125 Suisses, les 210 Allemands et les 350 Hollandais, et il en sera longtemps encore ainsi.

A son rythme actuel de progression, il faudrait, en effet, à la France 47 ans pour rejoindre la densité du Danemark (actuel), 153 ans celle du Royaume-Uni, 215 ans celle de la Belgique et 245 ans celle des Pays-Bas.

C'est que le temps des fortes progressions démographiques est révolu en Europe occidentale.

Devant rester, en tout état de cause, moins peuplée que ses voisins, la France n'a pas à redouter le manque d'espace, le surpeuplement. Elle peut aller hardiment de l'avant. Mais ici se place un regrettable phénomène qu'il faut bien analyser.

LE POIDS DU PASSÉ.

La population française qui avait, avant la guerre, la plus forte proportion de vieillards, se trouve aujourd'hui rajeunie à la base. Tout en ayant toujours beaucoup de vieux, elle a plus de jeunes.

Cette situation a tout d'abord pour effet un accroissement de charges matérielles, bien facile à comprendre, puisque jeunes et vieux sont inactifs et que le nombre des actifs, des productifs, n'a pas encore changé. Mais si importante soit-elle dans les chiffres, cette répercussion matérielle est secondaire en face de la suivante :

Pendant tout le siècle de stagnation démographique, les institutions se sont adaptées à cette constance, qu'il s'agisse de l'agriculture, de l'Université, de l'administration, de l'architecture, etc. Elles ont perdu l'habitude de grandir, et le pays avec elles. *Le vieillissement a atrophié l'esprit de création.*

Dans ce corps engourdi, le dégel provoque des sensations cuisantes; le malthusianisme, la peur de l'excès et même de la richesse étaient installés partout, aussi bien dans les grandes écoles que dans les groupements professionnels. La législation et de nombreuses pratiques ou règlements corporatifs sont tournés contre le progrès et marqués par une vive appréhension devant la croissance, appréhension assez naturelle, puisque toute croissance a ses troubles.

Il y a, de ce fait, *un contraste dramatique entre les besoins et les méthodes;* l'avenir s'ouvre largement à un pays encore tourné vers le passé. Quatorze générations pleines grandissent; la France a rajeuni son corps sans rajeunir encore son esprit. Le mythe bêtifiant de la " belle époque " n'est qu'une manifestation, parmi bien d'autres, d'un attardement dangereux.

Il ne s'agit pas, comme on pourrait le croire, d'un conflit entre jeunes et vieux. Certaines personnes âgées peuvent être entièrement tournées vers le progrès, alors que d'autres, plus jeunes, peuvent manifester un conservatisme de mauvais aloi. Le conflit eſt entre les forces jeunes et les autres, qui se ramènent toutes à une force d'inertie.

L'ACCUEIL AUX JEUNES.

Donner plus généreusement la vie ne signifie pas simplement relever la natalité. Ces enfants qui naissent, en rangs plus serrés, il faut leur assurer la vie dans le sens le plus large du mot, en les accueillant, en leur permettant de s'intégrer dans le corps social.

Ces générations nouvelles, pleines, vont-elles trouver des cadres élargis à leur dimension, ou bien les enfants supplémentaires vont-ils se heurter à des portes closes?

Telle eſt la grande queſtion : elle se pose de façon plus concrète pour trois secteurs essentiels, car l'accueil de la société d'aujourd'hui se présente sous la forme du triptyque : enseignement, emploi, logement.

Des trois volets de ce triptyque, l'emploi eſt celui qui a frappé le plus l'opinion; une peur extrême du chômage inspire toutes les classes sociales, si bien que plus d'une personne hoche la tête en pensant que le pays manquera de " places ". Une observation craintive et limitée à des faits isolés donne à croire à une sorte de saturation. C'eſt la marque même de l'esprit malthusien qui, en limitant l'horizon au visible, enlève non seulement toute foi, mais aussi toute raison. Nous avons bien vu, en effet, depuis 20 ans, la population active anglaise augmenter de plus de 4 millions et celle de l'Allemagne occidentale de près de 7 millions en 10 ans. Il s'agit, pour la France, d'une performance dix fois plus modeſte : 700 000 en dix ans.

Les ressources naturelles de la France permettent d'ailleurs d'escompter un développement dont on ne voit ni le terme, ni les limites, sous réserve bien entendu que les efforts créateurs soient déployés et orientés en conséquence. Tout travailleur en plus ouvre, par son travail même et la consommation qui en résulte, un débouché à un autre. Le travail créant le travail, le développement peut se poursuivre indéfiniment, tant qu'il y a des ressources naturelles à exploiter et des hommes capables de le faire.

Mais ce dernier point attire l'attention.

DE L'ENSEIGNEMENT A L'ARCHITECTURE.

Il fut un temps où aucun lien n'apparaissait entre l'enseignement et le développement de l'économie. Certains même redoutaient de voir les paysans quitter la charrue, sitôt instruits, pour aller grossir la masse des oisifs dans les villes. Des changements profonds sont survenus, si bien que l'importance de l'enseignement comme facteur économique va en s'accroissant constamment, et ceci que le régime soit socialiste ou capitaliste. On peut le déplorer et regretter les neiges d'antan, mais il est impossible de le nier.

Le capital lui-même, si vénéré, qu'il s'agisse de monnaie ou d'outillage, n'est qu'un facteur secondaire dans l'économie; il ne vient qu'après l'homme. Donnons un exemple, pour bien exprimer notre pensée.

Le plus grand médecin du monde, dépourvu de tout outil, ne pourrait sans doute faire grand chose devant un malade; mais si nous détruisions brusquement tous les outils médicaux existant en France, le mal serait réparé en quelques années, voire en quelques mois, tandis que si tous les médecins disparaissaient d'un coup, le matériel restant intact, la science française et, avec elle, l'économie, la culture, le prestige extérieur ne s'en remettraient peut-être jamais.

Élèves d'un cours complémentaire en vacances
Ph. Institut Pédagogique National, Pierre Allard

Ceux qui ont étudié de près les pays sous-développés et l'évolution des idées dans ce domaine ont compris l'importance essentielle de la formation des hommes. Nous devons à Jean Fourastié cette excellente définition : *Un pays sous-développé est un pays sous-instruit*, digne pendant, sur le plan collectif, du fameux vers de Hugo : " Chaque enfant qu'on instruit est un homme qu'on gagne ".

Les jeunes classes françaises trouveront donc aisément leur place et en particulier des emplois, si elles sont suffisamment instruites et formées, particulièrement sur le plan technique. Pour les accueillir, la meilleure façon est de les instruire.

D'importants efforts ont été faits dans ce domaine, et d'autres sont en cours. Personne ne conteste leur importance, non plus que leur insuffisance. Le départ ayant été pris trop tard, nous courons après les besoins avec une lenteur désespérante. Le signal d'alarme doit être tiré.

Devant l'énormité de ces besoins, une fraction de l'opinion s'inquiète et juge excessive la montée des jeunes et, par suite, la natalité. Cette opinion méconnaît ou sous-estime l'influence de la démocratisation de l'enseignement, qui se poursuit en France, comme dans les autres pays. Nous avons vu d'autre part, plus haut, que la natalité française correspond à deux enfants et demi en moyenne par famille achevée, ce qui n'a rien d'excessif. Mais cette montée des jeunes surprend une population et une administration qui avaient perdu l'habitude de grandir. Il faut que l'effort d'enseignement apparaisse sous son jour réel : l'investissement le plus nécessaire de tous, l'investissement au carré.

L'enseignement et la formation professionnelle étant le moyen spécifique d'accroître ultérieurement le nombre des emplois (cette vérité élémentaire, fruit de l'expérience des dernières années, passe encore aux yeux de certains pour un paradoxe), il reste à examiner la troisième forme de l'accueil aux jeunes,

97

le logement. Les jeunes ménages sont les grandes victimes de la pénurie regrettable, qui sévit en France plus encore qu'ailleurs. Or, cette pénurie est volontaire; elle résulte de la réglementation excessive, mal orientée et souvent anti-sociale, qui accable cette industrie. Cette législation malthusienne, en résultat sinon en inspiration, aboutit à un gaspillage d'espace et à une cristallisation qui entraînent des déperditions considérables retombant particulièrement sur les jeunes, laissés en dehors de la cité, au sens propre de ce mot comme au sens figuré.

Le malthusianisme, ce mal qui ne répand malheureusement aucune terreur, n'est pas seulement caractérisé par la peur de l'excès, il contribue à la peur du changement. Restés très attachés aux lignes traditionnelles, alors même que celles-ci sont devenues incompatibles avec d'autres aspects de la vie sociale, les Français ont redouté si longtemps toute innovation architectonique que nous assistons au paradoxe suivant : après avoir fourni au monde le plus grand architecte de son temps (Le Corbusier), appelé dans le monde entier père d'écoles et de sous-écoles, la France ne lui a confié que la construction de deux maisons.

Mais ici, comme en bien d'autres secteurs, un mouvement de rénovation est en cours; sans diminuer en rien le mérite personnel de certains pionniers, nous pouvons affirmer que cette rénovation résulte — par des cheminements, il est vrai, discrets, dans les profondeurs de la conscience sociale — de la poussée de la jeunesse. Et ce renouveau est loin d'être propre à l'architecture.

L'observation précédente nous conduit à poser une importante question : la poussée des jeunes a des incidences économiques, les unes favorables (plus de producteurs, dépenses publiques réparties sur un plus grand nombre d'épaules, etc.), les autres onéreuses (coût des investissements de croissance).

Laissons-les de côté, pour nous attacher aux conséquences que, faute d'un terme meilleur, nous appelons " morales ". Ces conséquences peuvent être hautement bénéfiques, sur le plan économique lui-même, si elles sont faites d'esprit d'entreprise, de goût du progrès, etc., et désavantageuses si elles conduisent, par exemple, à la délinquence une jeunesse désœuvrée et rebutée. Quelle sera en fait la réponse?

Nous allons donc examiner les changements qui surviennent ou vont survenir, d'abord sur les adultes, puis sur les jeunes eux-mêmes appartenant aux classes fortes.

Les adultes sont poussés.

Nous avons parlé déjà de l'espèce de somnolence qui a affecté la population française, du fait de l'atrophie de la jeunesse. Seule une population stationnaire pouvait s'accoutumer d'une politique des loyers et du logement totalement négative, pendant 40 ans. Mais la montée des besoins, le fait que les adultes sentaient croître sous eux une masse toujours plus importante, a modifié en partie leur état d'esprit, leur attitude, leur comportement.

L'un des symptômes les plus clairs de ce changement est l'orientation de certaines administrations et organismes scientifiques vers l'avenir. Des prévisions, disons des perspectives, sont établies sur les besoins d'énergie, de logements, sur la population agricole, etc., vers 1965 ou même 1975. Une telle préoccupation eût presque semblé sacrilège, il y a 25 ans. Ce n'est là qu'un symptôme parmi cent. Dans tout le pays, à travers les difficultés, les discordes, les mécomptes, on distingue un frémissement prometteur. L'inertie malthusienne est loin d'être vaincue, mais c'est déjà beaucoup qu'elle soit remise en question.

QUE SERONT LES JEUNES?

Sur le plan physique, la reprise de la natalité n'aura aucune influence défavorable. Le poids et la taille des enfants se développent de façon satisfaisante.

Sur le plan de l'intelligence propre, résultant à la fois des dons à la naissance et de l'éducation proprement familiale, il n'y a également aucune crainte à avoir. La reprise de la natalité a d'ailleurs été plus forte dans les classes moyennes et supérieures, ce qui peut contribuer à relever le niveau moyen. Du côté de l'instruction, nous avons exprimé plus haut de vives appréhensions, en raison du retard des efforts de la puissance publique. Une perte ou un manque à gagner sont à craindre sur ce point pour les premières générations (nées de 1946 à 1950 en particulier).

Il reste à voir le caractère, trop oublié dans la formation des hommes en France. Il n'est pas besoin de dénoncer, après tant d'autres, la mauvaise formation de l'enfant unique. Un psychologue tant soit peu exercé reconnaît cette unicité en cinq minutes d'entretien.

Déjà meilleur avec deux enfants, l'équilibre psychophysiologique de la famille n'est pleinement réalisé que dans la famille de trois enfants. Or, la reprise de la natalité a porté, pour la plus grande partie, sur le 2e et le 3e enfant. Il faut s'attendre de ce fait à une nette amélioration du caractère, dans les générations pleines nées depuis 1946.

Des esprits plus malveillants que scientifiques ont voulu voir, dans les progrès de la délinquence juvénile, une conséquence de l'accroissement de la natalité : à leur grande confusion, il faut rappeler que la première des générations fortes n'a que 15 ans en 1961, et que les " blousons noirs " appartiennent précisément aux classes les plus creuses.

Il n'en reste pas moins que les troubles de la jeunesse peuvent persister, si celle-ci reste en dehors de la cité et éprouve l'impression de ne pas être accueillie. Les vrais "tricheurs" ne sont pas les adolescents d'aujourd'hui, mais les adultes qui leur ferment les portes et s'opposent, dans leur égoïste aveuglement, à un agrandissement du cercle économique et social. Lorsque l'enfant paraît... que le cercle s'agrandisse.

Nous retrouvons ici, sous une autre forme, le conflit dénoncé plus haut entre le poids du passé, force d'inertie, et la vitalité qui résulte de la pression de la jeunesse.

De cette tragique opposition quel sera le vainqueur? Sans sous-estimer en rien l'importance des efforts qui restent à entreprendre, sans nous abandonner à un fatalisme confortable, il faut miser fermement sur les forces de jeunesse. Voyez cette plante qui pousse dans une maison abandonnée : enserrée par les murs dans lesquels elle essaie de se glisser, elle semble condamnée à l'étouffement. Revenez quelques années après, vous constatez qu'elle a fini par faire éclater la pierre dure, parce que la matière vivante l'emporte sur la matière morte.

Les jeunes finiront toujours par percer l'épaisse carapace malthusienne, cette concrétion déposée par un siècle et demi de vieillissement et de stérilité. Mais si nous attendions passivement une telle issue, il en résulterait des dommages très étendus.

"Nous autres civilisations, savons que nous sommes mortelles". C'est parce que nous le savons, c'est dans la mesure où nous le saurons et tant que nous le saurons, que nous pourrons prolonger notre civilisation. La France revit, la France repousse; elle ne le sait pas encore, ou du moins sous-estime l'importance exceptionnelle de cette opération — interdite aux personnes, mais permise aux peuples — qu'est le rajeunissement. Il s'agit, dans l'Histoire, d'un exploit inédit que ni la Grèce, ni Rome, ni Venise, emportées dans le toboggan du vieillissement et de la décadence, n'avaient pu réaliser.

> Patience, patience,
> Patience dans l'azur!
> Chaque atome de silence
> Est la chance d'un fruit mûr.

Et les fruits passeront la promesse, encore si discrète, des fleurs.

Alfred SAUVY
Professeur au Collège de France.

LES INSTITUTIONS

LA VIE POLITIQUE

Pourquoi la France a-t-elle dû, il y aura bientôt trois ans, se donner une Constitution nouvelle? Quel avenir semble promis aux institutions politiques de la Cinquième République? M. Maurice Duverger essaie de répondre à ces questions. Il le fait dans un grand effort d'impartialité, en se gardant de toute illusion, et avec cette sévérité exigeante dont les Français ont peine à se départir quand ils se jugent eux-mêmes.

En 1958, la vie politique française a été profondément bouleversée. Le retour au pouvoir du général de Gaulle à la suite de l'émeute algérienne du 13 mai, l'établissement d'une Constitution nouvelle adoptée par 80 % des votants au referendum de septembre, le succès aux élections législatives de novembre d'un parti neuf qui a conquis presque la moitié des sièges parlementaires : tous ces éléments donnent à la " Cinquième République " une physionomie originale, par rapport à ses devancières. La " Quatrième " (1944-1958), au contraire, ressemblait beaucoup à la " Troisième " (1870-1940), la " Seconde " (1848-1851) et la " Première " (1792-1799) étant trop lointaines et ayant trop peu duré pour avoir eu une influence directe sur les institutions du XXe siècle.

La IVe République avait accompli en douze années une grande œuvre. En économie, sa politique de planification souple et d'orientation des investissements avait donné à la production une impulsion décisive : pour retrouver en France un tel dynamisme industriel, il faut remonter plus d'un siècle en arrière, aux débuts du Second Empire; on peut parler, à cet égard, d'une véritable Renaissance. La même remarque est valable en démographie : la forte natalité pousse à une rénovation en profondeur. Mais le régime avait échoué sur deux points : il n'avait pas pu organiser des structures politiques permettant de gouverner avec efficacité et continuité; il n'avait pas su résoudre le problème posé par la " décolonisation " en Algérie. Les nouvelles institutions politiques établies par la Cinquième République essaient de trouver une solution au premier de ces problèmes.

LA DIVERSITÉ DES PARTIS POLITIQUES.

La France est célèbre pour son grand nombre de partis. En fait, cette réputation est usurpée : les familles politiques françaises ne sont guère plus nombreuses que celles des autres pays du continent européen. Mais l'une d'elles — la droite — n'ayant jamais pu s'organiser en parti cohérent, se divise en groupes et sous-groupes plus ou moins instables, parmi lesquels se perd l'observateur.

La division des partis français a la même origine que celle de tous les partis européens : la lutte, au XIXe siècle, entre les conservateurs attachés aux anciens régimes monarchiques et aristocratiques, et les libéraux partisans des principes de 1789. En 1875, quand la République s'est établie, les conservateurs se déclaraient contre elle; ils étaient d'ailleurs scindés en trois branches : légitimistes, partisans de l'héritier de Charles X; orléanistes, partisans de l'héritier de Louis-Philippe; bonapartistes, partisans de l'héritier de Napoléon; les libéraux étaient ses partisans. Progressivement, les anciens conservateurs se sont ralliés plus ou moins au régime, beaucoup gardant la nostalgie des systèmes autoritaires. Le développement du socialisme, à la fin du siècle, a provoqué une scission chez les républicains : les plus modérés rejoignant les anciens conservateurs, les intransigeants acceptant l'alliance des socialistes.

La droite actuelle est ainsi formée de deux fractions : les descendants des conservateurs et les descendants des républicains modérés. Les premiers gardent, à l'égard du régime, une attitude plus ou moins réticente. Ils sont prêts aux aventures autoritaires, soutenant Boulanger en 1885, La Rocque en 1936, Pétain en 1940, les colonels d'Algérie en 1958. Les autres restent, au contraire, attachés à la République. La ligne de démarcation entre les deux groupes est difficile à tracer. Ses divisions originelles, qui n'ont fait ainsi que s'accentuer, ont toujours empêché la droite de former un parti politique solide; peut-être aussi parce que son organisation véritable se situe en dehors des partis. A l'origine de la IIIe République, l'Église catholique donnait aux différentes tendances de la droite la cohésion et l'unité qui leur manquaient : cela explique l'importance des luttes anticléricales à la fin du xixe siècle et au début du xxe. Aujourd'hui, divers groupes d'intérêts économiques jouent le même rôle : l'argent a remplacé la religion comme ciment de la droite.

L'autre moitié des républicains du xixe siècle, qui avait refusé l'alliance (puis la fusion) avec les conservateurs, a engendré le parti radical. Ses origines mêmes expliquent qu'il soit mal délimité sur sa droite. Pendant longtemps, des hommes politiques ont joué double jeu, aux frontières du radicalisme et des républicains modérés : jusqu'en 1911, le parti radical favorisait ces calculs, en admettant la double appartenance. Il y a donc ordinairement au parti radical une fraction conservatrice, prête à se rapprocher des partis de droite, et une fraction de gauche, plus nombreuse en général, qui tend à s'accorder avec les socialistes. Cela permet un jeu de bascule, qui explique l'évolution des majorités parlementaires à certaines périodes de la Troisième République : d'abord allié à la gauche pendant la première moitié de la législature (1924-1926, 1936-1938 par exemple), le parti radical se retourne ensuite vers la droite (1926-1928, 1938-1940). Après 1945, les radicaux se sont d'abord alliés avec les conservateurs, pour défendre le libéralisme économique. Puis l'influence prise par M. Mendès-France depuis 1953-1954 a tendu à les orienter dans une voie nouvelle. Mais cette expérience passionnante a finalement échoué : M. Mendès-France a abandonné la direction du parti radical en juillet 1957; éclaté en trois tronçons, le radicalisme est désormais très affaibli.

La politique Mendès-France tendait à renouer les liens étroits qui ont uni, sous la Troisième République, radicaux et socialistes. La vieille S. F. I. O. (Section française de l'Internationale ouvrière) conserve une organisation solide, bien que sclérosée. Elle est, en dehors des communistes, le seul parti qui ait une influence notable dans les milieux ouvriers : mais son corps électoral comprend une proportion plus grande d'employés et de classes moyennes. A la Libération, elle a manqué la grande chance de rénovation qui s'offrait à elle, en écartant, au profit de ses vieux militants, les jeunes équipes issues de la Résistance; elles lui manquent cruellement aujourd'hui. Plus encore peut-être, le socialisme français souffre de l'absence d'un chef dont le dynamisme puisse entraîner la machine administrative du parti : après Jaurès, après Léon Blum, le vide est immense. La S. F. I. O. n'a pu surmonter la contradiction entre une doctrine et un vocabulaire officiellement révolutionnaires et une politique pratiquement réformiste. Elle donne actuellement l'impression d'un vieillissement : mais n'est-ce pas le trait essentiel de tous les partis socialistes occidentaux?

Depuis 1958, ses éléments de gauche l'ont quittée pour

former, avec M. Mendès-France et divers groupes de militants, le parti socialiste unifié (P. S. U.). Celui-ci a une influence notable dans la jeunesse et dans les milieux intellectuels.

Par son nombre d'adhérents, et plus encore par la précision et l'efficacité de son organisation, le parti communiste est le plus perfectionné des partis français. Ses liens étroits avec la Confédération Générale du Travail élargissent son influence très au-delà du cercle de ses membres. Il dispose d'un noyau de cadres et de militants éprouvés et dévoués. Il recueille les suffrages d'un électeur sur cinq, d'un votant sur quatre, cet attachement étant remarquablement stable. Cependant, des sondages d'opinion montrent qu'une minorité d'électeurs communistes sont réellement communistes : leur vote est un vote d'opposition. Il exprime le mécontentement vis-à-vis d'un système politique et social auquel tous les autres partis sont liés. D'autre part, si le P. C. a su remarquablement organiser la circulation des élites et la relève des chefs aux échelons subalternes, il n'a pas obtenu les mêmes résultats dans sa direction centrale : le petit noyau de ses dirigeants ne parvient guère à se renouveler. La " déstalinisation " a été pour lui une occasion manquée.

Sauf le P. S. U., les partis dont on vient de parler existaient avant 1939 : la Quatrième République, puis la Cinquième République en ont hérité de la Troisième. Au contraire, le Mouvement Républicain Populaire est né de la Libération. La tradition démocrate-chrétienne est ancienne, certes, et elle s'était incarnée dans un petit parti depuis 1925, mais sans commune mesure avec son successeur de 1945. L'évolution du M. R. P. depuis dix ans est fort intéressante. D'abord très puissant, grâce à l'appoint de voix conservatrices qui voyaient en lui le meilleur rempart contre le communisme, il a perdu beaucoup d'électeurs ensuite, par le reflux. Mais, paradoxalement, plus il s'allégeait de sa clientèle de droite, plus il inclinait vers elle dans son comportement politique : allié aux communistes et aux socialistes en 1945-47, où il aidait à faire les nationalisations et la sécurité sociale, il s'est uni à la droite aux élections de 1956 après avoir collaboré avec elle pendant la plus grande partie de la seconde législature. Cependant, l'affaire algérienne a marqué un certain retour à gauche : le M. R. P. s'étant montré plus libéral que la S. F. I. O. elle-même en matière de " décolonisation ".

Trois fois depuis dix ans, enfin, on a vu apparaître un mouvement autoritaire, de style non parlementaire; il a rallié cette partie de la droite qui n'a jamais été fermement attachée à la République. D'abord en 1948-53 sous la forme du Rassemblement du Peuple Français du Général de Gaulle : le R. P. F. déborda d'ailleurs assez largement cette clientèle traditionnelle (dont une partie lui restait hostile, à cause des souvenirs de Vichy) pour attirer une certaine portion de la gauche. En 1956, le " Poujadisme " a cristallisé de façon originale l'anarchisme latent des petits commerçants et artisans en mal de fiscalité, cette clientèle naturelle de tous les fascismes. Son succès électoral a surpris tous les augures, que rassuraient le néant de la doctrine et la médiocrité des chefs; il fut d'ailleurs bref, puisque le Mouvement Poujade s'effondra complètement aux élections de 1958. Celles-ci virent au contraire la brillante résurrection de l'ancien R. P. F., sous le nom d' " Union pour la Nouvelle République " : les électeurs l'ayant considéré comme le parti du Général de Gaulle, bien que celui-ci n'en exerce pas la direction, comme il l'avait fait en 1948-53.

LA RECHERCHE D'UNE MAJORITÉ ET LE PROBLÈME GOUVERNEMENTAL.

Les partis qu'on vient de décrire correspondent à des courants de pensée, à des traditions historiques, à des structures sociales : il ne paraît guère possible d'en réduire le nombre.

Là réside la difficulté essentielle du problème gouvernemental français : toutes les démocraties occidentales la connaissent d'ailleurs, sauf celles qui présentent un " bipartisme " rigide de type britannique. Il peut arriver exceptionnellement qu'un parti atteigne ou approche la majorité absolue et puisse gouverner seul ou presque seul : mais ce cas est très rare (cette hypothèse est actuellement réalisée : grâce au scrutin majoritaire, l'U. N. R. a recueilli 206 sièges parlementaires sur 522 avec seulement 18 % des suffrages). Normalement, tous les gouvernements doivent s'appuyer en France sur une coalition de plusieurs partis. En pratique, trois types sont possibles à cet égard.

La coalition de droite a gouverné en 1951-56 (sauf la parenthèse du ministère Mendès-France) : elle unissait la droite modérée (" indépendants "), le R. P. F., le M. R. P. et une partie des radicaux. Depuis les élections de 1958, elle est possible sous une forme nouvelle, jamais réalisée depuis l'Assemblée nationale de 1871 : l'U. N. R. et les " indépendants " peuvent réunir à eux seuls la majorité, ils n'ont pas besoin de l'appui du centre (républicains populaires et radicaux). Cette situation exceptionnelle explique beaucoup des traits de la politique suivie par le nouveau régime.

La coalition de gauche à été réalisée en 1936, sous la forme du " Front populaire " (communistes, socialistes, radicaux) et en 1945, sous la forme du " Tripartisme " (communistes, socialistes, M. R. P.). La guerre froide entraînant l'isolement du parti communiste l'a rendue impossible de 1947 à 1958. Si les libertés publiques et le régime démocratique étaient gravement menacés, cet obstacle pourrait disparaître : il suffirait en effet que le fascisme soit ressenti comme un danger plus proche et plus menaçant que le communisme pour que les socialistes et les républicains du centre acceptent de former un nouveau Front populaire.

La coalition des centres a gouverné la France entre 1947 et 1951 puis entre 1956 et 1958 : elle unit le M. R. P., les radicaux et les socialistes, en rejetant dans l'opposition à la fois la droite et les communistes. Elle correspond aux préférences visibles des partis qui y participent : la S. F. I. O. n'aime pas collaborer avec les communistes, le M. R. P. et les radicaux se sentent gênés quand ils collaborent avec la droite. Mais cette coalition des centres réunit rarement à elle seule une majorité parlementaire. Pour gouverner, elle a généralement besoin de l'appui d'une fraction au moins de la droite, qui lui fait payer cher son soutien, et qui rend toujours fragile une alliance de ce genre.

Le problème de la majorité gouvernementale est donc sans solution stable. Les coalitions se forment par nécessité, mais elles n'osent pas toujours se déclarer ouvertement : elles se défont devant les obstacles, quitte à se reformer ensuite par la force des choses. La source de l'instabilité ministérielle, si souvent dénoncée, se trouve là, et non dans la structure des institutions : c'est dire qu'une réforme constitutionnelle y portera difficilement remède. Il faudrait bien s'entendre, d'ailleurs, à propos de cette instabilité : dans une large mesure, elle était plus apparente que réelle. Avant 1958, les ministères passaient, mais les ministres restaient : à chaque crise, quelques-uns (très peu) s'en allaient pour laisser la place à de nouveaux; la plupart demeuraient, quitte à permuter de postes avec leurs collègues. La Présidence du Conseil changeait de mains : mais seulement à l'intérieur d'un petit groupe de moins de dix personnes. Surtout, derrière les changements de ministres, les hauts fonctionnaires demeuraient en place, qui exerçaient souvent l'essentiel du pouvoir.

Ce dernier point est capital. La France était mal gouvernée, comme la plupart des démocraties d'Occident (un peu plus mal que les autres, probablement). Mais elle était bien administrée (mieux que beaucoup), et elle le reste. Par un mécanisme de recrutement qui attire à eux l'élite du pays, les grands corps de l'Etat (Conseil d'Etat, Inspection des Finances, Cour des Comptes, etc.) réunissent des équipes d'une valeur incomparable. Les entreprises privées le savent bien, qui débauchent certains de leurs membres par l'apport de salaires infiniment plus élevés, mais en accentuant la vitesse de rajeunissement de la haute fonction publique : cela n'est pas si mauvais. De plus en plus, ces grands corps occupent des postes stratégiques dans les cabinets ministériels et les directions. En même temps, une sorte de révolution s'opère en eux. Au lieu d'être, comme en 1939, proches par leurs doctrines économiques et sociales des partis de droite, et unis par des liens de famille aux grands intérêts privés, les hauts fonctionnaires tendent aujourd'hui vers un socialisme d'État plus ou moins keynésien qui les rapproche de la gauche; en même temps, leur recrutement plus démocratique (et l'abaissement de leur niveau de vie) les éloigne des " groupes de pression " financiers et économiques. Tandis que les partis politiques tendent de plus en plus à subir la tutelle de ces groupes, la haute administration y échappe de plus en plus, au contraire : en elle se réfugie bien souvent le sens de l'intérêt général. Il ne faut pas exagérer sa puissance, cependant. Les grands commis peuvent inspirer les ministres, préparer les projets, orienter l'application des décisions. Ils ne peuvent prendre la décision elle-même, et il ne souhaitent pas le faire, en général. Seul, le pouvoir politique peut trancher.

Les solutions de la Constitution de 1958.

L'analyse précédente montre que la difficulté de gouverner tient à la structure de la nation plutôt qu'aux institutions. Cependant, sous la Troisième et la Quatrième République, celles-ci aggravaient les défauts de celle-là, au lieu de les atténuer. La

Cinquième République a voulu réagir : la nouvelle Constitution a pour objectif essentiel de donner au gouvernement la stabilité et l'efficacité. Elle conserve cependant le principe du régime parlementaire, adopté en 1875 : le pouvoir exécutif appartient à un cabinet ministériel (formé du Premier ministre et des ministres) responsable devant l'Assemblée nationale. Mais elle l'aménage sur des bases très différentes de celles des Constitutions de 1875 et de 1946 (qui se ressemblaient beaucoup).

Deux différences sont fondamentales. En premier lieu, le chef de l'État cesse d'être un personnage purement honorifique, comme il est de règle en régime parlementaire classique. Possédant notamment le droit de dissoudre l'Assemblée nationale et de soumettre directement au pays les grands problèmes, par voie de referendum, élu par un corps électoral assez large (100 000 personnes environ, où les délégués des conseils municipaux des communes rurales occupent la première place), il doit exercer dans l'État un rôle important. La Ve République est ainsi un régime parlementaire " orléaniste ", ce terme technique désignant, on le sait, une certaine phase dans l'évolution du parlementarisme, intermédiaire entre la monarchie limitée et le régime parlementaire classique, et dont la Charte de 1830 et Louis-Philippe d'Orléans fournissent un très bon exemple. En pratique, d'ailleurs, le fonctionnement réel du régime ne correspond pas ici au schéma constitutionnel. Le prestige et la popularité du Général de Gaulle lui confèrent une autorité beaucoup plus grande que celle d'un chef d'État orléaniste. L'actuel Président de la République est le véritable chef du gouvernement.

En second lieu, les pouvoirs et le prestige du Parlement sont fortement diminués. Il vote toujours la loi : mais le domaine du pouvoir législatif est désormais limité d'une façon très stricte, un Conseil constitutionnel indépendant veillant au respect de ces limites. L'Assemblée nationale peut toujours " renverser " le gouvernement : mais la mise en jeu de cette responsabilité politique est très sévèrement réglementée. L'exécutif dispose d'autre part de prérogatives très importantes sur le fonctionnement des assemblées. Beaucoup de ces règles visent à transposer en France, par des moyens juridiques, les coutumes qui se sont établies naturellement en Grande-Bretagne, par l'effet du système des deux partis. C'est dire qu'elles ne sont pas, en soi, anti-démocratiques. Mais leur signification risque d'être différente à Londres, où le gouvernement est pratiquement choisi par le peuple, par le mécanisme des deux partis, et à Paris, où la multiplicité des partis empêche ce choix direct. Les pouvoirs restitués à la seconde Chambre (Sénat), élue par un scrutin indirect analogue à celui qui sert à désigner le Président de la République, où les éléments ruraux (plus conservateurs) sont prépondérants, vont dans le même sens : le Sénat ne peut renverser le ministère, mais il peut s'opposer indéfiniment à une loi votée par l'Assemblée nationale (élue au suffrage universel direct), sauf si le gouvernement l'oblige à passer outre.

A l'heure actuelle, la personnalité du Général de Gaulle domine le nouveau régime. Elle en fait l'originalité, beaucoup plus que les dispositions de la Constitution de 1958. Il est difficile de dire ce que deviendront celles-ci, une fois disparu le fondateur de la Cinquième République. Certains pensent que " l'orléanisme " disparaîtra avec lui, que les pouvoirs du chef de l'État passeront entre les mains du Premier ministre, conformément à la logique de tous les régimes parlementaires. Ainsi, l'on se rapprocherait de la Troisième et de la Quatrième République : mais le droit de dissolution et la réglementation des travaux parlementaires éviteraient leurs défauts traditionnels. Cette évolution n'est pas impossible; elle n'est point assurée.

Maurice DUVERGER
*Professeur à la Faculté de Droit
et des Sciences économiques de Paris.*

LA VIE RELIGIEUSE ET LA LAÏCITÉ

La France de Descartes et de Voltaire est aussi le pays des luttes religieuses, le seul sans doute, avec la Belgique, où le problème de l'école allume encore des passions. Bien des conflits politiques et sociaux qui mettent les Français aux prises seraient plus faciles à résoudre s'ils n'étaient au fond des oppositions de croyances.

Avec son autorité d'historien, M. le Doyen Latreille nous aide à voir clair en ces problèmes que l'esprit de parti se plaît à simplifier et à obscurcir.

La vie religieuse en France est à la fois assez discrète pour ne pas retenir du premier coup l'attention d'un observateur superficiel, et assez intense pour qu'on ne puisse, sans la connaître, comprendre les réalités profondes de ce pays et le rayonnement de son âme. La religion y est en effet moins voyante qu'en Italie ou en Espagne, et n'y donne guère lieu à des démonstrations spectaculaires. Elle ne tient pas de place dans la vie publique, comme en Angleterre ou aux États-Unis : les autorités civiles n'invoquent pas Dieu au nom de la communauté; elle s'interdisent de demander à un citoyen à quelle religion il se rattache; elles gardent une attitude neutre où les Français voient la garantie d'une totale liberté de conscience pour tous. Une réserve analogue est habituellement gardée dans les rapports sociaux, entre " croyants " et " incroyants ", entre " pratiquants " et indifférents.

On sait que, jusqu'au début du xxᵉ siècle, l'histoire politique de ce pays a été remplie de luttes religieuses, qui ont abouti à l'instauration d'un régime dit de laïcité. Le mot *laïcité* semble être un mot spécifiquement français, presque intraduisible — comme l'est, dans un autre ordre d'idées, le terme de *bourgeois*. Il implique trois principes : — l'État considère tous les citoyens comme égaux devant la loi, quelles que soient leurs "opinions", religieuses ou anti-religieuses. Il met à la disposition de tous des services publics (enseignement, assistance...) qui observent une neutralité respectueuse de toutes les consciences. Il ne reconnaît aucun culte, c'est-à-dire qu'il ne donne de position privilégiée à aucune Église et ne salarie aucun clergé; mais il assure la liberté de croyance et de pratique à tous les Français. La grande loi de 1905 qui a décidé la séparation de l'État et des Églises, après bien des difficultés, est aujourd'hui entrée dans les mœurs; elle est acceptée même par les catholiques qui l'avaient combattue et qui se sont rendu compte qu'elle donnait à leur Église une indépendance plus avantageuse qu'une protection officielle. Les deux dernières Constitutions, celle qui a fondé la IVe République (1946) et celle qui a fondé la Ve République (1958), déclarent que la France est une République laïque, ce qui n'implique point qu'elle est un pays officiellement incroyant, mais qu'elle veut interpréter le régime de séparation dans un sens libéral et respectueux des convictions personnelles des citoyens et du rôle spirituel des Églises.

Cette neutralité juridique, la réserve habituelle des Français dans les domaines de la conscience, sont loin de signifier qu'ils soient tous devenus indifférents en matière religieuse. Il y a peu de peuples au contraire qui aient plus naturellement l'esprit métaphysique et qui apportent plus d'ardeur, voire de passion militante, au service de leurs convictions.

L'empreinte d'un grand passé religieux est visible dans le paysage même. La France est un pays couvert d'édifices religieux. Le village français apparaît groupé autour de l'église paroissiale qui a été le nœud de ce rassemblement humain, autour de son clocher qui semble l'inviter à élever son effort vers le ciel. Parfois modestes, parfois banales, ces églises le plus souvent sont chargées d'histoire et offrent au touriste des richesses artistiques étonnantes.

Sur le sol provençal, bourguignon, auvergnat, poitevin, le XIᵉ et le XIIᵉ siècles ont prodigué ces robuſtes et nobles édifices romans dont les plus complets, comme Vézelay (Yonne), ne peuvent faire méconnaître les plus cachés. L'Ile-de-France et les régions périphériques semblent drapées dans ce " blanc manteau " des cathédrales gothiques, taillées dans les beaux calcaires des plaines fécondes : de Bourges à Amiens, de Chartres à Reims, tout autour de Notre-Dame de Paris, c'eſt une conſtellation des monuments les plus hardis, les plus amoureusement travaillés, décorés, remaniés, les plus priants qu'on puisse rêver. Lorsqu'on s'eſt familiarisé avec leur richesse, on comprend que les Français, trop facilement habitués à identifier l'architecture religieuse avec le ſtyle gothique, n'accordent plus guère de considération aux édifices de ſtyles baroque ou de ſtyle classique, qui cependant, même chez eux, ne sont nullement négligeables.

Ne prenons point ces églises pour les musées d'un passé révolu. Elles vivent, d'ailleurs généreusement prises en charge, pour leur entretien, par le service officiel des Monuments hiſtoriques. Elles ont une poſtérité abondante. Après une période de marasme vers la fin du XIXᵉ siècle, l'art sacré a refleuri en France avec une richesse d'autant plus remarquable que l'Église, devenue pauvre, n'a point lésiné pour loger Dieu convenablement. De dimensions relativement modeſtes, les édifices modernes, — à Ronchamp, Assy, Vence, — ont du moins requis le concours des artiſtes les plus illuſtres ; la participation même des incroyants en ce domaine atteſte l'intérêt soulevé par les problèmes que posent les aspirations nouvelles de toute communauté vivante.

Si l'on ajoute les grandes maisons monaſtiques (la Grande Chartreuse, Solesmes), les innombrables sanctuaires de la Vierge (de Lourdes, le premier du monde, jusqu'aux pèlerinages locaux), les calvaires bretons et les croix de mission de nos chemins, on appréciera la densité du réseau des édifices religieux ; elle ne fait que traduire l'extraordinaire floraison du catholicisme en France.

Le catholicisme romain a été dans le passé beaucoup plus qu'une religion d'État, la religion nationale d'un pays qui a grandi dans le sein de l'Église et lui doit pour une large part son unité morale, la religion d'un peuple qui pendant de longs siècles ne voulut recevoir que d'elle son orientation morale. Il a vu sa position de religion unique conteſtée au siècle de la Réforme, puis définitivement abolie par la Révolution de 1789.

Il est cependant resté la religion prépondérante, celle de " la majorité des Français " (selon l'expression du Concordat de 1801), sinon en droit, du moins en fait, et la marque qu'il avait imprimée sur l'esprit collectif était si décisive qu'aujourd'hui encore, pour un observateur du dehors, la France, même laïque, même partiellement déchristianisée, reste un pays catholique.

Cependant d'autres cultes y ont leur place. Ils la tiennent sans aucun sentiment d'infériorité et dans une cohabitation qui n'entraîne aucune difficulté dans la vie courante. Les protestants constituent une minorité importante. D'abord, parce qu'il y a eu une forme nationale de la Réforme avec Jean Calvin. Ensuite parce que, vraiment issu du terroir, le calvinisme s'y est profondément enraciné, en particulier sur le rebord Sud-Est du Massif Central. Les israélites ne forment guère que des noyaux urbains, — à Paris surtout, et dans l'est de la France; — ces groupes naguère accrus par l'attraction sur les communautés juives d'Europe d'une France terre de refuge, ont été terriblement décimés pendant la seconde guerre mondiale. Longtemps persécutés, les uns et les autres, avec la Révolution, puis la Séparation, ils ont accédé à l'égalité complète : ils en savent gré au régime moderne des cultes, à l'avènement duquel ils ont travaillé. Enfin les musulmans, venus relativement nombreux d'Afrique du Nord, ont pu rester fidèles aux pratiques de leur religion.

Nul ne peut assurer que la communauté française soit à l'abri de ces poussées de haine qui, colorées de prétextes religieux, ont provoqué, à la fin du siècle dernier, l'affaire Dreyfus; mais il y a toujours eu en elle une exigence de justice qui a permis d'en appeler de ces événements. Aujourd'hui un rapprochement s'opère entre les religions représentées sur le sol de France : les " autorités religieuses " des divers cultes se témoignent une mutuelle considération, agissent souvent ensemble sur le plan charitable et social; les Églises se sentent toutes également menacées par l'érosion du sentiment religieux au contact du matérialisme de la civilisation contemporaine et cherchent, parfois de façon très fraternelle, à mettre l'accent sur ce qui les unit plutôt que sur ce qui les divise. Symbole émouvant : à l'entrée de certains villages de l'Ardèche, où les guerres de religion firent rage autrefois, le même panonceau en forme de croix donne au touriste l'indication des heures de la messe catholique et de l'office protestant.

Désormais convaincues que, surtout dans l'atmosphère qui est celle de notre temps, toute démarche vraiment religieuse ne peut procéder que d'une option de la personne, les Églises s'emploient à prendre la mesure des obstacles que rencontre leur influence spirituelle.

Cette mesure peut être donnée approximativement par l'observation de la pratique religieuse, au moins pour le catholicisme qui exige de ses adhérents la réception régulière des sacrements, et l'accomplissement d'un certain nombre de pratiques à des moments précis. De là est née une science nouvelle, la sociologie religieuse, qui mérite de passer pour une création des catholiques français : l'initiateur, M. G. Le Bras, doyen de la Faculté de Droit de Paris, a rapidement fait école dans le clergé et parmi les laïcs, en attendant de trouver des imitateurs à l'étranger (Italie, Allemagne, Canada). Les enquêtes entreprises ont prouvé que 80 % environ des Français étaient encore baptisés dans la religion catholique et qu'il reste un conformisme d'habitudes étendu, lequel pousse ceux qui se sont éloignés de la pratique à se marier à l'église, à envoyer leurs enfants au catéchisme jusqu'à la première communion et à se faire enterrer religieusement. Mais la pratique régulière dénotant une fidélité réfléchie et s'accompagnant d'un dévouement actif aux œuvres est très différente selon les régions : si en Vendée, dans certains cantons de montagne au bord du Massif Central, en Alsace, les catholiques accomplissent leur devoir pascal dans une proportion qui peut aller jusqu'à 90 % et assistent pour plus de 60 % à la messe dominicale, en revanche ces chiffres tombent extrêmement bas, parfois à moins de 5 % dans les zones " déchristianisées ". Il serait trop sommaire de s'en prendre ici à l'influence de la ville et du travail industriel. Pour la population urbaine où la pratique oscille en moyenne entre 16 et 28 %, il y a lieu de faire beaucoup de distinctions selon les quartiers et selon les classes sociales ; les banlieues ouvrières vivent souvent dans une indifférence religieuse complète, les " cadres " et la moyenne bourgeoisie fournissent au contraire à l'Eglise, en grand nombre, des éléments solides. Des pays ruraux comme la Brie, l'Yonne, la Creuse, le Haut-Var prouvent que le mode de vie campagnard n'est pas de lui-même favorable à la religion. Les hommes de la terre rejoignent alors dans une ignorance tranquille et une sorte de paganisme de fait les prolétaires de l'industrie les plus abandonnés.

On en est venu chez les croyants à reconnaître qu'il pouvait y avoir, au sein de cette vieille nation chrétienne, et à côté de zones de ferveur spirituelle autorisant les plus belles espérances, de véritables " pays de missions ". En 1946, une lettre pastorale du Cardinal Suhard, archevêque de Paris, posait avec une lucide franchise le problème qui n'a plus cessé de hanter les consciences catholiques : " *Essor ou déclin de l'Église?* ". Depuis vingt ans déjà, des mouvements d'Action Catholique spécialisée avaient pris un développement remarquable, en particulier la JOC (Jeunesse ouvrière chrétienne) et la JAC (Jeunesse agricole catholique); ils travaillaient à l'évangélisation du milieu par le milieu, avec un succès inattendu, mais limité. L'appel du Cardinal, faisant écho aux constatations des pionniers de ces mouvements, devait susciter une floraison d'initiatives extrêmement généreuses, qui ont mis non sans risques les catholiques français à la pointe du catholicisme universel en matière de méthodes d'apostolat. La plus célèbre, souvent mal comprise, a été celle des " prêtres-ouvriers " qui ont tenté d'exercer leur sacerdoce en adoptant entièrement le mode de vie des travailleurs de la grande industrie.

On peut reconnaître dans cette tentative l'audace missionnaire habituelle aux catholiques français. Car s'il est un type de Français casanier et petit-bourgeois, il y a toujours eu dans ce peuple, et notamment dans ses éléments chrétiens, des aventuriers de toutes les croisades spirituelles. Le catholicisme français se relevait à peine de ses pires épreuves qu'il se souvenait de ses obligations missionnaires. Après les guerres de religion, il a envoyé au Nouveau Monde des apôtres infatigables. Au sortir de la Révolution, il a imaginé l'œuvre de la Propagation de la Foi et multiplié les congrégations en vue des missions extérieures. A l'époque de la Séparation, il était de loin le premier pour le nombre des prêtres ou des religieuses et pour la quantité d'argent fournis aux Missions Étrangères.

Au milieu même des plus graves revers, il lançait ces *Semaines Sociales*, imaginées par Marius Gonin (1904), qui font de la France le pays par excellence du catholicisme social, et les premiers syndicats chrétiens, qui osaient se constituer en face des tout puissants syndicats socialistes. De nos jours, même s'il dispose de moins de vocations, il ne se dispense pas d' " exporter " des ouvriers évangéliques; il forge des instruments nouveaux, des méthodes inédites et dont l'attrait s'affirme : ainsi cet Institut des Frères et des Sœurs du Sacré-Cœur, qui, à l'imitation de Charles de Foucauld, vont se mêler aux plus dépourvus et aux plus misérables de leurs frères de toutes races pour apporter parmi eux, dans la présence silencieuse, un témoignage de charité chrétienne. Chez les protestants, la préoccupation missionnaire n'est pas moindre et elle s'est traduite, dans les pays de l'ancienne Union Française, par la multiplication des églises et des écoles d'inspiration réformée, qui prêtent une assistance active et fraternelle aux peuples en voie de développement et en marche vers l'indépendance.

Ce qui est le plus frappant aujourd'hui, dans un pays où les croyants ne sont qu'une minorité sans appui officiel, c'est l'infatigable pouvoir de création dont les Français font preuve. Il n'est pas certain que quantitativement on puisse parler d'un renouveau religieux par rapport au siècle précédent. Mais il est certain qu'il y a un renouvellement intense des modes de la vie et de la pensée religieuses. Chez les catholiques, les progrès de la théologie, le renouveau biblique et liturgique sont frappants et n'ont d'équivalents qu'en Allemagne. Parmi les réformés, l'effort d'approfondissement doctrinal par le retour à la tradition calvinienne, la participation au mouvement œcuménique constituent deux traits particulièrement saillants; on note aussi, dans un cas comme celui de la communauté de Taizé (Saône-et-Loire), une réappréciation de la vie cénobitique et de la prière liturgique qui eût surpris la génération précédente. D'une manière générale, ces questions de doctrine, de méthode de formation chrétienne, d'apostolat, d'application des principes religieux à la vie sociale sont très largement discutées à l'intérieur et aux frontières des Églises. Les diverses confessions disposent d'une presse très vivante, expressive de leurs préoccupations et capable de les faire partager à un large public : un quotidien comme *la Croix*, des revues comme *les Études* ou les *Informations Catholiques Internationales* pour les catholiques, l'hebdomadaire *Réforme* pour les protestants, la revue *Évidences* pour les israélites. Plus populaires sont les publications de *la Bonne Presse*, *la Vie Catholique Illustrée*, *Panorama Chrétien*.

Dans le domaine de la recherche scientifique et de la littérature, les croyants ont conquis une place et apporté une contribution de premier ordre. Et c'est peut-être à ce signe surtout qu'il a été permis de parler d'un renouveau religieux dans la France contemporaine. A la différence de ce qui se passait dans le dernier quart du XIXe siècle, où tout ce qui comptait dans la science, la philosophie et la littérature d'imagination proclamait que les progrès de l'esprit humain aboutiraient à l'élimination des préoccupations religieuses, on constate que les tenants des religions révélées ne redoutent plus l'affrontement entre la Science et la Foi et que les problèmes métaphysiques sont partout présents dans les grandes œuvres de la pensée française.

La littérature et la philosophie ont fréquemment un accent religieux. Peut-être cet accent est-il moins frappant aujourd'hui qu'à l'époque où d'éclatantes conversions — celle de Péguy, de Claudel, de Maritain, de S. Weil — et les débats entre J. Rivière, Claudel et Gide faisaient apparaître aux yeux d'un large public les signes d'un retour à la foi de la grande littérature. F. Mauriac s'est récemment demandé si la littérature catholique était aussi vivante en 1960 qu'il y a une trentaine d'années. Mais c'est qu'une étape a été franchie et la trouée a été faite : au théâtre, dans l'essai philosophique, dans le roman et même au cinéma, les débats autour des thèmes religieux, présentés par des croyants convaincus, sont parmi ceux qui retiennent passionnément le plus large public.

Dans le domaine scientifique, les croyants ne sont plus sur la défensive et réduits à une apologétique malaisée. Leurs publications font autorité dans tous les domaines : celui de la découverte, celui des recherches exégétiques (les nombreuses éditions catholiques de la Bible et en particulier la *Bible de Jérusalem* comptent parmi les best-sellers de notre temps), celui des publications savantes (éditions critiques de textes comme *Sources Chrétiennes*, ouvrages collectifs comme l'*Histoire de l'Eglise* de Fliche et Martin), celui des exposés de vulgarisation (collection *Je sais, Je crois*). Les recherches et les débats, loin de les effrayer, semblent susciter parmi eux une véritable émulation et un intérêt constamment renouvelé, comme l'indique le titre de la vivante revue publiée par le *Centre Catholique des Intellectuels Français* pour faire connaître ses études au-dehors. Partout les croyants se mêlent sans distinction aux incroyants sur le vaste champ du travail scientifique spécialisé, utilisant les mêmes méthodes de rigoureuse objectivité, dans le seul souci d'enrichir les connaissances humaines. De même, ils entrent aujourd'hui tout naturellement, de plus en plus nombreux, dans l'Université, à tous les niveaux de l'enseignement, du supérieur au primaire. Ils y sont assez nombreux pour y former des groupes vigoureux : l'Association des Professeurs Catholiques de l'Université (qui publie des *Cahiers Universitaires Catholiques* d'une solide consistance intellectuelle), la Fédération protestante de l'enseignement, dont le but est l'union dans la prière et dans un constant effort d'approfondissement intellectuel et religieux. L'expérience leur a montré que le statut de neutralité de l'enseignement public garantissait à tous les enseignants et aux élèves une précieuse atmosphère de liberté intellectuelle et de mutuelle tolérance.

Pas plus que les autres peuples, — un peu moins peut-être, en raison du prix qu'ils attachent aux débats d'idées — les Français ne peuvent cependant se flatter d'ignorer les querelles religieuses. Et l'École est aujourd'hui l'enjeu principal de leurs divergences et de leurs rivalités. Si l'École publique, laïque et neutre, réunit la majorité des enfants et des adolescents, la République n'a cependant jamais contesté le principe de la liberté d'enseignement. L'Église catholique, pour ce qui la concerne, en réclame, avec beaucoup de force, le bénéfice.

Non seulement elle a ses écoles professionnelles, si l'on peut dire, ses séminaires; mais elle a suscité et elle encourage l'existence d'écoles "libres", où, de pair avec l'instruction, soit donnée l'éducation religieuse selon ses principes. Ainsi trouve-t-on en France, au niveau supérieur, cinq groupes de Facultés : les Instituts catholiques (Paris, Lyon, Toulouse, Lille, Angers) — au niveau secondaire, de nombreux collèges ecclésiastiques, souvent dirigés par des congréganistes, — au niveau primaire, des écoles de village. Dans la difficulté de plus en plus grande de les faire vivre avec les seules ressources du public catholique, les familles qui les fréquentent et l'Église réclament pour elles une aide financière de l'État. Mais elles se heurtent alors à l'opposition déclarée de tous ceux qui veulent l'application rigoureuse du régime de séparation : incroyants, "dissidents" religieux (les protestants et les juifs ayant spontanément fait confiance à l'école laïque et renoncé à avoir des établissements à eux), — quelquefois même catholiques qui croient cette réclamation inopportune. L'adoption récente d'une loi qui s'efforce d'établir un règlement d'ensemble de la question a suscité des controverses très vives et une réaction "laïque" étendue, qui ont altéré sensiblement l'atmosphère de paix religieuse du pays.

Cette difficulté ne doit pas faire conclure à une intolérance spécifiquement française. Elle n'est pas propre à la France, mais risque, comme on peut le voir aux États-Unis par exemple, de se retrouver dans d'autres pays démocratiques où existe le régime de séparation. Toutefois en France elle présente un danger particulier : elle pourrait faire renaître les anciennes querelles politico-religieuses de l'époque de la Troisième République qui semblaient assoupies depuis un demi-siècle. Les Français ont toujours eu tendance, en politique, à donner le pas à leurs différends philosophiques sur les problèmes administratifs, économiques ou même sociaux. Le cléricalisme et la laïcité les passionnaient naguère beaucoup plus que le protectionnisme, le désarmement ou la Société des Nations. Depuis une trentaine d'années, la gravité des problèmes extérieurs surtout avait eu ce résultat que les questions religieuses ne constituaient plus la plate-forme des grands partis lors des consultations électorales. On peut sans doute compter sur la lucidité des jeunes générations, qui ont un autre mode de l'appréciation des problèmes contemporains, pour éviter qu'ils reviennent à des querelles dépassées dans l'état actuel du monde.

Ainsi, dans le spectacle qu'offre en 1960 la France, avec ses paysages, le comportement des populations, le bouillonnement de sa vie intellectuelle, le tour de ses débats politiques, tout atteste l'extrême intérêt que suscitent les problèmes de religion et de laïcité. Ce pays qui a été dans le passé celui de Jeanne d'Arc, de Vincent de Paul, de Charles de Foucauld, et aussi celui de Voltaire et de Renan, reste marqué par deux grandes traditions de sens contraire. Entre elles s'est établi au début de notre siècle une manière d'équilibre sur le plan politique et dans la vie sociale. Mais on se tromperait en concluant que cet équilibre est le produit de l'indifférence. La France nourrit toujours la même passion instinctive pour les idées morales et religieuses. Toute son histoire l'a montrée inlassable dans la quête de la Vérité, trop prompte peut-être à remettre en cause les principes de vie morale qu'elle croyait tenir pour absolus, mais toujours active à répandre au dehors ceux qu'elle croit de valeur humaine universelle.

André LATREILLE

Doyen honoraire de la Faculté des Lettres de Lyon,
correspondant à l'Institut.

On pourra lire :

A. LATREILLE, J. R. PALANQUE et E. DELARUELLE : *Histoire du Catholicisme en France*, Spes, 1957-60; — Raoul STEPHAN : *Histoire du Protestantisme français*, Fayard, 1961; L. TROTABAS et divers collaborateurs : *La Laïcité*, Presses universitaires de France, 1960.

A. DANSETTE : *Destins du catholicisme français*, Flammarion, 1958. — G. LE BRAS : *Études de sociologie religieuse*, P.U.F., 1955-56. — Abbé F. BOULARD : *Problèmes missionnaires de la France rurale*, Ed. du Cerf, 1945. — J. CHELINI : *La ville et l'Église* Ed. du Cerf 1958. — E. LÉONARD : *Le protestant français* 1955. — A. BAYET : *Laïcité XXe siècle*, 1958. — G. HOURDIN : *La nouvelle vague croit-elle en Dieu?*

LE PROBLÉME SCOLAIRE ET UNIVERSITAIRE

L'Université française est une très ancienne maison. Dans son organisation complexe, nombreuses sont les survivances du passé. Il serait tentant de les supprimer et de reconstruire sur nouveaux plans. Mais l'utilité présente d'une institution dépend en partie de son prestige, c'est-à-dire de l'éclat et de la durée des services qu'elle a déjà rendus. Qui songerait à porter la main sur l'École Normale Supérieure de la rue d'Ulm dont la création remonte à la Convention, ou sur le Collège de France fondé par François Ier?

Il n'en est pas moins vrai que le monde change sous nos yeux et que l'éducateur doit préparer ses élèves à exercer leur activité dans une société dont il sait seulement qu'elle ne ressemblera pas à la nôtre. Une réforme est sur le chantier. Elle a pour objet d'adapter l'enseignement aux exigences de la justice démocratique, à la diversité des aptitudes individuelles et aux progrès de la civilisation, particulièrement dans le domaine de l'industrie. Un enfant ne saurait être, en raison de son origine sociale, privé d'une partie de la culture que ses dons et son zèle lui permettraient d'acquérir. Il importe de prolonger la durée de l'obligation scolaire, d'organiser l'éducation générale et professionnelle des adultes, de développer l'enseignement technique, de rajeunir les méthodes et les moyens de la pédagogie, de substituer l'orientation à la sélection.

L'augmentation du nombre des élèves et des étudiants pose dès aujourd'hui un très difficile problème : où trouver assez de maîtres, et de bons maîtres, pour les former?

En elle-même, d'ailleurs, cette augmentation est toute naturelle. La machine prend la place des travailleurs purement manuels. La société réclame, chaque jour, moins de manœuvres et plus de chercheurs, d'ingénieurs, de techniciens, de professeurs. La crainte de grossir, en répandant l'instruction, la masse des déclassés, cette crainte qui, au siècle dernier, hantait la bourgeoisie, apparaît maintenant chimérique. Il faut souhaiter que l'enseignement du second degré et l'enseignement supérieur continuent à se développer et que la répartition des élèves entre les différentes sections du Lycée, comme celle des étudiants entre les différentes Facultés, ne soient plus déterminées par le hasard et les préjugés, mais répondent aux besoins véritables d'une société en pleine transformation.

Toutefois, quelque forme qu'elle soit appelée à prendre dans un avenir peut-être prochain, il est un point sur lequel l'Université de France entend demeurer fidèle à sa vocation : l'objet de l'éducation n'est pas de ramener tous les esprits à un même type préétabli et de réaliser entre eux une unité artificielle, mais de permettre à chacun de se développer dans le sens de sa nature. L'intérêt social s'accorde ici avec le respect de l'individu, puisque la division du travail exige la diversité des travailleurs. C'est la personnalité de l'enfant qui détermine la nature de l'enseignement qui doit lui être donné.

Sur tous ces problèmes on lira avec un intérêt particulier l'étude qu'a bien voulu écrire pour nous M. le Directeur général Brunold. Associé à tous les projets de réforme de ces dernières années, longtemps placé à la tête de l'Enseignement du second degré, à la fois docteur ès sciences et ès lettres, il met au service d'une activité inventive toujours en éveil, les ressources d'une incomparable expérience.

L'expansion très rapide des effectifs des écoles de tous ordres et des Universités est assurément l'un des phénomènes les plus marquants du devenir de la vie française. Après la rentrée de septembre-octobre 1960, 9 800 000 enfants et adolescents étaient en cours d'études, soit 20 % environ de la population de notre pays, alors qu'ils n'étaient en 1939 que 6 656 000, soit environ 15 % de la population.

L'enseignement donné dans les écoles primaires et les cours complémentaires, récemment promus au nom de Collèges d'enseignement général, a vu sa population passer au cours de la même période, de 5 752 000 à 7 681 000 élèves.

L'enseignement général long, dispensé dans les Lycées et Collèges, tous appelés Lycées depuis quelques mois, a connu un accroissement relatif plus rapide encore, puisque 1 049 000 élèves reçoivent aujourd'hui cet enseignement, contre 321 000 en 1939. Au cours de ces vingt années encore, l'enseignement technique de tous les niveaux est passé de 80 000 à 504 000 élèves.

Enfin, les Universités françaises, qui comptaient 79 000 étudiants, en reçoivent aujourd'hui, 200 000 environ. Ces nombres, déjà impressionnants, vont connaître un nouvel et rapide accroissement dans la décennie 1960-1970, surtout dans les enseignements de niveau moyen et dans l'enseignement supérieur. On prévoit qu'en 1970, il y aura 490 000 étudiants dans les diverses Facultés et les grandes Écoles qui forment les maîtres de notre enseignement et les cadres de notre économie, de notre armée et de notre administration.

D'autres pays que le nôtre voient s'accroître rapidement les effectifs de leurs élèves et de leurs étudiants, mais ce phénomène prend en France, dans la période actuelle, une ampleur qui s'explique parfaitement parce qu'elle est l'effet de diverses causes bien connues et qui agissent en même temps.

L'accélération démographique joue ici le rôle principal. Notre Pays, qui enregistrait 612 000 naissances environ en 1938, et seulement 513 000 en 1941, a vu ce nombre s'élever à 869 000 en 1949, et la natalité française se maintient au niveau annuel de 830 000 enfants. C'est là sans doute la conséquence d'une législation sociale qui apporte aux parents une aide que leurs aînés n'avaient jamais connue. Dès 1952, alors que tous les enfants nés en 1946 arrivaient à l'école primaire, celle-ci voyait sa population bondir chaque année par sauts de 300 000 élèves, représentant l'excédent de chaque vague annuelle d'effectifs, sur celle qui la quittait en fin de scolarité. 300 000 élèves, cela représente 10 000 classes de 30 élèves chacune à construire chaque année et autant de maîtres nouveaux à recruter, sans compter ceux qui doivent remplacer leurs collègues achevant leur carrière.

L'enseignement élémentaire a fourni jusqu'à cette année le gigantesque effort qui lui était ainsi imposé. Aujourd'hui, en 1960, les enfants nés en 1946 ont 14 ans, et atteignent le terme de la scolarité obligatoire. On pourrait donc croire que cet enseignement va connaître une longue période de répit. Mais il devra, sans désemparer, ouvrir de nouvelles écoles maternelles pour les enfants de quatre à six ans, écoles d'autant plus nécessaires qu'une forte proportion de femmes françaises sont éloignées de leur foyer une grande partie du jour, par leurs occupations professionnelles. Il devra donc dédoubler des classes qui ont été trop chargées dans la période difficile. Il devra enfin subir, lui aussi, dans les collèges d'enseignement général, l'effet d'une scolarisation plus poussée, non plus obligatoire cette fois, puisqu'elle intéresse des élèves de plus de 14 ans, mais répondant au désir de familles, toujours plus nombreuses, qui veulent que leurs enfants reçoivent une formation plus complète, mieux adaptée aux nécessités d'une société et d'une économie dans lesquelles l'homme, relevé, par des machines de toutes sortes, de tâches mineures, voit promouvoir son activité dans tous les domaines.

L'accélération technique, après l'accélération démographique, agit, en effet, fortement sur la croissance que nous étudions. En 1970, quand ceux des enfants nés en 1946, et devenus étudiants, achèveront leurs études supérieures, c'est-à-dire, quand la vague démographique aura complètement recouvert, d'année en année, toute la période scolaire et universitaire, ce facteur agira sans doute encore. Si le monde, comme nous l'espérons, jouit enfin d'une longue période de paix, le phénomène se poursuivra en s'amplifiant et la vie même de notre pays, comme de tous ceux qui connaissent une évolution analogue, en sera de plus en plus transformée. Mais qu'il s'agisse de préparer l'homme aux tâches qui l'attendent demain, ou de lui donner les moyens de vivre d'une vie plus large et plus riche, grâce à la réduction de la durée de ses obligations professionnelles, le niveau de culture qu'entraînera cette évolution ne cessera de s'élever et les écoles de toute nature recevront des élèves toujours plus nombreux, pour des scolarités plus longues ou qui se prolongeront sous des formes diverses, dans l'âge adulte. On a dit que le degré de civilisation d'un pays pouvait être déterminé par sa consommation en énergie de diverses sortes;

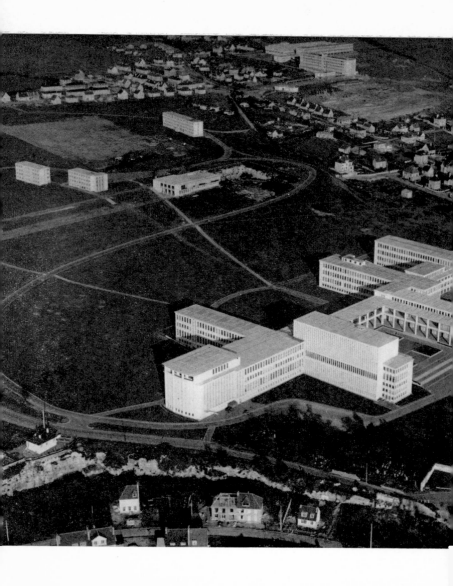

L'Université de Caen
Ph. R.-J. Paté

Un cours en Sorbonne
Ph. Réalités-Edouard Boubat

il semble qu'il puisse être mieux défini encore par l'effort culturel qu'il devra accomplir, et qui trouvera son expression la plus évidente dans l'accroissement de sa population d'élèves et d'étudiants.

Tandis que la France était aux prises avec les difficiles problèmes que posent, chaque année, la construction de tant d'établissements scolaires et le recrutement de maîtres nouveaux par milliers pour les enseignements de divers ordres, les dirigeants de notre Université, avec une audace que l'Histoire enregistrera sans doute, ont pu faire adopter un projet de réforme de l'Enseignement qui aura pour effet principal d'assurer une prolongation de deux années de la scolarité obligatoire, après 14 ans. Elle provoquera une démocratisation profonde de nos enseignements moyen et supérieur, par les facilités plus grandes et de toute nature qui seront données, dans leurs études, aux enfants de condition modeste ou résidant dans des localités éloignées des établissements traditionnels, pour assurer leur promotion sociale.

Cette réforme, appliquée dès cette année, n'aura effet qu'en 1967 pour la prolongation de la scolarité obligatoire; mais à cette date cette prolongation, du fait même de l'évolution que nous venons de souligner, sera déjà, pour beaucoup d'élèves, une situation de fait.

La démocratisation de l'enseignement moyen, qui va donc s'accélérer grâce aux facilités prévues par la Réforme, pose de difficiles problèmes. Et d'abord celui d'une large et complète information des familles, dans un pays où les parents demeurent les responsables de l'avenir de leurs enfants. Les pouvoirs publics ne peuvent que se borner, dans leur action, à fournir à ces parents tout ce qui peut éclairer leur décision.

Dès cette année, une brochure complète, rédigée dans une forme simple et saisissante, sera distribuée et commentée à toutes les familles qui ont un enfant de 11 ans environ, qui est l'âge moyen pour lequel s'impose le premier et important aiguillage de la scolarité, au sortir de l'enseignement élémentaire.

Afin de ne pas soustraire trop tôt l'enfant au milieu familial, l'enseignement du niveau du second degré, dont les Collèges d'enseignement général, qui dispensent un enseignement court, assurent déjà la dispersion géographique, connaîtra, pour l'enseignement long, à son début, une dispersion analogue qui le rapprochera de tous ses usagers possibles.

Les deux enseignements articulés l'un à l'autre dans les deux premières années de la scolarité (11 à 13 ans) qui constituent le cycle d'observation et d'orientation, verront leurs effectifs scolaires se distribuer, à la sortie de ce cycle, entre les enseignements généraux et techniques, longs et courts, qui s'offrent à nos élèves de 13 et 14 ans. Pour éviter des erreurs d'aiguillage, l'orientation devra se parfaire au cours de la troisième année, dans les classes d'accueil, et elle se poursuivra même tout le long de la scolarité.

Comme on ne saurait créer des établissements de cette nature dans toutes les communes de France, force sera de rassembler les élèves dans les localités où fonctionneront ces établissements, prévus en principe un par groupe de 5 000 habitants, avec la possibilité d'un " ramassage " des élèves, puisque c'est le mot consacré, dans un rayon de 10 à 15 kilomètres, au moyen de circuits automobiles organisés à cet effet. La création de cantines scolaires tranchera la question du repas de midi.

On estime aujourd'hui que, *grosso modo*, sur 3 élèves qui atteignent l'âge de 11 ans, 2 seraient capables de recevoir avec profit un enseignement au-delà de l'école primaire, mais qu'un seul le reçoit effectivement, du fait des possibilités que lui offre son milieu social ou sa résidence, à proximité d'établissements scolaires appropriés. Le problème principal que pose la Réforme est celui de la scolarisation de l'autre élève, plus déshérité. Ce problème résolu, les élites de notre Pays en seront doublées.

Pour des tranches d'âge annuelles de 800 000 élèves, c'est

le tiers de cette population, soit 270 000 enfants environ de plus chaque année, qu'il faudra conduire dans nos Lycées ou dans nos Collèges. Certes, le résultat ne sera pas atteint tout de suite, mais il doit être recherché dans le temps le plus court, car la richesse qu'il s'agit d'exploiter pour le plus grand bien de notre Pays est de celles qui n'attendent pas.

Tels sont les aspects divers de cette croissance, phénomène sans précédent dans l'histoire de nos institutions universitaires. Crédits, locaux, équipement, là ne sont pas les problèmes les plus difficiles. C'est incontestablement le recrutement des maîtres qui est, de toutes les questions posées par cette croissance, la plus angoissante. Dans les années qui vont venir, la plupart de nos nouveaux maîtres appartiendront à des générations nées entre 1940 et 1945, c'est-à-dire, à une époque où la démographie française a connu un net fléchissement. Si l'on ajoute que ces générations étaient plus faiblement scolarisées que celles auxquelles appartiendront leurs élèves, on comprendra que nous trouvions bientôt ces deux générations face à face, dans un irrémédiable déséquilibre. Certes, les choses se rétabliront avant dix ans, quand les fortes générations nées après 1946 apporteront à leur tour leur contingent de nouveaux maîtres, mais il faudra faire face d'ici là aux nécessités impérieuses que nous venons d'évoquer.

La tâche qui se poursuit et s'amplifie d'année en année se réclame d'autres nécessités que celles d'une arithmétique d'effectifs. Accueillir tous les élèves qui viennent à nous, leur fournir des écoles et des maîtres n'est pas suffisant. Une société harmonieuse, où chacun doit trouver sa place, est comme un orchestre dont la composition correspond aux besoins et au caractère de l'œuvre à exécuter. De plus en plus, l'ensemble des tâches nationales présente une cohérence et même une unité qui font apparaître dans tous les pays, même les moins développés, l'obligation d'une planification, c'est-à-dire, de prévisions d'ensemble se réclamant de la solidarité organique de tous les grands secteurs de l'activité nationale. Mais quand il s'agit de diriger les jeunes hommes vers leur avenir, en respectant leurs goûts et leurs aptitudes, mais en s'inspirant aussi des besoins prévisibles d'une société dans laquelle ils ne pourront évidemment jouer un rôle que s'ils savent s'y insérer, le problème devient difficile.

Définir, après les années dites d'orientation, cet éventail cohérent et assez ouvert de formations générales nécessairement diversifiées, mais qui se réclament des mêmes préoccupations de culture à la fois scientifique et humaine, guider la distribution de jeunes talents entre les diversités, aussi peu nombreuses que possible, de la culture secondaire, préparatoire à toutes les formations ultérieures et adaptée aux exigences de la société moderne, c'est là un problème constamment posé à l'enseignement français; les solutions en sont toujours révisibles au fur et à mesure que l'évolution sociale et technique modifie les conditions dans lesquelles l'homme est appelé à développer son action.

Car il est bien évident que ces conditions se modifient très vite. Ceux qui ont la charge de diriger une équipe d'hommes, attachés à une œuvre définie, dans un domaine ou dans un autre, disposent aujourd'hui de moyens techniques et d'information que n'avaient pas leurs aînés, mais assument aussi, dans la conduite des hommes, des responsabilités et des devoirs que les autres ne connaissaient pas à ce degré.

L'enseignement français témoigne du souci de s'adapter toujours plus parfaitement aux exigences de la formation des cadres de tous les niveaux de notre société.

Mais s'adapter à ces exigences ne veut pas dire sacrifier à une préoccupation exclusive d'utilisation immédiate et de rendement élevé. Ce serait une formation à bien courte vue que celle qui voudrait ignorer tout ce qui sera demandé à chaque homme au cours d'une vie professionnelle qui peut se dérouler sur quarante années. Ce serait ignorer aussi les besoins, propres à chaque individu, de réflexion, de perfectionnement et d'évasion. Toute formation qui veut répondre à ces nécessités diverses doit établir ses fondements et puiser sa substance dans le riche terreau d'une culture aussi étendue et profonde qu'il est possible. Nos maîtres en sont tous convaincus. Il est remarquable de constater que les dirigeants les plus avertis de nos grandes firmes industrielles ont le même souci, lorsqu'ils s'adonnent au perfectionnement incessant de leurs collaborateurs de tous ordres, quand ils vont jusqu'à organiser pour eux des visites de musées qui présentent les formes les plus audacieuses de l'art non-figuratif, affirmant ainsi qu'ils cherchent à développer chez ceux dont ils utilisent les services cet esprit d'imagination, d'invention et de liberté vis-à-vis de toutes les doctrines, qui est la condition essentielle du progrès. Toutes les formes de l'enseignement français, l'enseignement technique comme les autres, sont marquées, dans leurs programmes et dans leurs méthodes, par cette préoccupation. Nul ne discute plus aujourd'hui le souci de nos éducateurs de répondre, par la formation qu'ils dispensent, à tous les besoins de l'homme, de développer chez lui tout ce qui peut relier ces besoins à ceux des hommes de tous les pays et de tous les temps. Cet humanisme qui a toujours profondément pénétré l'enseignement français, veut rester très ouvert sur notre époque et sur son devenir, et placer l'homme d'aujourd'hui dans l'évolution historique dont il n'est qu'une étape. Un tel homme se réclame, à la fois, de l'éternité des grandes valeurs qui ont toujours défini sa condition, ses inquiétudes et ses espérances, et de la modernité des facteurs changeants qui orientent aujourd'hui son destin.

Charles BRUNOLD
Directeur général au Ministère de l'Éducation Nationale.

LA VIE SOCIALE

Dans son étude sur la vie sociale et la Sécurité sociale, M. Gérard Dehove, Doyen de la Faculté de Droit et des Sciences économiques de Lille, ramène à leurs éléments objectifs des problèmes d'ordinaire posés en termes passionnels.

Deux traits nous paraissent susceptibles d'être retenus, comme très caractéristiques de la vie sociale française contemporaine. D'une part, celle-ci a été profondément secouée mais non bouleversée par la seconde guerre mondiale, ses séquelles et ses conséquences. D'autre part, cette vie sociale, qui portait la marque d'une profonde déception jusqu'au 13 mai 1958, a été marquée, à ce moment-là, par une crise qui a suscité un incontestable sursaut, attestant une volonté de redressement.

Le trouble, que le drame algérien suscite dans la conscience des Français, s'est malheureusement prolongé. Mais, après les résultats du référendum du 8 janvier 1961, il ne semble pas que les conditions qu'implique l'œuvre qui reste à accomplir, et qui exige, à la fois, un minimum de temps et un maximum de rapidité, puisse justifier une impatience excessive de la part des Français, pas plus que la méfiance systématique de leurs amis.

I. SECOUSSE, MAIS NON BOULEVERSEMENT

Que la vie sociale française ait été profondément secouée, sans que cela ait entraîné néanmoins un véritable bouleversement, cela nous semble pouvoir être vérifié sur le plan privé, des familles et des fortunes, comme sur le plan public, des groupes et de leurs rapports.

SUR LE PLAN PRIVÉ, DES FAMILLES ET DES FORTUNES.

Les familles. — Comment n'auraient-elles pas été secouées par la guerre, l'évacuation, l'occupation et la libération? La guerre, c'est la séparation des maris et des femmes, ce sont des morts et des veuves, des prisonniers et des épouses solitaires. L'évacuation, ce fut l'exode de presque tout un peuple, des familles dispersées, des enfants perdus. L'occupation, ce fut les déportations, les représailles, les maquis, encore une fois des séparations et des deuils. Qui dit guerre dit aussi, forcément, insécurité physique, et l'insécurité est toujours synonyme d'appétit de jouissances immédiates, par conséquent, de relâchement des mœurs. Cependant, que constate-t-on, aujourd'hui? La France est un des pays du monde où l'on se marie le plus et le plus jeune. Bien que le taux de fécondité légitime y soit assez faible, le nombre des enfants naturels ne s'y accroît pas, et a même légèrement tendance à baisser, ce qui est d'autant plus remarquable que toute la législation sociale récente les aide, au même titre que les enfants légitimes (allocations familiales). L'augmentation considérable des naissances est un fait bien connu, qui commence d'ailleurs non après la guerre, mais à son début, après la promulgation du Code de la famille, et qui apparaît au moins autant comme la conséquence d'un véritable choc psychologique que comme celle, difficile à déterminer, des allocations familiales. Les divorces ne se sont pas multipliés de façon alarmante et, de toutes manières, leur augmentation est souvent considérée moins comme un signe de désintégration familiale que comme la marque d'une répugnance à poursuivre une vie de ménage boiteuse, qu'on aurait continuée autrefois, c'est-à-dire, finalement, comme la conséquence d'une plus grande sincérité. On dit que la " fonction sociale " de la famille recule, que le mariage n'est plus un moyen de " s'établir ". Mais ne serait-ce pas parce que les époux en attendent autre chose aujourd'hui qu'hier, à la fois en raison de l'évolution des psychologies et des conditions économiques? On dit aussi, en invoquant l'attribution légale de l'allocation temporaire aux vieux, sans considération de la situation de fortune des enfants, tenus à " l'obligation alimentaire ", que le " volume " de la famille tend à se restreindre, au point de ne plus correspondre qu'aux parents et aux enfants mineurs. Mais rien de décisif ne permet véritablement de conclure à un relâchement des liens de solidarité entre parents et enfants majeurs. On parle enfin beaucoup de l' " émancipation sociale des femmes ", mais s'il est exact qu'elles aient acquis le droit de vote et que leur incapacité juridique ait disparu, le nombre de celles qui travaillent n'a pas changé. Ce sont plutôt des variations internes qui sont intervenues, comme dans les familles bourgeoises par exemple, et, parfois, pour assurer un élargissement de l'horizon des intéressées.

Bref, de nombreuses valeurs traditionnelles subsistent, et bien plus qu'on ne le pense d'ordinaire.

Les fortunes. — En prenant le mot dans son sens vulgaire — et non technique — de " ressources ", de " moyens d'existence ", comment les fortunes n'auraient-elles pas été secouées par la guerre, avec les destructions immobilières faisant des sinistrés totaux ou partiels, la dépréciation monétaire et la hausse des prix, le rationnement et le marché noir, bref l'insécurité économique, venant s'ajouter à l'insécurité physique? Les

Un public passionné
Ph. Rapho-R. Doisneau

Sortie du théâtre de l'Opéra
Ph. Rapho-S. Weiss

Sortie d'usine
Ph. Rapho-P. Belzeaux

bailleurs de fonds ruraux, les propriétaires d'immeubles, les obligataires ont été terriblement éprouvés, l'épargne monétaire a perdu, un moment, sa raison d'être.

Cependant, aujourd'hui, si la crise du marché financier est loin d'être surmontée, après les nationalisations, le resserrement de l'éventail des traitements et salaires, les mesures à l'égard des valeurs mobilières, on constate, néanmoins, une certaine renaissance de l'épargne monétaire, sans parler de celle en biens réels. Le retour à la stabilité de la monnaie, la pratique de l'indexation des fermages et des emprunts obligataires, la nouvelle législation des loyers et la crise du logement, tout cela joint aux pratiques d'autofinancement et à la désaffection à l'égard des valeurs mobilières à revenus variables qu'elles ne manquent pas de susciter, ont stabilisé une situation qui avait été catastrophique pour les titulaires de revenus fixes. Les mentalités se sont d'ailleurs adaptées, et les besoins s'étant accrus, les jeunes générations ont affirmé qu'elles épargnaient en achetant des automobiles ou des réfrigérateurs, en même temps que les vieilles se résignaient à l'idée que seul le travail " actuel " pouvait être générateur de revenus décents, la sécurité sociale venant aider cette évolution.

Il serait vain, néanmoins, de se dissimuler à quel point tout cela a transformé profondément les idées qu'on se faisait autrefois du profit et de l'épargne, donc des entreprises et de la fonction d'investissement, sans parler de la propriété et du contrat, ces institutions cardinales d'un capitalisme qui a bien évolué.

Sur le plan public, des groupes et de leurs rapports.

Les groupes sociaux. — En dépit de l'extension du secteur public, avec les nationalisations, les entrepreneurs ont conservé une position économique et sociale éminente. C'est que l'inflation les a moins desservis que d'autres et leur a souvent même profité, les mesures de blocage des prix ayant été mal respectées, pendant la guerre, afin d'éviter une baisse de la production, des faillites et du chômage, et depuis la fin de la guerre, par manque de fermeté à l'égard des entreprises marginales, faute de prévision et de capacité d'organisation, en vue de réaliser les reconversions nécessaires. Les relèvements de salaires n'ont certes pas suivi la hausse des prix, mais la sécurité sociale, surtout les allocations familiales, ont réduit les sacrifices, sans parler des primes, des heures supplémentaires et de l'écrasement de l'éventail des rémunérations. Les structures professionnelles de l'agriculture se sont reconstituées, sur les ruines de la corporation paysanne. Mais il sera sans doute difficile de continuer à ruser indéfiniment à l'égard des petits exploitants, aussi bien dans l'industrie que dans le commerce et l'agriculture.

Leurs rapports. — Certes, l'inflation monétaire a provoqué l'apparition de nouveaux riches et de nouveaux pauvres, aggravé l'opposition des milieux urbains aux milieux ruraux, ainsi que le conflit entre employeurs et salariés. Les généralisations hâtives et les simplifications abusives étant le propre des foules, la fonction commerciale en a souffert, ainsi que la compréhension entre citadins et paysans. Néanmoins, avec la fin de la pénurie et le retour aux difficultés d'une exploitation normale, ces tensions ont perdu de leur acuité, sans avoir été jamais génératrices de désordres. De leur côté, les comités d'entreprise n'ont pas bouleversé les conditions des relations industrielles. Sans qu'on puisse prétendre que toutes les évolutions nécessaires aient été effectuées, ni même que leur nécessité soit vraiment bien comprise, l'autorité ne s'exerce cependant plus comme autrefois. L'esprit anti-capitaliste demeure sans doute très vif chez les salariés, mais, ainsi que le prouvent la tentative de grève générale de 1947 et la grande grève d'août 1953, la violence est généralement en régression dans les conflits sociaux, en dépit des passions politiques qui peuvent s'y ajouter, et malgré la disparition des législations de conciliation et d'arbitrage. A celles-ci, antérieures à la guerre, on ne peut comparer la loi la plus récente en la matière, qui est celle du 26 juillet 1957, bien qu'elle améliorât sensiblement la procédure de conciliation prévue par la loi du 11 février 1950, et élargît la procédure de médiation, introduite par le décret du 5 mai 1955.

Ainsi, dans l'ensemble, des vicissitudes parfois tragiques, et toujours considérables, ont été traversées aux prix de sérieuses secousses, laissant derrière elles bien des malheurs privés, mais sans véritable bouleversement social.

II. DECEPTION, PUIS SURSAUT ET VOLONTE DE REDRESSEMENT.

Malgré ce qui vient d'être dit, le malaise pesant sur la société française actuelle ne pouvait être minimisé, car il portait la marque d'une profonde déception, conséquence d'une grande incertitude morale et génératrice d'une nouvelle forme d'insécurité : le doute. La déception, qui était profonde, s'expliquait par l'absence de culture politique et d'éducation civique des Français ainsi que par l'absence d'esprit de décision et de sens de l'organisation de leurs gouvernants. La culture politique et l'éducation civique ne se sont pas améliorées subitement, car elles impliquent une œuvre de longue haleine, qui ne s'opère pas du jour au lendemain. Mais le sursaut de 1958, s'il est suivi d'un long et patient effort, sera peut-être le point de départ d'un véritable redressement.

LA DÉCEPTION.

On ne surprendra guère les étrangers connaissant bien la France — et encore moins ceux qui la connaissent mal — en signalant l'absence d'éducation civique des Français. Mais on les surprendra vraisemblablement tous en faisant observer les lacunes de leur culture politique et en expliquant, par là, leurs indécisions en matière politique, ainsi que leurs insuffisances dans le domaine de l'organisation.

Culture politique et éducation civique. — On a l'habitude de dire que les Français ont une grande maturité politique. C'est vrai si l'on veut suggérer par là qu'ils n'ont guère le goût de l'aventure ou qu'ils sont assez méfiants vis-à-vis de tous leurs gouvernants, quels qu'ils soient. Mais cela ne signifie pas, pour autant, culture politique. De ce point de vue, et aussi effarant que cela puisse être, leur bagage se borne à quelques formules, telles que la " volonté nationale " ou la " souveraineté du peuple ". Sans doute conçoivent-ils bien le caractère idéal des trois mots inscrits sur les frontons de leurs édifices publics, mais personne ne s'est jamais soucié de leur expliquer ce que pouvait être " la politique ". Alors qu'on trouve dans les manuels scolaires américains d'excellentes formules du genre "aménagement des tensions inter-groupes dans une société multigroupe ", le Français cultivé, interrogé sur la question, répondra en termes de constitution, d'assemblées et de partis. Le conseil municipal et, plus haut, mais aussi beaucoup plus loin, le Parlement, voilà son optique, avec, comme relais et comme providence éventuels, " son " député! Quoi d'étonnant, dans ces conditions, à ce qu'il ait été déçu! Les " tensions " sociales? Il croyait que " la Résistance " devait les faire disparaître, comme il avait pu le croire de Vichy ou, avant, du Front populaire, alors qu'elles constituent le " problème " politique. Il rêve toujours de communion spontanée parce qu'il a été habitué à un vocabulaire abstrait : la " volonté nationale ", la " souveraineté du peuple ".

Comment s'étonner, dès lors, qu'il parle sans cesse de " crise " et qu'il ait été si souvent déçu? Il condamne le problème qu'il lui appartient de résoudre. Pis encore, il le nie, il ne le voit pas!

L'exemple des régimes autoritaires a confirmé le Français dans son opinion qu'une démocratie se devait de ne faire aucune " propagande ". C'est, pour lui, la condition de la liberté. Mais qui oserait nier que la démocratie postule certaines " vertus "? Et comment ces " vertus " pourraient-elles être pratiquées par un peuple auquel on ne les a pas apprises, auquel on n'en a même jamais parlé? Si la défense des " intérêts de catégorie " est un sujet aussi " tabou " que celui du contrôle des naissances, sous le prétexte qu'elle serait contraire à " l'intérêt général ", comment les citoyens pourraient-ils concevoir ce dernier autrement que comme une " donnée " évidente et immuable, qu'on appellera commodément le patriotisme, mais qui postulera une " révélation " naturellement différente pour chaque catégorie sociale, alors qu'il est un " construit " dynamique, incombant à chaque génération, précisément pour assurer l'ajustement de ses intérêts de catégorie ? Comment le " conservateur " ou le " révolutionnaire " comprendraient-ils qu'ils suppriment le problème qu'ils s'imaginent résoudre, le premier en asservissant les " pauvres ", le second en tuant les " riches ", s'ils ne voient même pas en quoi consiste ce problème ? Comment préconiser des " contacts sociaux " dans ces conditions sans risquer d'aboutir à des " dialogues de sourds " ? On ne peut pas pratiquer les " règles du jeu " démocratique quand on ne sait même pas en quoi il consiste. L'abstraction et le juridisme sont bien plus les responsables de cet état d'esprit que l'école ou le journal, puisque ces instruments d'éducation sont eux-mêmes les victimes des mirages puérils qui expliquent, à notre avis, l'absence de culture politique et d'éducation civique des Français. Toujours est-il que, se croyant " malades ", parce qu'ils tenaient pour " pathologique " ce qui n'est que " biologique ", les Français ne s'apercevaient pas clairement que le véritable mal dont il souffraient était imputable à leurs gouvernants.

Esprit de décision et sens de l'organisation. — Comprenons bien notre propos : il n'est pas question de faire ici le " procès " des gouvernants français antérieurs au 13 mai 1958. Ce serait aussi facile que démagogique et, de toutes façons, totalement inutile. Il s'agit de comprendre qu'étant eux-mêmes français, ils étaient prisonniers de " modes de pensée " qui ne paraissent guère convenir au gouvernement d'une grande démocratie moderne.

Si " la politique " consiste bien à définir l'intérêt général et à l'adapter en fonction des " tensions " qui traduisent les oppositions d'intérêts, au sein de la communauté nationale, la " fonction " des gouvernants consiste, essentiellement, en une fonction d'arbitrage. Sans doute sont-ils bien, eux-mêmes, les représentants des diverses catégories d'intérêts qu'il s'agit précisément d'arbitrer, mais leur mission consiste, essentiellement, à définir ce qui est " souhaitable ", en même temps qu'à déterminer ce qui est " possible ", en vue d'y parvenir. Leur rôle consiste donc à apprécier, d'une part les objectifs et les moyens, d'autre part les rapports de force et, sur ces bases, à prendre les décisions requises. Que cela postule des

" compromis ", c'est l'évidence même, puisque telle est, justement, la
" règle du jeu ". Qu'on baptise ces compromis, " maquignonnages ", et
l'on prouvera qu'on n'y a rien compris car si ceux-ci sont dans la nature
humaine, ils ne constituent pas, pour autant, l'essence des " compromis ".

Quand on est incapable de se décider dans le présent, en mettant chacun
en face de ses responsabilités, il est bien naturel qu'on ne soit guère en
mesure d'avoir le sens de l'organisation, qui postule un minimum d'aptitude aux prévisions.

LE SURSAUT ET LA VOLONTÉ DE REDRESSEMENT.

Une volonté de redressement latente, mais qui ne trouvait pas à s'employer utilement en raison de la sclérose des partis et des " jeux " auxquels
ils se livraient, a rendu possible le sursaut du 13 mai 1958, qui a donné
naissance à la Ve République. Ici encore, il convient de bien comprendre
notre point de vue. Pas plus qu'il ne s'agissait précédemment de " faire
le procès " des gouvernants de la IVe République, il ne s'agit à présent de
" faire la cour " à ceux de la Ve. Mais il convient de mesurer l'ampleur
des risques évités et des chances offertes que, seules, l'impatience des Français et la méfiance de leurs amis pourraient compromettre.

L'impatience des Français. — La personnalité du Général de Gaulle a
évité une guerre civile. Sans doute la leucémie dont se mourait le régime
était-elle peu propice à susciter en sa faveur le sacrifice suprême de la part
des citoyens, et à les inciter à " prendre les armes " pour le défendre. Il
n'empêche que les événements qui se déroulèrent à Alger le 13 mai 1958
choquèrent les sentiments démocratiques de l'immense majorité de la
population de la métropole, quelle qu'ait pu être d'ailleurs leur justi-
fication et quoi qu'on puisse penser du rôle qu'y joua l'armée. Mais le
Général de Gaulle était l'homme du 18 juin 1940 avant d'être celui du
13 mai 1958, et il était surtout le premier bien plus que le second. L'immense prestige qu'il s'était acquis pendant la guerre et dans tous les
milieux, en incarnant la volonté de résistance de la France face à l'occupant, prédisposait la grande majorité de la population, quelle que fût son
orientation politique, à voir en lui un sauveur de la patrie, répondant une
seconde fois à l'appel de sa détresse, et non un général de coup d'État. Son
souci de ménager les formes constitutionnelles fut d'une très grande
habileté, qui fit le reste. L'immense majorité des citoyens a estimé en outre,

lors du référendum du 28 septembre 1958, que se trouvant placé en dehors des partis, le général était également capable de se placer au-dessus d'eux, c'est-à-dire de jouer le rôle d'arbitre, autrement dit d'authentique gouvernant, non seulement dans des conditions inespérées pour le pays, mais encore dans des conditions telles qu'aucune autre personnalité ne pouvait lui être comparée et, par suite, opposée. Dire qu'il fut à cet égard " providentiel ", ne correspond à aucune adulation tombant dans le " culte de la personnalité " des régimes autoritaires, et impliquant un reniement quelconque des idéaux démocratiques chers aux Français. C'est la simple constatation d'un fait historique, qu'explique le concours des circonstances et de la personnalité de l'homme. La nouvelle Constitution du 4 octobre 1958 lui permet de jouer ce rôle d'arbitre, dont les rouages constitutionnels antérieurs étaient si totalement dépourvus, dans le même temps que les équipes gouvernementales sortant du Parlement s'avéraient incapables de s'y hausser.

Ce n'est pas sans risque pour l'avenir, en ce sens que, comme on l'a dit, il faudra plus tard que la France se montre capable de " survivre à De Gaulle ". Mais on observera tout d'abord à ce propos que des aménagements techniques ultérieurs au régime électoral du Président de la République sont toujours possibles, en dehors de tout risque de subversion. On ne voit pas pourquoi, ensuite, après l'expérience d'une nouvelle formule de démocratie apparaissant comme un compromis entre le régime présidentiel et le régime d'assemblée, ses enseignements ne permettraient pas d'en tirer dans le calme les conclusions qui s'imposent pour les convenances françaises. Enfin, il n'y a aucune raison de croire que, par la suite et dans des circonstances rendues moins difficiles, une succession soit au-dessus des ressources en hommes du pays.

La véritable difficulté concerne le présent plus que l'avenir, et réside dans l'impatience des Français, tenant à leur tempérament et aux circonstances que dominent les événements d'Algérie. Mais les moins favorables accepteront peut-être de rendre hommage au calme du pays et à son homogénéité relative assez hautement significative dans une démocratie, tant en face des impératifs militaires qu'impliquent ces événements qu'en présence de leurs conséquences économiques et sociales. Ici encore la personnalité du Général de Gaulle exerce une influence décisive. Aux yeux de la population métropolitaine, les opérations militaires apparurent de plus en plus, non pas comme la conséquence d'une volonté de mater, dans un esprit colonialiste, une rebellion d'éléments ayant une spécificité totalement allogène et aspirant à leur indépendance, mais comme une véritable guerre civile entre deux groupes ethniques d'une même communauté politique, à la suite des trop grandes lenteurs apportées à assurer entre eux l'égalité des droits dans le domaine politique, en même temps que celle des chances dans le domaine économique et social.

Puis l'acceptation de la formule de l'autodétermination, pour les intéressés, conduisit à admettre l'idée d'une évolution, pouvant conduire éventuellement jusqu'à l'indépendance totale des éléments musulmans, tout en souhaitant que ceux-ci acceptent, dans cette hypothèse, le maintien de certains liens avec la France, dont la nature serait alors à discuter, avec eux.

La méfiance de leurs amis. — En présence de tels événements, les Français comprendraient mal que ceux qui se disent leurs amis soient dans le même temps réticents, sinon même hostiles, en face de ce qui constitue à leurs yeux un effort considérable de rénovation, attestant leur volonté de redressement. Tous les peuples ont leur amour-propre national qui est respectable et légitime, aussi longtemps qu'il ne va pas à l'encontre du droit des autres. Or, la France n'entend pas plus léser les intérêts d'aucune autre nation que se soustraire aux obligations qui découlent pour elle de ses alliances. Mais elle considère qu'elle a également le droit de défendre ses propres intérêts et qu'elle ne peut constituer un partenaire valable, dans une alliance quelconque, qu'à la condition de surmonter ses propres difficultés politiques, tout en travaillant à assurer sa prospérité économique, qui conditionne sa paix sociale. Pour l'Algérie, elle ne demande qu'un peu de confiance et de temps, non plus tellement (depuis le référendum du 8 janvier 1961), pour réussir une œuvre de synthèse ethnique sur le plan politique qui aurait été sans précédent dans l'histoire de l'humanité. Mais la France disposait de trop courts délais du fait de l'impatience des uns et du conservatisme des autres. Il s'agit d'éviter l'anarchie, de protéger nos nationaux, de défendre les Musulmans eux-mêmes contre les risques d'une guerre civile qui les opposerait, cette fois, les uns aux autres. L'amitié donne le droit de formuler des réserves, d'énoncer des critiques, d'adresser des conseils. Encore convient-il que cela se fasse avec beaucoup de tact, lorsqu'il s'agit de rapports entre nations, où l'intimité du tête-à-tête, cher aux particuliers, n'est pas possible et où cela se passe forcément sur la place publique. Car l'amitié ne supporte pas plus le doute systématique entre les amis que le dénigrement de l'un d'eux par l'autre auprès de ceux qui leur sont étrangers.

Gérard DEHOVE
*Doyen de la Faculté de Droit
et des Sciences économiques de Lille.*

LA SÉCURITÉ SOCIALE

Un aérium d'enfants. *Ph. Sécurité Sociale*

Un sanatorium. *Ph. Rapho-R. Doisneau*

LA SÉCURITÉ SOCIALE

Comme toutes les législations de sécurité sociale, le système français implique une double préoccupation de sécurité et de solidarité.

Le souci de sécurité. — Il correspond au désir de mettre l'homme " à l'abri du besoin ", de le protéger contre la peur de lendemains dépourvus de ressources, de le sauver de l'incertitude d'une vie pleine de risques, tous périls d'autant plus angoissants que l'intéressé est plus pauvre et plus exposé, d'où les origines " ouvrières " de toute cette législation. Mais la nature des risques couverts a conduit à une extension continue de ce souci de sécurité à des catégories sans cesse plus larges de la population.

Ces risques sont :

En premier lieu, les risques " professionnels " : accidents du travail et maladies professionnelles ;

En second lieu, les risques " physiologiques " : maladie, invalidité, maternité, vieillesse, décès ;

En troisième lieu, les risques " familiaux " : provenant des charges supplémentaires imposées par les enfants.

On observera que le système français présente, de ce point de vue, la double particularité :

Du côté des risques professionnels, de ne pas inclure le chômage, ce risque ayant toujours été très réduit, jusqu'à présent, dans l'économie française[1] ;

---

1. Les mesures prises en faveur des travailleurs sans emploi se situent en dehors du système de sécurité sociale : secours journaliers de chômage alloués par les services publics, allocations spéciales complémentaires servies depuis une ordonnance du 7-1-59, par les associations dites ASSEDIC (Associations pour l'emploi dans l'industrie et le commerce), fédérées en une Union pour l'emploi dans l'industrie et le commerce (UNEDIC). Fruit d'un accord entre les organisations syndicales les plus représentatives d'employeurs et de salariés, en date du 31 décembre 1958, cette seconde formule a fait l'objet d'un arrêté d'extension du 12 mai 1959 qui assujettit l'ensemble des entreprises industrielles et commerciales à l'obligation de contribuer financièrement au régime et protège, par là même, l'ensemble des salariés de ces deux secteurs contre le risque de chômage, dans des conditions qui placent la France très en avant dans ce domaine, par rapport aux autres pays.

Du côté des risques familiaux, d'être animé de préoccupations natalistes très accentuées, en raison de la régression démographique dont souffrait plus particulièrement la France.

Le souci de solidarité. — Il s'affirme, au départ, avec le principe du financement par des cotisations à la charge exclusive des employeurs pour les risques professionnels et familiaux, et à la charge des employeurs ainsi que des salariés, pour les risques physiologiques. Les riches et les pauvres, les biens portants et les malades, les adultes, les jeunes et les vieux se trouvent ainsi solidaires, du triple point de vue des revenus, des chances et des générations.

Toutefois, à partir du moment où le système, établi en fonction de l'existence de deux partenaires : l'employeur et le salarié, se partageant plus ou moins les cotisations, s'est trouvé étendu à des non salariés, il a bien fallu transférer sur d'autres les obligations incombant initialement aux employeurs. En outre, avec la diversité des régimes spéciaux, qui ont survécu à côté du régime général, et les difficultés de leur financement, on a assisté à des transferts de charge de l'un à l'autre, ainsi que du régime général au budget de l'État, et inversement. Il est devenu, dès lors, extrêmement difficile de déterminer, ne serait-ce qu'approximativement, les catégories sociales qui supportent, en fait, et non plus seulement en droit, le poids du système, sans parler des difficultés qui résultent de ses incidences économiques et démographiques.

HISTORIQUE.

Le droit français de la sécurité sociale se présente sous la forme d'un triptyque, composé de trois panneaux correspondant à la couverture de chacune des trois grandes catégories de risques : professionnels, physiologiques et familiaux, précédemment énumérées. Apparus historiquement à des dates différentes, ils ont néanmoins connu une évolution sensiblement analogue, inspirée par des considérations voisines.

Les éléments du droit français.

Aux risques " professionnels " correspond le droit des accidents du travail et des maladies professionnelles (lois du 9 avril 1898 et du 25 octobre 1919);

Aux risques " physiologiques " correspond le droit des assurances sociales (lois des 5 avril 1928 et 30 avril 1930);

Aux risques " familiaux ", enfin, correspond le droit des allocations familiales (loi du 11 mars 1932).

L'ensemble ainsi constitué a été remanié, codifié et partiellement unifié par une ordonnance du 4 octobre 1945, ainsi que par trois textes particuliers :

La loi du 30 octobre 1946, intégrant la législation des accidents du travail et des maladies professionnelles dans le cadre de la Sécurité Sociale;

L'ordonnance du 19 octobre 1945, effectuant la même intégration pour le nouveau régime des assurances sociales;

La loi du 22 août 1946, réalisant la même réforme pour le système des allocations familiales.

Les étapes de son évolution. — Cette élaboration progressive de la législation peut être systématisée comme correspondant à deux étapes.

Avec les premiers textes de lois, dans chacun des trois domaines précités, l'intervention du législateur marque le passage du système de l'assistance à celui de l'assurance : c'est la première étape. Vue de très haut, elle signifie qu'on passe d'un système privé, individuel et facultatif, à une formule publique, collective et obligatoire. A la veille de la seconde guerre mondiale, cette évolution est inégale pour les trois domaines envisagés, et n'est pas totalement achevée.

Les textes postérieurs à cette guerre constituent une deuxième étape, avec le passage du système de l'assurance à celui de la sécurité sociale proprement dite. Outre l'achèvement de l'évolution précédente, cette seconde étape traduit une volonté de généralisation et d'amélioration dans chacun des domaines visés, ainsi que de coordination entre eux, voire d'unification, les risques " professionnels ", " physiologiques " et " familiaux " étant tous trois considérés comme autant de composantes des risques " sociaux ", menaçant sans doute plus particulièrement les salariés, mais intéressant finalement tous les hommes.

I. RISQUES, PRESTATIONS ET FINANCEMENT

Les risques couverts, correspondant aux trois domaines précités, sont caractérisés par une extension continue de leur champ d'application ainsi que par un développement et une amélioration constants des prestations. Les conséquences qui en ont résulté ont été, comme il fallait s'y attendre, de délicats problèmes de financement.

CARACTÈRES GÉNÉRAUX.

L'extension continue des champs d'application. — Elle signifie extension du nombre des bénéficiaires et des circonstances donnant lieu à prestations.

a) L'accroissement du nombre des bénéficiaires s'est vérifié :

Pour les accidents du travail, par une extension progressive des genres d'activités intéressés par la loi (1er juillet 1938 : à tous les salariés ; 30 octobre 1946 : à de nombreux assimilés) et par une extension du principe de la réparation aux maladies professionnelles (25 octobre 1919);

Pour les assurances sociales, par le désir de les étendre à toute la population (22 mai 1946), ce qui ne fut réalisé que pour le risque vieillesse (17 janvier 1948 et 10 juillet 1952), le bénéfice de la législation étant toutefois accordé aux écrivains non salariés consacrant à leur profession leur principale activité (21-7-49), les étudiants ainsi que les grands invalides de guerre et leurs survivants, veuves et orphelins, bénéficiant de leur côté des prestations en nature maladie-maternité, c'est-à-dire des remboursements des frais médicaux, pharmaceutiques et d'hospitalisation (23 septembre 1948 et 29 juillet 1950).

Pour les allocations familiales, par la perte de leur caractère antérieur de supplément de salaire, du fait de leur rattachement à la seule condition d'enfants à charge, depuis leur extension à toute la population, même non active (22 août 1946).

b) L'extension des circonstances donnant lieu à prestations s'est vérifiée :

Pour les accidents du travail, avec l'accueil des accidents de trajet (30 octobre 1946).

Pour les assurances sociales, avec l'abaissement du nombre d'heures de travail requises pour leur attribution (6 janvier 1942), la suppression de toute limite d'âge (14 mars 1941) et de toute limite du montant de la rémunération du bénéficiaire, aussi bien vers le bas que vers le haut (4 octobre 1945).

Pour les allocations familiales, avec la suppression de toute exigence de lien juridique de parenté et la réduction à l'extrême de la condition d'activité professionnelle (22 août 1946).

Le développement et l'amélioration continus des prestations. — Cela correspond, d'une part, à un développement et une amélioration des prestations individuelles versées aux ayants-droit et, d'autre part, à un dépassement de l'idée d'aide occasionnelle à chaque intéressé, dans chaque cas particulier, au profit d'une politique générale, continue et collective, d'éducation et de prévention.

a) Le progrès des prestations individuelles s'est vérifié :

Pour les accidents du travail, avec la loi du 30 octobre 1946, qui a amélioré le régime des prestations en nature et de l'indemnité journalière, et avec la loi du 2 septembre 1954, qui a modifié les modes de calcul de la rente d'incapacité permanente et assuré sa revalorisation automatique;

Pour les assurances sociales, avec l'ordonnance du 19 octobre 1945, qui a augmenté la durée des prestations, en créant l'assurance de longue maladie, et le décret du 20 mai 1955, qui a supprimé toute limite à cette durée, dans le même temps que l'assurance vieillesse ne cessait d'être améliorée[1] et qu'étaient mises au point de nécessaires règles de coordination, en particulier entre régime général et régime agricole d'une part, entre régime général et régimes spéciaux d'autre part.

Pour les allocations familiales, qui ont vu se développer des prestations multiples, avec les allocations prénatales, de maternité, de salaire unique et de logement, à côté des allocations familiales proprement dites.

b) La promotion d'une politique collective s'est vérifiée :

Pour les accidents du travail, avec le dépassement de la seule réparation, en vue de réaliser la réadaptation et développer la prévention;

Pour les assurances sociales, avec le dépassement de la seule indemnisation, afin d'entreprendre une véritable politique sanitaire;

Pour les allocations familiales, avec le dépassement de l'aide aux particuliers, en vue de promouvoir une politique familiale.

1. On signalera, notamment, une très importante loi du 30-6-46 instituant un Fonds National de Solidarité, en vue de promouvoir une politique générale de protection des personnes âgées. Cette loi prévoit l'attribution d'une allocation supplémentaire à toute personne de nationalité française, âgée d'au moins 65 ans (ou 60 ans, en cas d'inaptitude au travail), titulaire d'un ou plusieurs avantages de vieillesse ou d'une allocation d'assistance et dont les ressources ne dépassent pas un certain plafond.

CONSÉQUENCES FINANCIÈRES.

Naturellement, l'évolution que nous venons de retracer a eu des conséquences éminemment favorables dans le domaine du progrès social, en même temps qu'elle a répondu aux espérances qu'on fondait sur elle en matière démographique. Mais les difficultés financières, qui en ont résulté, n'ont pas toujours été appréciées sainement. Il devrait cependant être évident que l'évolution observée entraîne inévitablement le déséquilibre entre les recettes et les dépenses, ainsi que la distorsion du système primitif de financement.

Le déséquilibre des recettes et des dépenses. — Il est trop facile de prétendre, en effet, qu'il suffit d'accroître les recettes et de comprimer les dépenses.

a) Les recettes, calculées le plus souvent en pourcentage des salaires, ne peuvent être indéfiniment augmentées, dans le cadre d'un système à base de cotisations, à partir du moment où le total des taux de cotisations atteint un certain niveau, ce qui est le cas à l'heure actuelle.

b) Les dépenses ne peuvent être réduites, de leur côté, en dehors d'une action, forcément limitée, pour l'élimination des fraudes et des fautes de gestion, ou d'une discussion sur l'opportunité, sinon d'instituer un service national de santé, tout au moins de réformer les rapports entre l'institution et la profession médicale, puisque l'évolution est dans le sens d'une expansion de ces dépenses, sans parler de la logique même du système, qui conduit les vieillards à vivre plus longtemps, les enfants à être plus nombreux, et tout le monde à se soigner plus et mieux.

La distorsion du système primitif de financement. — Elle s'avère inévitable, à la fois en raison de l'extension du nombre des bénéficiaires de la sécurité sociale et du maintien de régimes spéciaux, à côté du régime général.

a) L'extension du nombre des bénéficiaires se rattache à ce que nous écrivions précédemment, à propos du souci de solidarité : à partir du moment où un système, initialement établi en fonction de l'existence de deux partenaires, l'employeur et le salarié, se trouve étendu à des non salariés, il faut bien transférer sur d'autres les obligations incombant primitivement aux employeurs. Ces " remplaçants " peuvent être les bénéficiaires eux-mêmes, ou la collectivité dans son ensemble, ou les deux à la fois, ou encore " d'autres ", en l'occurrence, dans cette dernière éventualité, ceux du régime " ayant de l'argent "... parce qu'alimenté par ses cotisations ! Il devrait cependant être évident que lorsqu'on étend la couverture d'un risque à l'ensemble de la population, comme c'est aujourd'hui le cas pour les allocations familiales et l'assurance vieillesse, il n'est plus possible de continuer à ruser avec le problème du financement, en continuant à parler de " cotisations professionnelles ".

b) Le maintien de régimes spéciaux s'explique, soit par des antécédents historiques, soit par des particularités propres aux professions intéressées. Mais les difficultés de financement de certains de ces régimes ont parfois conduit, pour les alimenter, à prévoir, en leur faveur, la perception de certaines recettes fiscales ou à rattacher certains de leurs risques au régime général.

Dans tous les cas, on se trouve amené à ne recourir, au mieux, qu'à des " expédients ", consistant en la confusion des trésoreries de diverses branches (assurances sociales et allocations familiales) ou de différents régimes (surcompensation des prestations familiales) ou en l'appel à l'État, dans un climat d'incompréhension générale et de démagogie. C'est en particulier pour mettre fin aux critiques qu'avait suscitées la confusion des trésoreries en matière d'assurances sociales et de prestations familiales (confusion se traduisant par le transfert des excédents de recettes du fonds des prestations familiales au fonds, déficitaire, des assurances sociales), qu'ont été modifiés, à partir du 1-1-59, les taux de cotisations correspondant à ces deux branches de la Sécurité Sociale, le taux des cotisations d'allocations familiales étant ramené de 16,75 à 14,25 %, celui des cotisations d'assurances sociales étant, en revanche, majoré dans la même proportion, et passant de 16 à 18,50 %. A partir du 1er janvier 1961, ce dernier taux seulement a connu une nouvelle majoration de 1 %, ce qui le porte à 19,50 % des rémunérations soumises à retenues[1], le plafond de celles-ci se trouvant, dans le même temps, augmenté.

II. STRUCTURES, AUTONOMIE ET TUTELLE

Les institutions chargées de gérer le système français de sécurité sociale sont le fruit d'un double compromis entre, d'une part, l'unité et la diversité dans la structure des caisses chargées des diverses opérations et, d'autre part, l'autonomie des intéressés et la tutelle de l'État.

LE COMPROMIS ENTRE L'UNITÉ ET LA DIVERSITÉ DANS LA STRUCTURE DES CAISSES.

Il s'explique essentiellement par la nécessité de tenir compte des antécédents historiques, c'est-à-dire des institutions existant avant l'instauration du régime de sécurité sociale proprement dite, et des susceptibilités en présence, c'est-à-dire des intérêts de catégories et des réactions correspondantes. Il se justifie également, sinon davantage, par un souci de spécialisation technique. C'est ainsi qu'il existe, à côté des caisses de sécurité sociale proprement dites, des caisses d'assurance vieillesse et d'allocations familiales.

Les Caisses de Sécurité Sociale. — Primitivement, dans l'esprit du législateur de 1945 (4 octobre), elles devaient subsister seules, en assumant la charge complète de toute la sécurité sociale. Elles sont hiérarchisées territorialement à trois

---

1. Cette majoration ne s'applique qu'à la cotisation patronale, qui passe de 12,50 % à 13,50 %, la cotisation ouvrière restant fixée à 6 %. Cette mesure ne majore pas seulement le taux des cotisations du régime général, mais aussi celui des régimes spéciaux.

degrés : des caisses primaires, des caisses régionales et une caisse nationale; des arrêtés ministériels intervenant pour fixer les circonscriptions. Cette organisation s'explique en fonction d'un double impératif, celui d'une saine division du travail et celui de la compensation des risques.

a) L'impératif de la division du travail commande que soit confiée, à l'échelon régional, la gestion de certains risques, postulant l'établissement de dossiers, le recours à des procédés mécanographiques ainsi qu'une vaste organisation comptable. La coordination des efforts joue dans le même sens. La compétence des caisses primaires concerne donc la gestion des risques maladie, maternité, décès et invalidité, en ce qui concerne les soins; la gestion des risques professionnels, pour les incapacités temporaires. De leur côté, les caisses régionales gèrent les risques invalidité, en ce qui concerne les pensions, et les risques professionnels, pour les incapacités permanentes, dans le même temps qu'elles organisent et dirigent le contrôle médical, assurent et coordonnent l'action sanitaire et sociale ainsi que la prévention des accidents du travail. Enfin, la caisse nationale gère les fonds destinés à promouvoir une politique générale, à l'échelon national. Une redistribution des tâches a cependant été décidée, entre les caisses régionales et les caisses primaires, notamment en matière d'accidents du travail et d'assurance invalidité, en vue de rapprocher les assurés des services chargés de liquider leurs dossiers.

b) L'impératif de la compensation des risques ne pourrait s'effectuer sur le plan local dans des conditions suffisantes. Ce sont donc les caisses régionales qui assurent la compensation des charges des risques gérés par les caisses primaires et qui garantissent leur solvabilité, la caisse nationale en faisant autant, à son échelon, pour les caisses régionales, ainsi que pour les caisses d'allocations familiales, que nous allons aborder dans un instant.

Les deux autres séries de Caisses :

a) Les caisses régionales d'assurance-vieillesse, initialement prévues par la loi de généralisation du 22 mai 1946, ont été créées, d'abord pour les seuls salariés, par une loi du 7 octobre de la même année, en vue de décharger les caisses de sécurité sociale.

b) Les caisses d'allocations familiales, d'abord provisoires, furent confirmées par une loi du 21 février 1949, avec des circonscriptions et des sièges qui tiennent compte de ceux des caisses primaires.

LE COMPROMIS ENTRE L'AUTONOMIE DES INTÉRESSÉS ET LA TUTELLE DE L'ÉTAT.

L'autonomie. — Elle s'affirme avec le principe de la gestion par les intéressés sans impliquer, pour autant, une véritable autonomie administrative et encore moins, une réelle autonomie financière.

a) Le principe de la gestion par les intéressés se vérifie dans la composition des Conseils d'administration de toutes les caisses, qui sont élus à tous les échelons par les intéressés, sur la base d'un savant dosage entre les diverses catégories d'intérêts en présence, et dans l'existence des deux grandes fédérations nationales que sont, respectivement, la Fédération Nationale des Organismes de Sécurité Sociale (F. N. O. S. S.) pour les caisses de sécurité sociale, et l'Union Nationale des Caisses d'Allocations Familiales (U. N. C. A. F.) pour les caisses d'allocations familiales, l'une et l'autre régies, comme d'ailleurs les caisses qu'elles coiffent, par le statut de la mutualité.

Toutefois, un décret du 12 mai 1960 a prévu la création d'un Comité interministériel de coordination. Composé de tous les ministres ayant la tutelle sur un régime de Sécurité Sociale (agriculture, industrie, finances, travaux publics, etc.), et présidé par le Ministre du Travail, ce comité va être mis en place, avec la mission de coordonner toutes les mesures susceptibles d'être prises, tant dans le régime général que dans les régimes spéciaux.

b) Les restrictions à l'autonomie administrative et financière proviennent des pouvoirs qu'a entendu se réserver l'autorité publique, au moins dans le régime général, sinon dans le régime agricole. Sur le plan administratif, ces pouvoirs s'affirment dès la constitution des caisses et enserrent toute leur activité dans un réseau très serré de surveillance administrative (suspension des conseils, révocation des administrateurs, agrément du directeur et du comptable, placement et emploi des fonds, droit ministériel d'annulation des décisions et contrôle par les Directions régionales et l'Inspection générale que nous verrons dans un instant). De même, sur le plan financier, les caisses voient le législateur fixer les ressources des divers organismes et le montant des prestations, ainsi que les conditions de leur attribution.

Quant aux délibérations des Conseils d'administration des deux grandes fédérations nationales, le décret du 12 mai 1960 a prévu qu'elles seraient obligatoirement soumises au Ministre du Travail qui pourra, le cas échéant, s'opposer à leur application, dans le même temps que la formation du personnel supérieur des Caisses, qui leur incombait, leur est enlevé, pour être confié à un " Centre d'Études Supérieures de Sécurité Sociale ", placé sous le contrôle de l'État.

La tutelle. — Elle se manifeste dans les pouvoirs que nous venons d'énumérer et s'exerce, notamment, par les directions régionales, une Inspection générale et la Cour des Comptes.

a) Les directions régionales, constituées chacune par un corps d'inspecteurs et un directeur, tous fonctionnaires, assurent la tutelle administrative des caisses de leur circonscription (4 octobre 1945 et 8 juin 1946).

b) L'Inspection générale de la Sécurité Sociale (créée par le décret du 12 mai 1960) a vocation sur l'ensemble des régimes.

c) La Cour des Comptes effectue le contrôle a posteriori de tous les organismes de droit privé de la sécurité sociale (31 décembre 1949), dès l'instant qu'ils gèrent des régimes légalement obligatoires. Une vérification systématique des bilans annuels vient de compléter ce contrôle.

Il s'agit donc, finalement, d'un service public, géré par les intéressés, avec les avantages et les inconvénients que cela comporte. Les difficultés qui en résultent nous mettent en présence, avec celles qui découlent du financement, des problèmes que s'efforce de résoudre la Sécurité sociale française : problème de l'indexation des prestations familiales en fonction de l'évolution du coût de la vie, problème des relations entre la Sécurité sociale et le corps médical, problèmes de structure, de personnel, de partage des pouvoirs entre conseils d'administration et directeurs d'organismes, etc...

Gérard DEHOVE
Doyen de la Faculté de Droit
et des Sciences économiques de Lille.

LES INSTITUTIONS JUDICIAIRES

Il existe, en France, deux ordres distincts de juridictions

Les juridictions dites " judiciaires ", qui dépendent de la Cour de Cassation, et qui sont chargées de rendre la justice civile (respect du droit privé, solution des litiges entre particuliers) et la justice pénale (action répressive contre les infractions);

Les juridictions dites " administratives ", qui dépendent du Conseil d'État, et auxquelles incombe, uniquement sinon exclusivement, la charge du contentieux administratif, consistant dans les litiges suscités par l'organisation et l'action administratives.

RAISONS.

Cette dualité fondamentale de juridictions, caractéristique du droit judiciaire français, s'explique par des raisons d'ordre à la fois historique et logique.

D'ordre historique. — La méfiance des révolutionnaires de 1789 à l'égard des Parlements de l'Ancien Régime les incite à énoncer la règle dite " de la séparation des autorités administratives et judiciaires " (art. 13 de la loi des 16-24 Août 1790) que l'on présente comme une application du principe de Montesquieu relatif à la séparation des pouvoirs, d'après lequel le pouvoir judiciaire devrait se borner à trancher les litiges entre particuliers et à assurer la justice répressive.

D'ordre logique. — De nos jours, l'existence des deux ordres de juridictions s'explique par un souci de saine division du travail. Les magistrats de l'ordre judiciaire ont besoin de connaissances juridiques déjà très diverses et très étendues (droits civil, commercial, pénal, maritime, international privé, du travail, enregistrement, procédure, etc...). Leur imposer encore des connaissances supplémentaires en matière de droit administratif serait d'autant plus dangereux, pour une justice de qualité, que ce droit diffère notablement du droit privé, tant par son esprit que par ses techniques. En outre, on ne saurait exiger des magistrats de l'ordre judiciaire une bonne connaissance pratique des structures et des conditions de fonctionnement des diverses administrations, tandis que ce sera possible, et nécessaire, de la part de magistrats spécialisés.

Conséquences.

La dualité des ordres de juridictions postule la répartition de leurs compétences respectives et, éventuellement, la solution des conflits qui peuvent surgir entre eux, à cette occasion (conflits d'attributions).

La répartition des compétences respectives. — Elle ne soulève pas de difficulté dans les cas où il existe des textes législatifs pour la décider, dans les matières qu'ils régissent (contentieux par détermination de la loi). Mais lorsqu'il n'en est pas ainsi, on doit reconnaître qu'il n'existe guère de critère satisfaisant, permettant de déterminer, à coup sûr, l'ordre de juridiction compétent. Tout ce que l'on peut dire alors, c'est que la règle de séparation des autorités administratives et judiciaires doit s'appliquer (contentieux par nature).

La solution des conflits de compétence. — Survivance des raisons d'ordre historique de la dualité, il apparaît nettement qu'on a voulu exclusivement protéger l'indépendance de l'autorité administrative vis-à-vis de l'autorité judiciaire. D'abord cela se vérifie si celle-ci se déclare incompétente au même titre que celle-là (conflit négatif). L'indépendance administrative n'étant alors nullement menacée, c'est aux parties intéressées seules qu'il appartient de réagir, en saisissant le " Tribunal des conflits ", que nous allons retrouver dans un instant. Mais cela se vérifie également en cas de conflit positif, car il n'existe alors aucune procédure permettant de défendre la compétence judiciaire (sinon au criminel, où elle ne peut jamais être contestée) contre les empiètements éventuels de la juridiction administrative. Seule, celle-ci se trouve donc défendue contre celle-là, par l'intervention, auprès du Tribunal judiciaire qui s'apprête à juger le litige contesté, du Préfet du département où siège ce Tribunal. Si celui-ci ne se reconnaît pas incompétent, après cette intervention, la décision est confiée au " Tribunal des conflits ", émanation des instances supérieures aux deux ordres concurrents, puisqu'il est composé, à égalité, de membres du Conseil d'État et de la Cour de Cassation, sous la présidence du Ministre de la

Justice, Garde des Sceaux et chef des deux ordres de juridiction. Ce Tribunal est uniquement juge de la compétence, et non du fond du litige, sauf dans le cas exceptionnel où les deux ordres de juridiction auraient déjà apporté, l'un et l'autre, sur le même objet, des décisions positives mais contradictoires, présentant un caractère définitif et enlevant au plaideur toute possibilité de recevoir satisfaction, en dépit de leur caractère positif (déni de justice).

Les rapports entre les deux ordres de juridictions étant ainsi précisés, nous pouvons passer maintenant à l'exposé succinct de l'organisation de chacun d'eux.

I. LES JURIDICTIONS JUDICIAIRES

Un caractère fondamental du système français est celui de l'unité de la justice civile et de la justice pénale, c'est-à-dire que ce sont, sous des dénominations différentes et avec des structures adaptées, les mêmes organes qui sont chargés de la fonction juridictionnelle dans le domaine des litiges entre particuliers (justice civile) et dans celui de la répression des infractions (justice pénale). Ce sont donc les mêmes magistrats qui assurent, dans des conditions que nous allons préciser, le fonctionnement des deux branches.

La Justice Civile.

On distingue les tribunaux " de droit commun " et les tribunaux " d'exception " (ou plus clairement peut-être " d'attribution "), la distinction signifiant que les tribunaux " de droit commun " sont ceux qui connaissent, en principe, de toutes les affaires, sauf celles dont la compétence leur est enlevée par une disposition expresse, tandis que c'est l'inverse pour les tribunaux " d'exception ", dont la compétence est donc " exceptionnelle ", en ce sens qu'ils ne connaissent que les affaires qui leur sont expressément " attribuées " par la loi.

Les Juridictions de droit commun. — Ce sont :

a) Les Tribunaux de grande instance.

La Révolution avait institué, dans chaque arrondissement, un " Tribunal civil " ou " Tribunal de première instance ", qu'on appelait également " Tribunal d'arrondissement " en raison de son implantation géographique.

Depuis longtemps, on proposait une réforme de la répartition géographique ainsi adoptée, en faisant valoir que certains tribunaux, placés dans des arrondissements peu peuplés, n'avaient à juger qu'un nombre d'affaires très faible et voyaient, par conséquent, leur personnel insuffisamment occupé. En invoquant les facilités modernes de communication, et dans un souci d'économie et de meilleure répartition des magistrats, on suggérait la suppression de certaines de ces juridictions.

Une première réforme, intervenue en 1926, fut rapidement rapportée (en 1929 et 1930), dans le but de maintenir les tribunaux à proximité des justiciables, sans parler du souci de sauvegarder les intérêts des auxiliaires de la justice.

L'Ordonnance du 22 décembre 1958 a substitué aux tribunaux civils, les " Tribunaux de grande instance ", dont l'implantation n'est plus liée à l'arrondissement, mais est fixée par décret. En fait, il existe au moins un tribunal de ce genre par département, mais dans les départements les plus peuplés, plusieurs tribunaux ont été institués (ex. : sept tribunaux pour le département du Nord, quatre pour celui du Pas-de-Calais). Il semble que, sauf difficultés de communications particulières, on n'ait maintenu un tribunal que dans les arrondissements comptant plus de 100 000 habitants.

Comme le Tribunal civil autrefois, le Tribunal de grande instance est compétent pour juger toutes les affaires concernant l'état des personnes (mariage, divorce, filiation, etc.) et les affaires patrimoniales dont la connaissance n'est pas dévolue à l'une des juridictions d'attribution dont il sera parlé plus loin.

b) Les Cours d'appel.

Le ressort des différentes Cours d'appel couvre, suivant les cas, un nombre variable de départements. Elles sont, en France métropolitaine, au nombre de 27.

Avant la réforme de 1958, elles n'étaient juges d'appel que des décisions des Tribunaux civils et des Tribunaux de commerce, ainsi que de celles rendues par les Présidents de ces deux ordres de juridictions.

Actuellement, elles possèdent une compétence d'appel générale, à l'égard aussi bien des Tribunaux de grande instance que des juridictions d'attribution. Il n'existe d'exception à cette compétence que lorsque, en raison de la modicité de l'objet du litige, la loi déclare les jugements rendus " en premier et en dernier ressort ".

Les Juridictions d'attribution. — On distingue :

a) Les Tribunaux d'instance.

Ils remplacent les " juges de paix ", que la Révolution avait institués dans chaque canton. La réforme de 1958 n'a pas gardé la répartition cantonale. Actuellement, il existe au moins un tribunal d'instance par arrondissement, mais les arrondissements à population dense sont dotés de plusieurs de ces juridictions. Suivant les cas, un ou plusieurs juges sont affectés au Tribunal d'instance, mais les jugements sont toujours rendus par un seul magistrat.

Comme leurs prédécesseurs les juges de paix, les Tribunaux d'instance correspondent au souci d'une justice simple, rapide,

1. le greffier en chef
2. l'accusé
3. les journalistes
4. les avocats de la défense
5. l'avocat de la partie civile
6. le président de la Cour d'Assises
7. un conseiller à la Cour

8. les jurés
9. la barre des témoins
10. les pièces à conviction
11. le public

L'avocat général n'est pas visible sur la photo. Il fait, dans cette salle, face à la défense.

et peu coûteuse. Leur compétence, qui est exceptionnelle, est déterminée, soit par la nature de l'affaire soit par son montant de faible importance.

b) Les Présidents des Tribunaux de grande instance et des Tribunaux de commerce également juges uniques, dans des cas d'attribution, correspondent, ici encore, à un souci de justice simple, rapide et permettant de désencombrer leurs tribunaux pour des affaires urgentes. Dans certains cas, le premier peut statuer définitivement. Dans d'autres, qui sont les seuls pour le second, leurs décisions ne sont que provisoires.

c) Les Tribunaux de commerce sont compétents pour les litiges commerciaux, en principe à l'échelon du Tribunal de grande instance, bien qu'il puisse y en avoir plusieurs pour cette même circonscription. Dans les ressorts où il n'existe pas de Tribunal de commerce, la compétence est attribuée au Tribunal de grande instance.

d) Les Conseils de prud'hommes, divisés en sections professionnelles spécialisées, à compétence respective, sont compétents pour les conflits individuels entre employeurs et salariés, dans le cadre de circonscriptions déterminées en fonction des besoins. Lorsqu'il n'existe pas de Conseil de prud'hommes, ses fonctions sont assurées par le Tribunal d'instance.

e) Les Tribunaux des baux ruraux, à raison d'un par ressort de Tribunal d'instance, avec appel devant un Tribunal d'arrondissement, pour les conflits surgissant entre preneurs et bailleurs de baux ruraux[1].

---

1. Ces trois dernières juridictions correspondent à la formule dite de " l'échevinage ", qui postule des juges non magistrats de carrière, mais choisis par les justiciables de la catégorie d'intérêts particuliers en cause, ici au suffrage universel de leurs pairs, ce qui se comprend parfaitement pour des juridictions professionnelles, comme c'est le cas en l'occurrence. Les présidents des juridictions *c*) et *d*) sont élus. Ceux de la juridiction *e*) sont des magistrats. Les juridictions *d*) et *e*) sont paritaires : employeurs et salariés, bailleurs et preneurs.

LA JUSTICE PÉNALE.

Les Juridictions de "droit commun". — Il convient d'y mentionner l'intervention de juridictions d'instruction, qui est obligatoire pour les crimes, et facultative pour les délits et contraventions. C'est le "juge d'instruction", membre du Tribunal de grande instance compétent, en fonction du lieu de l'infraction, de l'arrestation ou de la résidence de l'inculpé, qui est délégué à cet effet, avec pour les crimes, un second degré, d'office et non en appel, constitué par la "Chambre des mises en accusation" qui est une section de la Cour d'appel intéressée.

Pour les jugements eux-mêmes, les Tribunaux correspondent, en principe, aux trois catégories d'infraction :

a) Les Tribunaux de police, constitués par les Tribunaux d'instance, sont compétents, uniquement en fonction du lieu de l'infraction, en principe pour les "contraventions", c'est-à-dire les infractions que les lois punissent de peines de police (faibles plafonds d'emprisonnement et d'amende).

b) Les Tribunaux correctionnels, constitués par les Tribunaux de grande instance du lieu de l'infraction, de l'arrestation ou de la résidence de l'inculpé, sont compétents, en principe, pour les "délits", c'est-à-dire les infractions punies de peines correctionnelles (plafonds élevés d'emprisonnement et d'amende). Les Cours d'appel correspondantes sont juges d'appel des jugements correctionnels rendus par les Tribunaux de leur ressort.

c) Les Cours d'assises, à l'échelon départemental, sont compétentes pour les "crimes", c'est-à-dire les infractions punies des peines dites "afflictives" ou "infamantes". Siégeant temporairement sous forme de "sessions", elles comprennent, conformément à un système "d'échevinage" très poussé, des magistrats provenant de la Cour d'Appel, et un jury composé de citoyens tirés au sort, sur la base de listes établies, à deux degrés, en collaboration, par les magistrats et les élus politiques.

Les Juridictions d'attribution. — Ce sont ici :

a) Les Tribunaux pour enfants, pour les infractions imputées aux mineurs de moins de 18 ans.

b) Les Tribunaux militaires et maritimes, à la fois comme juges des personnels militaires et maritimes et pour tous les citoyens, en cas d'attentats et atteintes à la sûreté extérieure de l'État.

c) Les Tribunaux maritimes commerciaux, pour les infractions intéressant la marine marchande[1].

Au-dessus de toutes les juridictions de l'ordre judiciaire, la Cour de Cassation, divisée en " chambres " spécialisées, ne constitue pas un troisième degré de juridiction, c'est-à-dire un " second appel ", connaissant à nouveau du fond des affaires, mais uniquement l'instance suprême, juge du droit et non du fait (sauf, au pénal, le cas du recours en révision pour erreur judiciaire), dont la mission est de contrôler la légalité des jugements, c'est-à-dire leur conformité aux règles juridiques, tant pour le fond que pour la forme. Elle ne juge donc pas les affaires, mais les jugements, qu'elle casse ou non et, dans le premier cas, renvoie éventuellement pour nouveau jugement auprès des tribunaux compétents.

1. Dans tous ces Tribunaux, ainsi que nous l'avons vu pour certaines des juridictions d'attribution d'ordre civil, on recourt, plus ou moins largement, à une formule d'échevinage, n'impliquant pas forcément élection ni identité de catégorie (enfants), mais simplement des juges non magistrats de carrière.

II. LES JURIDICTIONS ADMINISTRATIVES

Nous reprendrons ici la distinction entre juridictions de droit commun et juridictions d'attribution, dans le même sens que précédemment.

LES JURIDICTIONS DE DROIT COMMUN.

Ce sont, sauf de rares exceptions, en première instance, les Tribunaux administratifs et, en appel, le Conseil d'État.

Les Tribunaux administratifs. — Ils ont succédé, en 1953, aux Conseils de préfecture, datant de l'An VIII.

Avant 1953, ils n'étaient que juges d'attribution, et c'était le Conseil d'État qui était juge de droit commun du contentieux confié à la juridiction administrative. La multiplication de leurs attributions par des textes successifs, jointe au désir de décongestionner le Conseil d'État devant lequel s'accumulaient les affaires en instance, aboutirent à faire des Tribunaux administratifs les véritables juges de droit commun administratif en première instance. Interdépartementaux, comme les anciens Conseils de Préfecture, tout au moins après 1926, les Tribunaux administratifs sont, en principe, compétents en fonction du siège de l'autorité administrative engagée dans le litige.

Le Conseil d'Etat. — Il est devenu depuis 1953 le juge d'appel normal des Tribunaux administratifs. Pas plus qu'avant, où il était juge de première instance, il ne peut donc être considéré, purement et simplement, comme le symétrique, dans l'ordre administratif, de ce qu'est la Cour de Cassation, dans l'ordre judiciaire.

En effet, il est, d'abord et en premier lieu, ce qu'elle n'est jamais, c'est-à-dire juge d'appel, conformément au principe judiciaire français du double degré de juridiction.

En second lieu, le Conseil d'État est également ce que la Cour de Cassation n'est jamais non plus : juge de première instance, avec une compétence d'attribution, que nous retrouverons dans un instant.

Enfin, il est également ce que la Cour de Cassation n'est pas davantage, à savoir conseiller du Gouvernement, en matière administrative et législative, ce qui est d'ailleurs, cette fois, une attribution extra-juridictionnelle.

Tout cela n'empêche pas, néanmoins, que le Conseil d'État soit " aussi " le symétrique de la Cour de Cassation, en tant que Tribunal suprême de Cassation dans l'ordre administratif, sauf évidemment, pour les décisions juridictionnelles émanant des juridictions dont il est juge d'appel, puisque dans ce cas il suffit de déférer appel.

LES JURIDICTIONS D'ATTRIBUTION.

Le Conseil d'État. — Il est, en effet, juge de première instance d'exception pour des litiges administratifs particulièrement importants, soit en raison du champ d'application de l'acte (du ressort de plusieurs tribunaux administratifs), soit en raison de l'auteur des actes (recours contre les décrets et situation des fonctionnaires nommés par décret).

La Cour des Comptes. — Elle est le juge automatique, en dehors de tout litige, des comptes des comptables publics, c'est-à-dire du respect des règles de la comptabilité publique.

Les Juridictions disciplinaires. — Elles ne doivent pas être confondues avec les simples conseils de discipline, dépourvus de caractère juridictionnel. Assez nombreuses, ces juridictions se rencontrent aussi bien pour des fonctionnaires, du côté de l'Administration, que pour des membres des professions dites libérales, de la part des " ordres " qui les régissent. Leurs décisions, comme les arrêts de la Cour des Comptes, demeurent justiciables de la cassation par le Conseil d'État.

Telles sont, dans leurs grandes lignes, les institutions judiciaires de la France contemporaine. On n'a pas eu d'autre ambition, en les esquissant, que d'en présenter un panorama synthétique, purement descriptif et structurel, en dehors de toute considération sociologique et fonctionnelle. On a dû se résigner à ce seul point de vue, afin de répondre au double impératif d'initiation et de brièveté.

Gérard DEHOVE
*Doyen de la Faculté de Droit
et des Sciences économiques de Lille.*

LA PRODUCTION
ET LES ÉCHANGES

Comment, depuis la Libération, la France a essayé d'équilibrer son économie, comment elle a renouvelé son agriculture et, malgré les ruines de la guerre et de l'occupation, rééquipé ses usines au point que l'indice de sa production industrielle est passé entre 1935 et 1955 de 100 à 175, voilà ce que montrent dans les quatre études qu'on va lire M. Gérard Dehove, doyen de la Faculté de Droit et des Sciences économiques de Lille, M. Jean-Paul Bardin, conseiller technique au Ministère de l'Agriculture, M. C.-J. Gignoux, membre de l'Institut, Directeur de la Revue des Deux Mondes et M. Pasdeloup, professeur agrégé de l'Université.

LES GRANDS PROBLÈMES ÉCONOMIQUES

Monsieur de la Palisse — dont on a beaucoup médit — n'aurait pas manqué de penser que, pour avoir quelque chance de surmonter des problèmes, la première condition était d'avoir la conscience de leur existence et la seconde, la volonté de les affronter. Il n'est pas sans intérêt de rappeler ces évidences. En nous mettant d'emblée en présence de tout l'arrière-plan psychologique qui conditionne la solution des grands problèmes économiques auxquels la France doit faire face aujourd'hui, ces apparentes naïvetés permettent de comprendre les devoirs que les grands problèmes en question imposent tant aux professionnels qu'aux pouvoirs publics.

LES DEVOIRS DES PROFESSIONNELS.

Les entrepreneurs. — Avec eux, comme d'ailleurs avec chacun des autres éléments de la population dont nous allons être amené à examiner le comportement, nous nous trouvons de plain-pied au contact des antécédents historiques et des attitudes mentales qui pèsent de tout leur poids sur les " traditions " d'un peuple qui, à cause d'elles, semble mal préparé à affronter les exigences de notre temps. Les notions de sécurité et d'habitude, si chères aux entrepreneurs français, les conduisent trop souvent, en effet, à adopter une optique à la fois statique et interne, alors que tout nous impose le double devoir de l'expansion, à l'intérieur, et de la présence, sur le marché international. Ce n'est pas seulement, ni même sans doute principalement, le fait de la routine, encore moins celui de la paresse. C'est davantage, ou plutôt, semble-t-il, la conséquence d'une conception " familiale " de l'entreprise, maintes fois signalée par de bons observateurs étrangers, comme David S. Landes, par exemple. Celle-ci conduit à donner le pas à ce qui est " acquis " et à ce qui est " sûr ", par rapport à ce qui pourrait être développé au prix de certains risques. Ce n'en est d'ailleurs que plus grave car, s'il en est ainsi, on ne se trouve pas en présence d'insuffisances passagères ou de défaillances momentanées, mais bel et bien d'une mentalité permanente, dont il importe de se débarrasser au plus vite.

Les salariés. — Dans toute la mesure où l'état d'esprit que nous venons de mentionner correspond à une donnée de la psychologie nationale, les salariés eux aussi tendent à donner le pas à ce qui est acquis, sûr et habituel, sur ce qui est à conquérir, risqué et novateur. Sans doute sont-ils enclins à " faire le procès " de leurs employeurs, mais ceux-ci ne manquent pas de leur rendre la politesse, chaque catégorie sociale se complaisant ainsi à rechercher, en dehors d'elle-même, les " boucs émissaires ", susceptibles de faire figure de " responsables ". Pour les salariés, la " faute " incombe donc toujours à l'égoïsme patronal, jamais à son statisme, tandis que, pour les employeurs, elle vient des prétentions de leurs salariés, jamais de la productivité, où le défaut d'organisation des uns et le manque d'esprit de coopération des autres se partagent la responsabilité. Autrement dit, tout s'expliquerait par les " profits " des uns qui seraient excessifs, ou les " salaires " des autres, trop élevés, mais jamais par la production, qui est insuffisante et trop onéreuse. C'est que les uns ont peur de manquer de débouchés, dans le même temps que les autres redoutent de manquer d'emploi. La mévente et le chômage sont leur terreur, bien plus que l'inflation ou le protectionnisme. Des prix élevés et des salaires élevés assurent donc leur réconciliation, tout au moins relative, le seul malheur étant que les prix sont trop élevés par rapport aux prix mondiaux pour ouvrir de nouveaux débouchés et créer de nouvelles possibilités d'emploi, pendant que les salaires demeurent trop bas par rapport aux prix nationaux pour garantir sérieusement contre les risques de mévente ou de chômage.

LES DEVOIRS DES POUVOIRS PUBLICS.

Lorsque, dans un pays, le débat se centre fallacieusement sur la répartition, au lieu de s'axer sur la production, il appartient aux pouvoirs publics d'entreprendre un immense effort d'information et de formation, tant pour leur propre compte qu'au service des intéressés.

Pour leur propre compte. — La concordance de l'offre nationale avec la demande interne, si " miraculeuse " lors de la grande dépression de l'entre-deux-guerres, peut-elle et doit-elle demeurer notre " règle d'or "? L'économie de guerre, avec la pénurie et le dirigisme, n'ont-ils pas assuré, à chacun, le maintien de ses positions? Ultérieurement, lorsque la reprise de la lutte commerciale a commencé à mettre tant soit peu en péril les affaires qui n'étaient pas adaptées, alors que la production demeurait cependant insuffisante, l'inflation et la législation économique n'ont-elles pas contribué à maintenir de véritables " primes d'ancienneté ", les prix de vente fixés par l'administration étant établis d'après les prix de revient les moins favorables et les pouvoirs publics ne pouvant d'autre part résister indéfiniment aux demandes d'augmentation des prix, dans une période de hausse générale des prix et des salaires? Le réflexe des particuliers, en face de cette hausse des prix, n'ayant pas été, comme en Amérique, la diminution des achats, mais leur accroissement, tant en raison de l'ampleur des privations antérieures que de la méfiance dans l'avenir de la monnaie, ces primes d'ancienneté ne se trouvèrent-elles pas reconduites? N'en fut-il pas encore ainsi lorsque, les Français continuant à porter presque tout leur revenu sur le marché des biens de consommation, alors que la production de biens d'investissement constituait une part importante de l'activité nationale, l'inadaptation de l'offre à la demande fut le résultat de cette contradiction entre les préférences individuelles pour la consommation immédiate et la volonté des pouvoirs publics de moderniser l'équipement national? L'accroissement des impôts, conséquence de l'insuffisance des ressources disponibles sur le marché financier, ne contribua-t-il pas à entretenir la hausse des prix, l'incorporation des charges fiscales dans les prix de vente étant facilitée par la psychologie inflationniste, qui conférait aux vendeurs une situation prédominante? La législation fiscale n'est-elle pas également à mettre en cause lorsque, favorisant l'accumulation des capitaux dans les affaires existantes, elle contrarie la formation de l'épargne individuelle et la création d'entreprises nouvelles, ou encore lorsque, comme ce fut trop longtemps le cas, l'amortissement des machines ne pouvant être déduit du chiffre d'affaires pour le calcul de la taxe sur les objets fabriqués, le remplacement de la main-d'œuvre par la machine se trouve ainsi rendu artificiellement moins rentable?

Vis-à-vis des intéressés. — Si tout cela est exact, il appartient aux pouvoirs publics d'en tirer les enseignements, d'abord pour leur propre action, mais aussi pour l'édification des intéressés. Il ne convient pas seulement, en effet, d'alerter l'opinion, mais encore de lui expliquer pourquoi les structures de l'économie nationale sont dangereusement sclérosées et à quel point les effectifs des intermédiaires se sont abusivement gonflés. Si l'on croit qu'il est vraiment grand temps de passer du narcissisme à l'esprit critique, ou du simple complexe d'infériorité à la volonté d'adaptation et de rénovation, il convient de dégager nettement les deux impératifs qui s'imposent à l'économie française : celui d'expansion intérieure et celui de présence internationale, en indiquant pourquoi il en est ainsi, et comment on peut parvenir à les satisfaire.

I. L'IMPÉRATIF D'EXPANSION INTÉRIEURE

SES RAISONS.

Les raisons qui militent en faveur d'un vigoureux effort d'expansion intérieure se ramènent toutes à la double nécessité de sauvegarder le présent et d'assurer l'avenir.

Pour sauvegarder le présent. — Du point de vue biologique, notre structure démographique accuse une amélioration de la natalité ainsi qu'un abaissement de la mortalité, ce qui signifie que les enfants, qui ne travaillent pas encore, et les vieillards, qui ne travaillent plus, sont les uns et les autres plus nombreux, ces deux éléments pesant d'un poids plus lourd sur la production des adultes. Si celle-ci n'augmentait pas, la prospérité de tous ne manquerait donc pas d'en souffrir. Du point de vue professionnel, notre structure démographique révèle un développement des effectifs s'adonnant au commerce et aux services de tous ordres, au détriment de ceux qui se consacrent à l'agriculture. Or, tout développement de la production facilite le problème des structures de la distribution, puisqu'une production plus abondante justifie un nombre important de commerçants, dans le même temps que toute expansion économique permet d'absorber les excédents de la population agricole, provenant aussi bien de sa productivité accrue que de l'abandon progressif des exploitations non viables.

D'un autre côté, dans le domaine de l'équipement, compris au sens le plus large, un double problème se posa à la France, à la fin des hostilités. Elle dut réparer ses ruines, qui étaient considérables, et rattraper un retard énorme, du fait que le matériel n'avait pu être ni entretenu, ni à plus forte raison renouvelé, depuis 1940, alors que, dans le même temps, pour répondre à l'effort de guerre, le potentiel industriel des États-

Unis et de la Grande-Bretagne avait été sans cesse accru. Il fallut, par conséquent, maîtriser, en toute première urgence, les " goulots d'étranglement ", imputables à l'insuffisance des moyens de production disponibles, et qui freinaient la reprise de l'activité économique, en même temps que la reconstruction, dans des activités aussi essentielles que l'énergie, les transports, la sidérurgie ou le bâtiment.

Pour assurer l'avenir. — Le maintien de la natalité est la garantie d'une expansion de l'économie, avec l'augmentation de la demande, la suppression du problème des transferts d'activités, l'accroissement des rendements individuels grâce à la spécialisation du travail, l'allègement de la charge que représentent, pour chacun, les frais généraux de la nation. Sans expansion, le pays se condamnerait à l'impossibilité d'assurer, à ses diverses catégories sociales, un sort comparable à celui dont elles ne manquent pas de faire état, au bénéfice de leurs pareilles, en dehors de nos frontières, ce qui signifierait une désaffection croissante de couches de plus en plus larges de la population, des troubles sociaux, l'anarchie politique, le détachement des peuples d'outre-mer, et la méfiance de nos alliés.

SES EXIGENCES.

Les exigences d'une telle politique sont apparues et apparaissent encore en considérant ce qui a été fait et ce qui reste à faire.

Ce qui a été fait. — Un premier plan de modernisation et d'équipement fut élaboré en 1946 par un " Commissariat général ", en coopération avec les ministères intéressés, sur la base des travaux de " Commissions de modernisation ", réunissant des professionnels à côté de représentants des pouvoirs publics. Initialement prévu pour 4 ans (1947-1950), il mit l'accent sur 6 activités de base : houillères, électricité, sidérurgie, ciment, machines agricoles et transports intérieurs. Ses objectifs furent ultérieurement ajustés afin de les harmoniser avec ceux fixés dans le cadre de l'O. E. C. E. et sa durée de réalisation fut étendue à la période prévue pour l'application du programme d'aide Marshall, c'est-à-dire jusqu'en 1952-1953. Tout en poursuivant le développement des secteurs de base, un second plan, élaboré en vue de couvrir la période de 1954 à 1957, fit une plus large place que le précédent aux activités intéressant directement le niveau de vie : industries de transformation, construction et agriculture. Le 3e plan porte sur la période 1958-1961 et vise à assurer plus particulièrement l'équilibre des finances extérieures, en même temps qu'à poursuivre l'effort antérieur, dans le double domaine de la production agricole et industrielle. Tous ces plans consistent en des programmes d'orientation et d'investissements, reposant essentiellement sur des formules de prêts sur fonds publics, provenant en majeure partie de l'impôt. Parallèlement, une action en faveur de la productivité était poursuivie sous l'égide d'un autre " Commissariat général ", aujourd'hui fusionné avec le précédent, tandis qu'une " comptabilité nationale " était mise sur pied.

Ce qui reste à faire. — Malgré l'ampleur de la tâche effectuée, qu'il serait profondément injuste de méconnaître, et l'amélioration des structures administratives, avec la concentration, auprès du " Fonds de développement économique et social ", des divers fonds antérieurement utilisés pour le financement, l'effort qui reste à accomplir demeure d'autant plus considérable que les objectifs se sont multipliés et diversifiés. Il ne s'agit plus seulement d' "équiper " ou de " moderniser ", c'est-à-dire de développer ou de rénover l'appareil de production, mais aussi, désormais, de " convertir " et de " décentraliser ", c'est-à-dire de remédier à de fâcheuses inadaptations de la part de certaines entreprises ou de certaines régions. Pour cela, le Trésor doit continuer à créer d'autorité de l'épargne, afin de la mettre à la disposition des entrepreneurs, en dépit de la restauration partielle du marché financier, et toujours avec l'obligation de ne pas compromettre la monnaie.

En outre, il serait vain de se dissimuler que, même des seuls points de vue anciens, qui demeurent d'ailleurs toujours valables, des retards ou des distorsions se sont manifestés, au moins dans certains secteurs, par rapport aux prévisions initiales. Une attitude commode, bien que très discutable, a consisté à en imputer presque constamment la responsabilité principale à la demande intérieure, jugée excessive, ce qui ouvre la porte à des discussions de théorie, en même temps que de politique économique, qu'il ne saurait être question même de résumer ici, d'autant plus qu'elles revêtent une portée qui dépasse le seul cas de la France.

II. L'IMPÉRATIF DE PRÉSENCE INTERNATIONALE

SES RAISONS.

Les Français donnent parfois l'impression d'avoir quelque difficulté à comprendre qu'il leur faut importer, à la fois pour produire et pour vendre, ainsi qu'exporter, pour pouvoir importer. Ce sont pourtant là deux nécessités inéluctables, qui commandent le dépassement d'une optique limitée au seul marché intérieur.

La nécessité des importations. — Il est bien évident que, pendant la période de reconstruction, il n'était ni possible ni souhaitable de restreindre les achats de produits indispensables à l'économie nationale et, en particulier, les sources d'énergie, les matières premières, les machines et les biens d'équipement, que nous ne produisions pas, ou trop peu, ainsi que des denrées alimentaires, dont la production n'était pas effectuée, au moins suffisamment, dans la métropole ou dans la communauté française. Il en est encore de même, aujourd'hui, en raison de l'ampleur des investissements et des délais qu'impliquent les efforts de mise en valeur de nos ressources nationales, notamment dans le domaine de l'énergie; en raison, également, de notre besoin, très général, en matières premières d'origine étrangère, comme dans le textile, par exemple, en dépit des efforts développés en direction des fibres synthétiques; en raison, enfin, du désir de ne pas abaisser le niveau de vie des nationaux.

Parfois aussi, certaines importations dites " de choc " furent et demeurent commandées par la nécessité d'agir sur les prix intérieurs, que la production nationale se révèle momentanément inférieure à la demande, ou qu'il s'agisse d'entraver une spéculation à la hausse, en obligeant les producteurs à écouler leurs stocks, quoique cette seconde raison puisse conduire à discuter de l'opportunité du procédé.

D'un autre côté, on ne saurait faire abstraction du fait que certaines de nos importations sont, bien souvent, la contrepartie des exportations que nous effectuons, dans le cadre des accords commerciaux conclus entre nous et nos partenaires, c'est-à-dire que les achats en question n'alourdissent pas notre déficit commercial, même s'ils portent sur des produits qui ne sont pas indispensables, puisqu'ils conditionnent certaines de nos ventes, à la condition, naturellement, que l'importance, en valeur, de ces achats, ne l'emporte pas trop sur le montant des ventes correspondantes.

La nécessité des exportations. — Qui a besoin d'acheter doit se mettre en mesure de vendre. Sans doute, autrefois, en allait-il différemment, les vieux pays évolués et riches comme la Grande-Bretagne et la France achetant toujours plus de marchandises à l'étranger qu'ils ne lui en vendaient. L'équilibre de leurs échanges était rétabli par les rentrées de devises provenant des intérêts des capitaux placés à l'étranger, des paiements de services fournis à l'étranger (primes d'assurances, frêts, etc.), ou bien encore des dépenses effectuées sur place par les touristes étrangers. Le déficit commercial étant plus que compensé par ces diverses rentrées, la prospérité des pays en question ne se trouvait pas menacée. Malgré l'amenuisement progressif de nos investissements à l'étranger, au cours de l'entre-deux-guerres, en raison de la dépréciation monétaire et de l'accroissement de la fiscalité, cette situation se prolongea, pour la France, jusqu'à la seconde guerre mondiale. Mais au terme de celle-ci, tout était changé!

Non seulement nous avions presque tout à acheter alors que nous n'avions rien à vendre, dans le domaine des marchandises, mais encore nous n'avions plus de postes excédentaires, par ailleurs, pour compenser ce déficit commercial. Nous avions liquidé la plus grande partie de notre portefeuille en valeurs étrangères, une réserve d'or fortement entamée ou thésaurisée, des recettes de frets insignifiantes au regard des dépenses correspondantes, et aucun mouvement touristique.

SES EXIGENCES.

Ce qui a été fait. — Les mesures les plus notables s'inscrivent dans le triple cadre, d'une part, d'un développement de l'assurance et du crédit au commerce extérieur, en vue de réduire les risques et les besoins de trésorerie des exportateurs français; d'autre part, d'assouplissements au régime du contrôle des changes, visant à assurer, aux exportateurs, la disposition d'une partie des devises étrangères gagnées par eux, pour couvrir leurs frais ou acquérir les matières premières qui leur sont nécessaires; enfin, d'une politique de dégrèvements fiscaux et de remboursements de leurs charges sociales, afin d'abaisser leurs prix en face de la concurrence étrangère.

La première série de dispositions correspond à la création de la " Banque française du commerce extérieur ", de la " Compagnie française d'assurance pour le commerce extérieur " (C. O. F. A. C. E.), et de divers groupements professionnels, ainsi qu'à des aménagements de tarifs bancaires. La seconde série de mesures correspond à la création des comptes E. F. Ac. (Exportation — Frais Accessoires, rendant aux exportateurs la disponibilité d'une partie de leurs recettes en vue de couvrir leurs frais de publicité, d'assurances, de transport ainsi que d'achat de matières premières) et à l'instauration de la procédure IMEX (ouvrant, aux exportateurs, des crédits pour leurs achats de matières premières dans la zone monétaire où ils s'engagent à exporter ultérieurement). Enfin, la troisième série de mesures est facile à comprendre, mais s'avère extrêmement révélatrice : les prix français sont trop élevés, tout au moins nous passons notre temps à l'affirmer bien haut nous-mêmes, alors que c'est peut-être extrêmement discutable dans de très nombreux cas, si l'on veut bien tenir compte des différences de qualité, en notre faveur. De toutes façons, un immense effort de concentration a été accompli, tout au moins dans certaines branches d'activité, qui doit conduire à une réduction sensible des coûts de production et, partout, la prise de conscience s'est affirmée, d'avoir à faire face aux exigences impliquées par la constitution du " Marché Commun ".

Ce qui reste à faire. — Déterminer le bien fondé de l'affirmation relative aux prix français, c'est-à-dire rechercher s'il est vrai ou non que ceux-ci soient plus élevés que les prix étrangers et, dans l'affirmative, analyser les raisons de cet état de fait, pour pouvoir y remédier, a fait l'objet des études de deux comités officiels successifs, dont les conclusions sont connues sous les noms de " rapport Nathan " (1954) et de " rapport Boissard " (1955). La question nous remet en présence des problèmes de structure, d'équipement, de modernisation et de productivité, déjà rencontrés à propos de l'expansion intérieure. Elle fut d'autant plus sérieuse qu'après les dons de l'aide Marshall, la France avait bénéficié des crédits de l'Union européenne des Paiements, vis-à-vis de laquelle sa position fut fortement débitrice. La crainte d'une rechute dans l'inflation, de même que celle d'une persistance, sinon d'une aggravation, du déficit des finances extérieures, ont largement dominé la politique du crédit au secteur privé, jusqu'au document connu sous le nom de " rapport Rueff " (1958) inclusivement. On a dit que celui-ci avait déterminé l'orientation des choix fondamentaux de la Ve République, en matière de politiques monétaire et financière.

Mais il n'est pas interdit de penser qu'il avait plus de signification politique que de valeur scientifique.

En tout état de cause, les efforts demandés aux Français, et acceptés par eux, en décembre 1958, conduisirent à une nette amélioration de la situation. De toutes manières, il paraît peu contestable que la France sera d'autant plus en mesure d'honorer ses engagements, vis-à-vis de ses partenaires du Marché Commun, que son économie sera plus robuste. Et si la confiance de ses nationaux a pu paraître la première condition permettant d'assurer la stabilité de son économie, sans compromettre son expansion, cette confiance continue à constituer l'une des premières conditions de son succès.

Gérard DEHOVE
Doyen de la Faculté de Droit
et des Sciences économiques de Lille.

Annuaire de la vie économique française, numéro spécial annuel de la *Revue d'Economie Politique*, Paris, Sirey.

DUMONTIER (Jacques) et MALTERRE (André) : *Conjoncture économique*, Rapports périodiques au Conseil Economique et Social, Paris, Journaux Officiels.

JEANNENEY (J.-M.) : *Forces et faiblesses de l'économie française*, Paris, Colin 1re éd. 1956, 2e éd. 1959.

Hebdomadaire *l'Economie*.

ACTIVITÉ INDUSTRIELLE
ET ÉQUIPEMENT TECHNIQUE

Pour bien comprendre les conditions dans lesquelles s'est poursuivi le développement industriel de la France, ses réussites, ses difficultés, et finalement l'aspect particulier sous lequel il se présente à l'observateur étranger, il faut se rappeler que l'on est en présence d'un très vieux pays qui a dû bien des fois au cours des âges adapter à l'évolution et parfois à de véritables révolutions économiques ses activités et ses techniques.

Ces dernières, chez un peuple qui, depuis des siècles, occupe le même sol, sont nécessairement influencées par lui et par les conditions géographiques. Par exemple, dès l'antiquité, la France, riveraine de plusieurs mers et placée sur les grandes voies de pénétration vers le centre de l'Europe, a vu se développer chez elle un commerce actif et elle a créé des industries pour alimenter ce commerce. Ce furent d'abord, comme l'époque le voulait, des industries artisanales mais de très bonne heure orientées vers le produit de *qualité*. Quand est venu l'âge de l'industrie de *quantité*, la France a connu l'inconvénient d'être médiocrement approvisionnée en matières premières : elle a du charbon, mais pas assez, elle a du minerai de fer en quantité exportable, mais elle doit importer la presque totalité de ses besoins en coton, laine, jute, pétrole, caoutchouc, plomb, zinc, manganèse, etc... même en tenant compte de l'apport de la France d'Outre-Mer. C'est dire qu'au fur et à mesure que notre pays s'est engagé dans le cycle des grandes industries modernes, sa dépendance extérieure s'est accrue, même et surtout pour certaines activités aussi traditionnellement françaises que l'industrie textile ou la transformation des métaux.

Cette circonstance a fait qu'au moment de la grande révolution industrielle du début du XIXe siècle, déclenchée par l'apparition de la machine à vapeur et des premiers métiers mécaniques, la France ne s'est pas entièrement orientée dans le sens de cette évolution : elle est restée à la fois industrielle et agricole. La plupart des Français, même ceux qui ne s'intéressent plus aux choses de la terre, ont une hérédité paysanne, ce qui les rend tenaces, économes, mais aussi très individualistes et peu enclins au groupement et à l'association jusqu'au moment où il devient manifestement impossible de s'en passer.

Cela ne signifie aucunement — et nous le verrons dans un instant — que l'industrie française soit restée inapte aux grandes créations industrielles : la preuve contraire a été maintes fois apportée, non seulement par la multitude des inventions qui sont parties de chez nous, mais encore par les applications qui en ont été faites et par des réalisations égales ou supérieures à celles de pays plus favorisés par leurs ressources naturelles. Cela explique par contre la longue survivance d'entreprises personnelles ou familiales qui ne cèdent que devant l'exigence d'une concentration plus grande de capitaux, ou encore la survivance dans certaines régions françaises d'un type d'artisan rural, inconnu ailleurs, comme celui qui ajoute à une petite exploitation agricole le travail d'un ou plusieurs métiers à tisser produisant pour une firme plus importante. A un échelon plus élevé, on trouve un assez grand nombre d'entreprises petites et moyennes qui ne peuvent suivre que lentement les progrès constants de la technique. Ce sont évidemment là des formes d'activité qui doivent être modernisées et transformées, et on verra plus loin ce qui est fait dans ce sens, mais on voit dès maintenant les raisons pour lesquelles ces transformations ne sont ni aussi aisées ni aussi rapides que lorsqu'on crée de toutes pièces une industrie nouvelle dans un pays neuf.

Cela dit, on aurait tort de croire que le Français ne s'aperçoit pas que le monde évolue et qu'il ne connaît les autres peuples que pour leur vendre du cognac, du vin de champagne, des robes, des parfums, des articles de Paris et une littérature plus ou moins étrange. L'industrie française n'a jamais borné là sa production, et c'est dans un sens nouveau qu'elle s'efforce à justifier sa vieille réputation d'industrie de *qualité*. Le produit de qualité n'est pas nécessairement un produit de luxe : une bonne machine et un bon tissu sont objets de qualité et au siècle de l' " ersatz " l'ouvrage bien fait n'a pas perdu tout son prix. La marque française demeure encore très généralement une marque de garantie, ce qui compense dans une large mesure une moindre aptitude à la production de masse.

Un jugement sur le développement industriel français doit aussi tenir compte du fait qu'il s'agit d'un pays qui, deux fois en vingt-cinq ans, a servi de champ de bataille aux pays libres. En 1914-18 sept départements parmi les plus riches et les plus productifs ont été envahis et plus ou moins détruits : ils ont dû être rééquipés à nos frais, en raison du paiement très incomplet des réparations. En 1939-45 les dommages ont été beaucoup plus grands, parce qu'ils ont intéressé l'ensemble du territoire : on peut les mesurer au fait qu'au moment de la Libération la production française n'atteignait pas 40 % de son niveau de 1938, année qui, pour diverses raisons, avait été elle-même d'un médiocre rendement. Il faut en outre observer que pendant l'occupation, l'outillage industriel, dans la mesure où il avait échappé aux prélèvements de l'occupant et aux destructions volontaires ou non, n'avait évidemment pas été renouvelé, alors qu'au contraire, dans la plupart des pays, l'industrialisation de plus en plus poussée de la guerre moderne avait fait réaliser à l'équipement de remarquables progrès.

Le redressement de la production française a été rapide : son développement a été particulièrement marqué au cours des dernières années, puisqu'à la fin de 1957 l'indice de la production industrielle calculé sur la base 100 en 1952 s'établissait à 146.

Ces résultats ne sont évidemment pas l'effet du hasard. L'État s'est intéressé activement à la reconstitution et à la modernisation de l'équipement. Ce fut là une nouveauté. Jusqu'ici, c'est-à-dire pendant tout le xixe siècle et le début du xxe, l'expansion industrielle avait été, sauf exception, du seul domaine de l'initiative privée : les entreprises qui étaient amenées à envisager des investissements nouveaux, si elles ne disposaient pas de réserves suffisantes, utilisaient leur crédit ou faisaient appel au marché financier. Au lendemain de la guerre, celui-ci était fort éprouvé comme toutes les formes de la richesse française : en outre, il fut décidé vers la même époque de nationaliser diverses industries de base, comme les charbonnages et la production de l'énergie électrique, les transports par fer ayant fait l'objet de la même mesure, dès 1937. Il existait donc tout un secteur, au développement duquel l'État était directement intéressé et dont les autres se trouvaient naturellement dépendre pour une large part.

En 1946, fut élaboré le premier plan de modernisation et d'équipement, concernant la reconstitution et le développement de l'outillage. Plutôt que d'une entreprise comparable aux plans quinquennaux de l'Allemagne nationale-socialiste ou de la Russie soviétique, il s'agissait d'orienter les efforts d'après guerre vers les branches d'activité dont le développement paraissait le plus essentiel et le plus urgent : c'est-à-dire les industries de base, tout en y comprenant la mécanisation de l'agriculture. Certaines corrections nécessaires sont intervenues en faveur des industries de transformation et du bâtiment, au cours de l'exécution du plan de 1946 déjà, mais surtout lors de l'élaboration du second plan mis en route en 1952. Un troisième plan d'équipement lui a succédé en 1958.

Il n'était en effet pas question d'interrompre l'effort ainsi entrepris. Si l'on peut admettre que, dans certains secteurs, comme la sidérurgie, des réalisations remarquables ont été obtenues, il est nécessaire de les maintenir au niveau des progrès continus de la technique : en même temps, il reste beaucoup à faire dans d'autres domaines, comme la modernisation de l'agriculture ou la mise en valeur de régions " économiquement faibles ". Enfin l'expansion continue dont bénéficie l'économie française depuis plusieurs années a déterminé, dans certaines branches, une augmentation de la demande à laquelle il ne peut être satisfait que par un nouveau développement et une amélioration de l'outillage.

L'aide Marshall a financé les investissements français à concurrence de 60 % en 1948, de 80 % en 1949, de 50 % encore en 1950 : les principaux bénéficiaires de ce concours ont été les Charbonnages, l'Électricité, la Compagnie Nationale du Rhône; les grandioses réalisations de Génissiat et de Donzère-Mondragon, la Centrale thermique de Carling, la plus puissante d'Europe, ont pu être menées à bien grâce à cet appoint. Le reste a été fourni par l'épargne libre, mais aussi par l'impôt. Depuis la fin de l'aide Marshall ces deux dernières ressources restent les seules, mais l'amélioration de la conjoncture générale a permis une reconstitution et une mobilisation de l'épargne qui, sans atteindre encore le niveau qui serait nécessaire, ont efficacement soutenu l'effort entrepris. Diverses dispositions législatives ont été arrêtées pour encourager ce mouvement. Il arrive encore que, lorsqu'on parle de l'épargnant français, on imagine un personnage timoré qui enfouit ses économies dans un bas de laine où bien entendu elles ne servent à rien.

Cette époque est dépassée. Seulement, après deux guerres et les accidents monétaires qui ont suivi, les épargnants, eux aussi, ont eu besoin d'être rééduqués.

Au point où nous sommes arrivés de la politique d'équipement, elle prend une forme nouvelle ou complémentaire, qui est la reconversion. On entend par là les efforts poursuivis pour orienter vers des activités différentes des entreprises dont l'affectation actuelle cesse d'être rémunératrice ou n'est pas susceptible de développement. Il peut arriver en effet que des marchés se ferment, pour des causes politiques, économiques ou même psychologiques. Les conséquences du progrès technique jouent aussi leur rôle : le développement extrêmement rapide de l'industrie des plastiques, en raison des multiples applications des produits de l'espèce, influencera et compliquera la vie d'industries plus anciennes.

Toutes les industries qui peuvent être utilement "reconverties" ne sont pas capables de se reconvertir elles-mêmes. Les entreprises qui disposent d'importantes réserves n'ont pas attendu évidemment qu'on parle de la reconversion pour la pratiquer : elles se sont adaptées d'elles-mêmes aux exigences de l'évolution. D'autres ne peuvent pas le faire sans aide : un dispositif administratif et financier a été prévu pour les aider, après vérification attentive des possibilités qu'elles s'attribuent.

Plus récemment une action d'ensemble a été entreprise en faveur des régions dont l'activité économique est déficiente ou, au contraire, de celles qui sont en pleine expansion et se trouvent de ce fait en présence de problèmes nouveaux, comme l'augmentation de la capacité de transports ou de logements. Le cas le plus fréquent est assurément celui des régions de la première catégorie dont certaines sont, depuis très longtemps, en régression continue. La cause de ce marasme est parfois très simple-

Une raffinerie de pétrole
Ph. A. D. P.

ment que la région en cause n'a pas d'aptitudes industrielles faute que la nature l'en ait pourvue, mais très souvent aussi on se trouve en présence d'un excès de centralisation à la fois politique, économique et administrative qui a groupé autour de Paris et des grandes villes des industries qu'il y aurait possibilité et même nécessité de faire fonctionner ailleurs.

L'initiative la plus originale prise en ce sens a été la création, dans la presque totalité des départements, d'organismes chargés tout d'abord d'inventorier leurs aptitudes, puis de les mettre en valeur. Il en est des régions économiques comme des hommes, dont il se trouve fort peu qui soient totalement inutilisables. Si évidemment on ne peut pas installer partout une aciérie, il existe presque partout, sur le plan agricole, touristique, etc... des possibilités locales à développer, et ce développement offre au moins l'avantage de décharger les régions plus favorisées du soin de contribuer à ce qu'on pourrait appeler les frais généraux de la nation aux lieu et place des régions économiquement faibles. En outre, cette manière de prospection permet de mettre à la disposition d'industries très concentrées qui sont disposées à essaimer dans d'autres régions, un état précis des disponibilités locales en transports, en main-d'œuvre, en logements, etc.... Ici encore l'État a décidé d'intervenir pour aider directement ou indirectement ces diverses opérations : comme ses moyens sont limités, il a en dernier lieu désigné un certain nombre de régions sur lesquelles l'effort devra porter tout d'abord. Naturellement, il n'est pas désirable, ni du reste concevable que l'État seul assume cette forme particulière d'équipement : le concours des capitaux locaux est indispensable. La meilleure chance de l'obtenir est l'intérêt que leurs détenteurs portent à des initiatives destinées à se développer dans leur région et sous leurs yeux.

Enfin, il convient de mentionner l'effort considérable qui a été accompli depuis la guerre dans les Territoires d'Outre-Mer. A la session de 1955 du Fonds monétaire international et de la Banque internationale de reconstruction, le Ministre des Finances français a pu établir, chiffres en mains, que notre pays avait consacré aux territoires en question une part de son revenu national plus importante que celle de tout autre pays et même que l'ensemble des opérations de la Banque internationale. Et l'on sait que le " plan de Constantine " annoncé par le Général de Gaulle prévoit, pour l'équipement économique de l'Algérie, des investissements considérables. Ce sont là des faits qu'il n'est sans doute pas mauvais de rappeler, lorsqu'il arrive que soit dénoncé le " colonialisme exploiteur " de la France. Cela dit, il s'agit d'une politique extrêmement coûteuse et qui n'a pas encore produit tous ses effets. Construire des ponts, des routes, des barrages, des écoles et des hôpitaux est en effet nécessaire mais non rentable : tout au contraire, l'entretien de ces établissements exige un apport constant de capitaux : cependant, la mise en place d'une telle superstructure est indispensable avant de passer à l'équipement directement productif, pour une population qui s'accroît d'ailleurs dans la mesure même où elle est désormais garantie contre un certain nombre de fléaux sociaux.

Les problèmes que nous venons d'esquisser doivent aujourd'hui être examinés dans le cadre de l'Europe. Ce n'est pas seulement une opportunité politique, mais ce deviendra tôt ou tard une nécessité économique, non seulement parce qu'il est déraisonnable que le camp occidental reste divisé comme il l'est, à l'époque des économies de grand espace, mais aussi parce que le coût de certaines entreprises a tendance à dépasser les possibilités d'un pays isolé.

On s'étonne volontiers, aux États-Unis notamment, des retards que comporte la réalisation d'une union économique européenne. Il ne faut cependant pas oublier qu'il s'agit d'unir des pays qui ont de très anciennes traditions nationales, dont le développement économique s'est poursuivi dans des conditions souvent très différentes et avec des résultats inégaux, en sorte qu'il est nécessaire, avant toutes choses, de parvenir entre eux à une certaine harmonisation de la production et des échanges.

La première réalisation en ce sens a été la " Communauté européenne du charbon et de l'acier ". Elle ne groupe que six Pays : Allemagne, France, Italie, Belgique, Hollande et Luxembourg, les trois derniers étant en état de pré-union douanière sous le vocable de Benelux. L'Angleterre a toutefois passé avec la Communauté un arrangement d'une assez faible portée. La Haute Autorité, qui gouverne la C. E. C. A., a directement ou indirectement un contrôle sur les investissements effectués dans les États de sa mouvance : elle peut également procéder à ce que nous appelions tout à l'heure des reconversions et préparer les fusions ou concentrations qui peuvent paraître avantageuses. Tout cela ne va pas sans certaines difficultés qui tiennent non seulement à la résistance de positions strictement nationales, mais aussi à la situation assez paradoxale qui fait que deux industries de base essentielles sont soustraites en principe à l'autorité des gouvernements intéressés, tandis que lui restent soumises toutes les industries qui dépendent des deux premières. Or, les démarches de l'autorité supranationale ne sont pas nécessairement les mêmes que celles des diverses autorités nationales. On l'a pu constater notamment quand la C. E. C. A. a autorisé une hausse des prix de l'acier, qu'en France en particulier on n'entendait pas laisser se répercuter sur des produits transformés.

Ces difficultés s'atténueront quand, par le fonctionnement du " marché commun ", l'Europe des six sera commercialement unifiée. Le traité, qui a consacré cette création, est entré en application le 1er janvier 1958. Il prévoit, comme il est naturel, une assez longue période d'adaptation aux conditions que créera sur une aussi grande unité douanière le jeu de la concurrence intégrale. Parce que certaines industries ou certaines entreprises connaissent une activité moindre que leurs voisines, plus concentrées ou plus rapidement modernisées, on est porté parfois à en conclure que l'industrie française est en retard sur celle d'un assez grand nombre de pays. Il arrive même qu'analysant les causes de ce retard, certains observateurs l'attribuent à une véritable incapacité de voir grand et à une invincible propension des Français à " vivoter ", si l'on ose dire, à l'ombre de leurs vieux clochers. On peut d'ailleurs ajouter que les Français sont souvent les premiers à proclamer " ce qui ne va pas chez eux ".

Cependant, voici quelques années, la Fédération nationale des travaux publics pouvait établir une liste de 47 records mondiaux qui reviennent à notre industrie dans le domaine des travaux publics. Nous ne saurions reproduire ici cette liste qui a d'ailleurs fait l'objet d'une très opportune publication en trois langues : on y voit figurer à côté des barrages les plus importants, les pipe-lines les plus longs, le canal le plus large, les ponts à la plus grande portée, l'écluse la plus moderne, la première usine marémotrice, etc... etc.... Et il ne s'agit pas là d'une simple carte d'échantillons, si l'on considère la progression quantitative et qualitative de plusieurs grandes industries, comme l'automobile, la sidérurgie, ou l'aluminium, à qui l'étranger demande ses procédés, et qui, non content de pousser sa production métropolitaine à un niveau sans cesse croissant, exploite maintenant des gisements et capte des fleuves africains. Le secteur nationalisé annonce des résultats équivalents : les Charbonnages de France ont battu dès 1955 leur record de production et le record européen de rendement. Ce résultat est dû à un très gros effort d'organisation et d'équipement : à un degré variable, on le discerne dans la plupart des branches de l'activité française, où s'effectue un travail, souvent moins visible mais continu, d'adaptation, de concentration et de spécialisation.

Il produira sans doute des résultats plus voyants si l'évolution de notre structure politique va de pair avec celle de notre structure industrielle. Le rôle de l'État moderne s'est partout considérablement accru en ce qui touche la direction et le contrôle de la vie économique, et on ne peut pas dire que le nôtre soit pleinement adapté à cette fonction. Pour n'en prendre qu'un exemple, il y a une évidente opposition entre les efforts de décentralisation industrielle dont nous avons parlé et la persistance d'une centralisation administrative héritée de régimes et de temps disparus. Mais c'est là une autre affaire et qui ne diminue en rien la constatation fondamentale qu'après de très dures épreuves le potentiel industriel français est plus que largement reconstitué et que certaines de ses réalisations (les barrages de Donzère-Mondragon et de Tignes, le pont de Tancarville, le four solaire de Montlouis, etc.) le placent à la pointe du progrès.

C.-J. GIGNOUX
Membre de l'Institut,
Directeur de la Revue des Deux Mondes.

L'AGRICULTURE FRANÇAISE

Les campagnes françaises conservent leur aspect traditionnel. Autour du château et de l'église, les maisons des villages se groupent, tandis que des fermes s'égrènent au loin. Des visages burinés, des mains calleuses de travailleurs, parfois le vêtement ancestral, la blouse du maquignon et les sabots des fermières sont autant de clichés qui ont été largement décrits dans une littérature paysanne très riche. Tout cela demeure vrai, et pourtant un grand bouleversement s'est produit au cours de la dernière décennie dont la France a encore à peine pris conscience.

Mais il semble nécessaire, avant d'aborder une étude sur l'agriculture, de bien préciser ce que l'on entend sous ce vocable. Dans les petits villages vivent non seulement des agriculteurs, mais aussi des ouvriers d'usines, des retraités ou d'autres personnes qui n'ont pas complètement quitté la terre et qui y conservent quelques intérêts. Ce que nous voulons décrire ici, c'est la vie des agriculteurs, leurs moyens de travail et les résultats de leurs efforts.

De plus, le visiteur est souvent frappé par l'extrême diversité de notre sol qui constitue un avantage certain, mais qui peut entraîner également des idées fausses en matière agricole. " Je connais la campagne, je vais passer l'été en Bretagne, ou en Provence : je n'ai jamais remarqué ce que vous décrivez ". Or, de quelle campagne s'agit-il?

Par sa position géographique aux limites des pays méditerranéens, de l'Europe Centrale, des plaines du Nord et de l'Océan,
sans compter la présence de massifs montagneux intérieurs,
la France offre pour pâturages aussi bien des alpages que de
grandes prairies et pour cultures aussi bien des vignobles clos
de murs que d'immenses plaines de blé. Aussi devons-nous
parfois apporter un correctif aux comparaisons trop hâtivement conclues entre certains rendements de notre pays et ceux
de nos voisins. Une moyenne ne représente jamais la réalité
des faits. Nous lisons souvent cette phrase : " Les rendements
en blé de la France sont seulement de 22 quintaux par hectare,
alors que les rendements belges atteignent 31 quintaux ". Mais
sait-on que dans l'Aisne ou la Somme la moyenne dépasse
50 quintaux? En fait, un travail réalisé au Ministère de l'Agriculture a permis de dénombrer 425 régions naturelles, présentant chacune leurs particularités et qui mériteraient d'être
décrites séparément.

*
* *

Tandis que la population globale de la France ne cesse d'augmenter, le nombre d'habitants dans les campagnes se stabilise.
Mais on constate que les villages sont peuplés de plus en plus
d'enfants et de vieillards, tandis que les hommes en pleine force
de l'âge vont travailler en ville. La population active agricole
a diminué d'un quart environ en 25 ans, soit 80 000 travailleurs
par an. Le même phénomène est constaté dans la plupart des
pays qui s'industrialisent.

En partie pour remplacer les hommes qui font défaut, les
exploitations agricoles se sont modernisées. Un appétit de
progrès extraordinaire s'est révélé dans les campagnes. Sur le
plan collectif, un effort considérable a été réalisé en matière
d'aménagement de la terre, d'adduction d'eau, d'électrification,

de voirie. Les entreprises coopératives et privées de production et de stockage de produits agricoles se sont largement développées.

Quant à l'équipement individuel, les résultats sont extrêmement saisissants. Le parc de tracteurs agricoles qui n'était que de 35 000 avant la guerre et de 50 000 seulement en 1947, est passé à 600 000 en 1958. Le rythme d'accroissement fut un doublement au cours des trois dernières années. Les moissonneuses-batteuses, de 200 à peine en 1945, sont passées à 42 000 en 1958.

Ces deux exemples montrent combien les moyens mis à la disposition des agriculteurs se sont développés et ont permis un allègement du travail ainsi que l'exécution de tous les travaux à la ferme dans des conditions infiniment plus satisfaisantes.

Sur les terres, la quantité d'engrais employés progresse chaque année de 25 % environ. La production nationale s'est avérée parfois insuffisante pour faire face aux besoins. Il fallut procéder à des rationnements de certaines catégories d'engrais.

Parmi les moyens mis à la disposition des agriculteurs, l'équipement intellectuel a très longtemps été négligé, et la portée de son efficacité fut méconnue jusqu'à ces dernières années. Or il ne suffit pas de mettre des instruments entre les mains des agriculteurs, il faut aussi leur apprendre à utiliser au mieux les possibilités qui leur sont offertes. Le Gouvernement a pris conscience de la nécessité de développer la recherche agronomique pour laquelle d'importants crédits sont versés chaque année. Déjà la France possède des stations d'essais et des laboratoires qui peuvent compter parmi les plus modernes d'Europe, et les résultats sont encourageants.

La science agronomique était trop peu enseignée dans de trop rares établissements et notre pays connaît un cruel retard : 3,3 % seulement d'agriculteurs ont reçu une formation technique.

Machines agricoles en action dans la Brie
Ph. A. D. P.

Les progrès sont lents, mais le nombre d'écoles, de professeurs et d'élèves s'accroît sans cesse. Déjà parmi les jeunes de moins de 25 ans, 16,4 % sont passés par une école d'agriculture.

Enfin, la vulgarisation était presque inexistante. Elle est pourtant immédiatement rentable. Des ingénieurs des services agricoles et des conseillers agricoles sont recrutés chaque année. Il y a présentement en France un vulgarisateur pour 2 000 exploitations en moyenne. Nous sommes encore loin de la densité de vulgarisation estimée souhaitable et parfois atteinte chez certains de nos voisins (1 pour 300 à 500 exploitations).

*

Grâce à cette structure nouvelle et aux moyens dont disposent maintenant les agriculteurs, la production a fait un bond en avant. Jusqu'en 1939 la France couvrait les besoins intérieurs par sa production nationale, jusqu'à concurrence de 50 % seulement. Or l'équilibre entre les ressources et les besoins est atteint pratiquement depuis 1954. En 1955, les besoins furent même couverts jusqu'à 115 %.

Le redressement de la balance alimentaire traditionnellement déficitaire est certainement un des faits économiques marquant de la France moderne. Un Président du Conseil auquel on demandait quels étaient, au cours de son ministère, les faits les plus importants, répondit sans hésitation : la découverte du pétrole et le renversement de la balance alimentaire de la France, qui laissent présager un grand avenir économique à notre pays.

Pour commercialiser les produits, autrefois, chaque région possédait sa petite ville dont la population absorbait les produits de la campagne environnante. De nos jours, les centres urbains ont grandi considérablement. Aussi, le consommateur s'éloigne-t-il du producteur, qui est obligé de s'adresser à un certain nombre d'intermédiaires.

L'accroissement de la production, le passage d'une économie de marché local à un marché national, voire international, a provoqué la création d'une certaine doctrine de l'expansion agricole qui s'est progressivement élaborée aussi bien dans les organisations professionnelles agricoles que dans les administrations et dans certains partis politiques et qui s'est concrétisée par le système " d'organisation des marchés agricoles ". Il est vrai que les mots sont peut-être un peu en avance sur les institutions, et les institutions sur les réalités.

L'organisation des marchés tend en premier lieu à donner une garantie d'écoulement et de prix aux producteurs. L'agriculture est soumise aux aléas des saisons : si la production est abondante, les prix s'effondrent; dans le cas contraire, les prix sont élevés mais la marchandise est rare.

Les formes d'intervention sont variables; pourtant ces dernières années la plus généralement retenue fut celle d'une intervention partielle soit pour acheter les denrées qui ne trouvent pas preneur, soit pour revendre si la pénurie se fait sentir afin que les prix ne s'effondrent pas. Pour obtenir ce résultat, un système financier comprenant un Fonds de garantie mutuelle a été constitué en 1955. Il permet de disposer d'une masse monétaire suffisante pour intervenir sur le marché par l'intermédiaire de sociétés d'économie mixte. Le soutien des prix a pour but indirect d'orienter les cultures en fonction des débouchés. Ainsi, les céréales panifiables étant moins consommées, tandis que la viande est de plus en plus demandée, on encourage les paysans à développer l'élevage au détriment des cultures de blé.

Depuis que fonctionne l'Organisation générale des marchés, producteurs, commerçants et consommateurs estiment que d'appréciables résultats ont été obtenus. Il semble d'ailleurs qu'en raison de sa souplesse, ce système soit la première tentative d'un compromis entre le libéralisme et le dirigisme en matière agricole; dans ce sens il pourrait être suivi dans un cadre plus général, pour organiser les marchés européens notamment.

*
* *

Tous ces changements souvent brusques, lorsqu'on songe à la lente évolution du monde paysan au cours des siècles derniers, ont entraîné aussi, et certains ne manqueront pas de le regretter, un bouleversement dans la situation économique de l'agriculteur ainsi que dans son comportement.

Tout d'abord, le paysan est intégré dans la vie économique du pays alors qu'il en était auparavant relativement éloigné. Il est devenu acheteur de produits industriels, d'engrais, de carburants, de matériel, dans une proportion trois fois plus importante qu'avant la guerre. Il est devenu vendeur également pour 85 % de sa production, contre 60 % en 1938. Les produits agricoles perdent souvent, de ce fait, de leur qualité spécifique et sont de plus en plus comparables à des produits manufacturés.

L'exploitation agricole devient une unité de production au même titre qu'une exploitation industrielle. Autrefois, l'agriculteur vivait dans sa ferme en consommant ses produits et en dépensant le moins possible à l'extérieur. A l'heure actuelle, achetant et vendant, il doit disposer de sommes plus considérables et s'adresser au crédit.

La nécessaire modernisation des exploitations, les améliorations foncières ont coûté cher. Le " bas de laine " traditionnel des paysans s'est dégonflé et l'endettement est présentement quatre ou cinq fois supérieur à celui de 1938. Aussi la situation personnelle de l'agriculteur est-elle devenue beaucoup plus précaire. Les gelées de 1956, les récoltes médiocres de 1957 et 1958 ont provoqué un endettement à court terme, préjudiciable à l'équilibre économique des exploitations agricoles.

L'endettement global de l'agriculture se situerait aux environs de 1 200 milliards contre 1 000 milliards en 1956 et 750 milliards en 1955. Pourtant, comparée à la valeur cumulée de la propriété foncière et du capital d'exploitation, estimée à 13 000 milliards, ainsi qu'à la valeur de la production agricole globale évaluée à 2 780 milliards, la dette agricole n'apparaît pas encore excessive. Ce n'est qu'une tendance à laquelle il faudra que les pouvoirs publics et les agriculteurs eux-mêmes prêtent toute leur attention au cours des années prochaines.

Parallèlement, le comportement de l'agriculteur a subi une évolution. Ayant auparavant sa nourriture assurée et un magot soigneusement amassé, l'agriculteur se sentait à l'abri des coups du sort. Comme l'ouvrier, il se sent maintenant à la merci d'aléas qui ne dépendent pas de lui et il a demandé à la Société la sécurité qu'il n'était plus en mesure de s'assurer lui-même. La Sécurité sociale lui a été étendue progressivement bien qu'encore incomplètement. Les allocations familiales ainsi que les allocations de la mère au foyer permettent aux épouses d'élever leurs enfants dans des conditions décentes. Les allocations vieillesse ont pour heureux résultats d'engager à la retraite des hommes âgés qui devaient autrefois travailler jusqu'à leur dernier souffle.

Enfin, l'arrivée du paysan sur la scène économique ne s'est pas produite sans troubles. Achetant à des industriels qui leur imposent des prix, vendant sur un marché dont les prix ne dépendent pas d'eux, les agriculteurs ont eu souvent l'impression d'être brimés. Ils ont réagi, et les Français à l'esprit fécond eurent le privilège d'inventer la grève agricole, non dirigée contre un patron, mais contre un système ou même contre le reste du pays. En 1953, les agriculteurs ont, pour la première fois, barré les routes, paralysant l'activité économique. Les citadins ont bien ou mal accepté cette entrave, mais les paysans n'ont pas oublié qu'ils ont obtenu satisfaction et ils ont utilisé plusieurs fois ce moyen de pression.

**

La France possède un sol riche dont la variété extrême lui permet de faire pousser les produits les plus divers et d'excellente qualité. Aux xviie et xviiie siècles, l'agriculture française était la première du monde. A la fin du xixe et au début du xxe, une prospérité certaine régnait encore dans les campagnes, car les gouvernements successifs avaient établi une solide barrière douanière protectrice à l'abri de laquelle des modes d'exploitation périmés étaient perpétués. De plus, le développement de l'industrie avait entraîné une désaffection de l'agriculture et l'on trouvait plus facile d'acheter des produits agricoles à l'extérieur en exportant des produits industriels.

La guerre de 1939 pour la première fois a isolé la France, tandis que les réquisitions allemandes provoquaient des restrictions sévères et une certaine famine. Aussi à la Libération, le pays avait pris conscience de la nécessité de posséder un appareil de production agricole suffisant pour assurer le ravitaillement intérieur. Les gouvernements ont fait appel aux agriculteurs en les aidant, très timidement d'ailleurs, car dans le plan de modernisation l'agriculture ne dispose que de moins de 5 % des crédits. Cette aide, si faible en soi, a suffi à susciter un des plus spectaculaires redressements auquel nous ayons assisté. Le sol, fertile, était toujours là, les hommes se sont, en quelques années, adaptés aux méthodes modernes. Sait-on que depuis 1945 la productivité moyenne s'est accrue de 3,5 % en moyenne chaque année dans l'agriculture, contre 3 % dans l'industrie?

Les résultats ont dépassé les prévisions. La surproduction est apparue huit à dix ans après la pénurie. La bataille de la production a donc été gagnée. Mais de nouveaux problèmes économiques sont soulevés. Les agriculteurs ont commencé à organiser les marchés et à orienter les cultures. Dès que la production le permettra, ils devront rechercher de nouveaux débouchés. Cette nouvelle bataille est plus ingrate et moins visible que la première. Elle est dès maintenant largement engagée et les agriculteurs savent qu'ils doivent la gagner, sinon leur instrument de production renouvelé ne leur servirait à rien. Le but est maintenant clairement défini : le paysan ne peut s'effacer une fois l'effort de production réalisé, il doit au contraire, pour retirer tout le profit de son œuvre, surveiller tout le circuit commercial. Pour ne l'avoir pas fait, l'agriculteur américain est à la solde de son gouvernement qui le subventionne largement. L'agriculture danoise ou hollandaise constitue, au contraire, une richesse pour le pays, car les denrées alimentaires sont commercialisées dans d'excellentes conditions. La France a découvert le problème depuis quelques années, elle s'efforce de le résoudre avec des méthodes nouvelles.

Jean-Paul BARDIN
Conseiller technique au Ministère de l'Agriculture.

LES TRANSPORTS EN FRANCE

Transports, " quatrième dimension de la civilisation ", écrivait Paul Valéry. Le monde moderne offre plus que jamais la démonstration de cet aphorisme en forme de boutade. Et l'exemple français est particulièrement significatif de la complexité des problèmes posés par leur organisation. Quel pays peut se flatter d'un réseau routier toujours considéré comme le plus beau du monde, d'un réseau ferroviaire aussi moderne, d'aéroports aussi bien équipés et de grands organismes portuaires aussi accessibles? Certes, à la réflexion, quelques ombres apparaissent dans ce tableau si brillant : le développement insuffisant du réseau fluvial, la longueur restreinte des autoroutes sont autant de points faibles auxquels on s'efforce de remédier.

Le *réseau routier* reflète, dans son plan d'ensemble, la conception d'un état fortement centralisé. C'est au moment où la monarchie des XVII⁰ et XVIII⁰ siècles affermissait son pouvoir sur les provinces les plus reculées que furent construites ces longues chaussées pavées sur lesquelles circulaient les courriers, les fonctionnaires, les soldats royaux. Henri IV et Sully, Louis XIV et Colbert, les ingénieurs des Ponts-et-Chaussées du XVIII⁰ siècle peuvent être considérés comme les créateurs de ces routes qui faisaient l'admiration de tous les voyageurs.
On sait que le développement des chemins de fer porta un coup très rude à la circulation routière, tout au moins sur les

grandes relations, car, en fait, les routes secondaires bénéficièrent d'un trafic accru, stimulé par le rail. On sait aussi comment l'automobile favorisa une véritable résurrection de la route et comment le réseau français devint entre 1920 et 1939 l'un des premiers du monde. Mais, déjà, d'autres pays européens, l'Allemagne, l'Italie, s'engageaient dans une politique nouvelle derrière laquelle on devinait des fins stratégiques. Dans ces deux pays, des autoroutes, des autostrades s'étendirent peu à peu et l'effort de construction s'amplifia encore après la deuxième guerre mondiale. Les avantages offerts tant aux automobiles de tourisme qu'aux véhicules de poids lourd sont énormes. Et dans ce domaine, la France prit un retard d'autant plus sensible que l'augmentation du trafic fut rapide : 6 millions de véhicules, au début de 1961, plus de 4 millions de " deux roues ", sillonnent les routes et embouteillent les voies urbaines. C'est d'ailleurs autour des grandes agglomérations que s'esquisse l'effort de modernisation le plus spectaculaire; les autoroutes de dégagement se généralisent; à l'Ouest, au Sud de Paris, au Nord de Marseille, entre Lille et les régions minières; 2 000 kilomètres d'autoroutes interrégionales sont en projet; le prolongement de l'autoroute Sud de Paris est en cours. Mais, devant le prix de revient élevé d'un tel équipement, de nouvelles formules se dessinent; le réseau routier se révélant, dans l'ensemble, satisfaisant, il suffirait, pensent certains techniciens, de retouches opportunes, — élargissements, déviations, suppression des carrefours dangereux — qui permettraient d'accroître les vitesses et la sécurité aux moindres frais. Ainsi serait évitée cette " dépersonnalisation " que l'on reproche, non sans tort, aux autoroutes. Et comment passer sous silence de magnifiques réalisations régionales qui font honneur au Génie civil français, comme cette arche élégante de Tancarville qui, par-dessus la Basse-Seine, libère la région du Havre de ses servitudes péninsulaires?

Avec ses 120 km pour 100 km², le réseau routier français atteint la plus forte densité européenne. Il supporte les trafics les plus variés : marchandises de toutes catégories, transports indispensables à la vie agricole, desserte des unités industrielles disséminées dans la campagne, distribution des produits pétroliers, multiples livraisons destinées au commerce de détail, aux particuliers. Il est difficile d'évaluer les pulsations qui marquent chaque fin de semaine autour des grandes villes, ou encore les énormes migrations saisonnières des périodes de vacances. Ces déplacements de millions de personnes s'ajoutent à ceux qu'accomplissent ouvriers ruraux gagnant l'atelier voisin et paysans se rendant au marché. Les uns et les autres empruntent les lignes d'autocars, qui, en moyenne, transportent autant de voyageurs que les lignes de chemin de fer. Finalement, et sans risque d'exagérer, on peut dire que le réseau routier français possède une capacité en tous points remarquable.

Le tracé du *réseau ferré* fut, en gros, inspiré par une véritable charte, la loi de 1842. Celle-ci établit tout simplement un calque du réseau routier; les lignes joignant Paris aux principales villes frontalières doublaient les routes achevées à la période précédente. La centralisation politique en tira de grands profits; mais un redoutable déséquilibre économique et démographique n'allait pas manquer de s'établir à l'avantage de Paris et au détriment des provinces. Dès la fin du XIXe siècle, le rail, le plus puissant moyen de transport de marchandises et de voyageurs construit par les hommes, tenait une place prépondérante dans l'économie française. Aujourd'hui, sur les grandes lignes tracées en étoile autour de Paris, circulent les trains les plus rapides et les plus pratiques du continent. Mais la faiblesse des liaisons transversales et interrégionales est flagrante. La compagnie nationale, la Société Nationale des Chemins de Fer Français (SNCF), fondée en 1935, poursuit un tenace effort de modernisation, afin de répondre à l'augmentation constante du trafic.

Avec près de 10 km de voies pour 100 km², la SNCF assure plus de 60 % des transports effectués en France. En 1960, 225 millions de tonnes de marchandises, — plus de 80 % du charbon, 90 % du minerai de fer, — ont emprunté le rail. Quant aux voyageurs, on en a compté 568 millions, dont 320 millions pour la banlieue de Paris. Malgré le profond déséquilibre régional que l'on devine derrière ces chiffres, la SNCF s'efforce de remplir son service dans les meilleures conditions possibles.

Actuellement, la SNCF possède une avance technique incontestable qui se manifeste principalement dans le domaine de l'électrification : on comptait 3 300 km de voies électrifiées en 1938, 6 500 km en 1960. De nouvelles méthodes de traction ont été développées : au courant continu sous tension de 1 500 volts qui anime Paris-Le Mans, Paris-Hendaye, Paris-Toulouse, Paris-Marseille, succède le courant alternatif à fréquence élevée sur les lignes du Nord et de l'Est où circulent les trains les plus lourds. Les constructeurs de matériel participent à cet effort et leur réputation à l'étranger est bien établie. Afin de pallier les difficultés qui résultent de la distribution de courants de types différents, des machines bi-courants et même quadri-courants commencent à être utilisées; c'est un atout de plus à une époque où les transports européens tendent à s'intensifier. Sur les lignes interrégionales, les autorails et la traction Diesel électrique rendent d'inestimables services. Il est remarquable que l'augmentation du trafic signalée plus haut correspond à une diminution du nombre des employés et de la consommation de combustible.

Le problème des *voies navigables* se heurte à de plus graves difficultés. La disposition générale des bassins hydrographiques ne favorisait guère l'établissement d'un réseau navigable coordonné. Les quatre principaux bassins sont séparés par des seuils accentués et reçoivent leur eau des régions élevées qui les bordent dans des conditions fâcheuses d'irrégularité. Ainsi, la Loire souffre d'une carence estivale catastrophique; mieux alimentée, la Garonne s'écoule selon une pente trop forte; moins rapide, la Seine souffre d'un débit insuffisant; quant au Rhône, le seul à disposer d'une alimentation satisfaisante, la rapidité de son cours constitue un obstacle non négligeable. Les régions frontalières du Nord et de l'Est sont en apparence mieux dotées, mais elles ne possèdent que la partie supérieure de plusieurs bassins hydrographiques dont les pays voisins, Belgique, Pays-Bas et Allemagne tirent un meilleur profit.

Dans ces conditions, la constitution d'un réseau navigable français fut un véritable tour de force. Dès le XVIIe siècle des liaisons furent établies entre la Seine et la Loire, entre la Garonne et la Méditerranée; au XVIIIe siècle, une jonction exista entre la Seine et la région du Nord; au début du XIXe siècle, le canal du Centre relia la Loire à la Saône, et la fin du même siècle vit l'établissement d'un réseau assez développé entre la Seine et la région de l'Est, entre la région de l'Est et la Saône.

Ce réseau répondait assez bien aux besoins de l'industrie à l'époque où il fut achevé. Mais tandis que ces besoins s'accroissaient et qu'en Europe du Nord s'accomplissait un prodigieux effort d'aménagement, le réseau français demeurait en retrait, victime aussi du remarquable développement du rail. Désormais, l'adaptation ne porta plus que sur les points où les besoins se manifestaient avec le plus d'insistance. Ainsi, la Seine entre Paris et Rouen devint une magnifique voie d'eau presque entièrement artificielle avec ses barrages à écluses où se succèdent les chalands de 1 000 tonnes, les automoteurs et même les bateaux de mer. Le Rhône bénéficia directement de l'équipement hydroélectrique, chaque barrage étant doublé d'une écluse accessible aux automoteurs de 600 tonnes. Une autre grande tâche est menée le long du Rhin, en amont de Strasbourg, avec le grand canal d'Alsace. Mais entre ces trois tronçons, les ouvrages construits au XIX⁰ siècle dépérissent...

On ne s'étonne donc pas que 70 millions de tonnes de marchandises seulement soient transportées par voie d'eau (deux fois moins qu'en Allemagne de l'Ouest).

3 000 km de côtes, deux façades maritimes, une vieille tradition navale, un rôle international à jouer, des ports nombreux aux aptitudes diverses, une marine de 4 millions et demi de tonneaux (la 8⁰ du monde), tels sont quelques éléments qui caractérisent *les transports maritimes* français. L'analyse des conditions du trafic révèle de profondes disparités. Ainsi s'observe un grave déséquilibre entre les déchargements, 55 millions de tonnes, et les embarquements, 25 millions de tonnes; mais ceci résulte des grands traits de l'économie française, consommatrice de produits pondéreux, pétrole, matières premières industrielles, et exportatrice de produits fabriqués, d'un poids peu élevé, mais d'une grande valeur. La place démesurée occupée par le pétrole dans le trafic (plus de 60 % des importations) explique l'importance de certaines routes maritimes fréquentées par le commerce français : Moyen Orient, Afrique du Nord. Les intérêts économiques français en Afrique justifient l'intensité du trafic maritime avec les diverses régions du continent. Et les lignes de prestige de l'Atlantique Nord, fortement concurrencées par les transports aériens, sont toujours l'objet d'efforts soutenus; c'est à la fin de 1961 qu'entrera en service le paquebot France (tonnage 55 000 tonneaux, vitesse 31 nœuds, nombre de passagers, 2 000).

Des bateaux, mais aussi, des ports. Aussi favorables qu'elles soient, les données de la nature appellent un effort d'adaptation aux exigences de la navigation moderne. Si les découpures du littoral offraient de nombreux abris aux navires des siècles d'or de la marine à voile, il n'en est plus de même au xxe siècle. Rouen, Nantes, Bordeaux luttent contre l'ensablement. Circonstance aggravante, la deuxième guerre mondiale a frappé durement la plupart des ports français. Aujourd'hui, les ruines sont relevées; les installations neuves n'ont rien à envier à celles des plus grands ports étrangers. A l'exception de Brest, sur une rade superbe malheureusement ignorée du plus actif courant commercial du monde passant à proximité, les ports français sont essentiellement l'œuvre de l'homme : Dunkerque, aux bassins creusés dans les sables, véritable défi à la nature, le Havre, aux abords soigneusement balisés, aux bassins gagnés sur la mer, Rouen pour lequel on remodèle l'estuaire de la Seine, Nantes et Bordeaux qui cherchent dans l'industrie la sauvegarde de leur trafic maritime, Saint-Nazaire, l'un des cinq plus grands chantiers navals du monde, Caen, le port du fer, Bayonne, le port du maïs et du soufre, Sète, où transitent les vins, l'étonnante Marseille, qui, sortie de sa calanque du Vieux Port, s'étend le long du rivage, puis équipe le port pétrolier de Lavéra au profit des raffineries qui enveloppent l'étang de Berre. Tous ces organismes portuaires cherchent à améliorer d'une façon ou d'une autre leurs relations avec l'intérieur, et c'est là un problème essentiel.

A propos des *transports aériens*, il faut se rappeler la priorité acquise par la France en cette matière. Dès 1920, des lignes régulières joignirent Paris à Londres et à Prague. La ligne de l'Aéropostale, partant de Toulouse, vers l'Afrique et l'Amérique du Sud, appartient à l'Histoire. Après une regrettable éclipse, l'aviation commerciale française fit une réapparition active au lendemain de la deuxième guerre mondiale. La principale compagnie, Air-France, exploite le plus long réseau du monde. Les appareils les plus modernes volent sous nos couleurs.

Mais c'est à la construction aéronautique française que l'on doit l'une des meilleures réalisations techniques de l'après-guerre : le bi-réacteur Caravelle, moyen courrier dont le succès s'affirme partout.

Plusieurs grands aéroports fixent l'essentiel du trafic. Celui de Paris est double : Orly, au Sud, a reçu deux millions et demi de passagers en 1960 et s'équipe pour un trafic trois fois supérieur; le Bourget, au Nord, a vu passer près d'un million de voyageurs. Tous deux possèdent ces pistes longues de plus de 3 000 mètres exigées par les quadriréacteurs modernes.

La qualité des réseaux ferroviaires et routiers explique dans une certaine mesure le moindre développement d'un réseau aérien intérieur. Néanmoins, un certain nombre de liaisons sont assurées entre Paris et Brest, Paris et Strasbourg, Paris-Pau et Toulouse, Lille-Lyon et Nice, et s'ajoutent aux lignes de Corse et des diverses stations balnéaires exploitées depuis quelques années.

Si l'agencement général des différents moyens de transport sur le territoire français est à peu près satisfaisant, les rapports entre chacun d'eux posent de délicats problèmes. L'un des plus graves est celui de la *coordination entre le rail et la route*. Certes, il a été relativement facile d'établir une coordination technique entre les deux grands moyens de transport : le rail a besoin de la route pour prolonger son action. Mais sur quelques itinéraires, c'est une vive concurrence qui s'exerce; le transport des denrées alimentaires et de certains produits industriels est l'enjeu d'une intense guerre de tarifs. La structure organique des transports routiers, où plus de la moitié des entreprises ne comptent qu'un seul véhicule, se heurte à l'administration monolithique de la SNCF. Celle-ci s'efforce de rechercher les meilleures conditions commerciales; elle favorise les chargements complets de grande gare à grande gare, — ce qui ne manque pas de léser les petits producteurs. Mais les routiers, auxquels il resterait théoriquement le trafic dans les régions intermédiaires, ne sont guère intéressés par le fret restreint qui leur est offert. Travaillant avec des marges réduites, ils sont engagés dans une lutte gigantesque dont l'État reste l'arbitre. Le rail est attaqué sur un autre front, celui des transports par eau. C'est évidemment dans la partie du territoire la mieux desservie par la voie d'eau que joue pleinement cette concurrence. Le *réaménagement du réseau fluvial* actuellement poursuivi à l'Est de la ligne Le Havre-Marseille ne manque pas d'avoir des répercussions sur les autres modes de transports. Ainsi, la canalisation de la Moselle, destinée à doter la Lorraine sidérurgique des avantages de la navigation rhénane, appelle un prolongement en direction du Rhône. Ce serait le moyen de réaliser une liaison Rhin-Rhône que, de leur côté, les Alsaciens souhaiteraient construire à partir du canal d'Alsace. Mais, ici, intervient la question du pipe-line en construction entre Lavéra, Strasbourg et Karlsruhe; cette artère priverait la voie d'eau d'une partie importante du fret pétrolier. Comme, d'autre part, l'axe rhodanien a bénéficié d'importants équipements ferroviaires, on conçoit l'embarras des organisateurs des transports français avant d'engager la construction d'une ou deux artères fluviales à grand gabarit entre le Rhin et le Rhône. Mais la question se complique de ses répercussions à l'étranger, en Allemagne et en Suisse.

On retrouve cette inévitable question des rapports avec les pays voisins dans la région du Nord. Afin de conserver à Dunkerque le trafic de la sidérurgie valenciennoise détourné vers la Belgique et Anvers, il est de plus en plus nécessaire de porter à des gabarits supérieurs la jonction Mer du Nord-Escaut. Enfin, les liaisons entre la région parisienne et le Nord semblent, à l'heure actuelle, absolument anachroniques; et là aussi l'effort poursuivi par la SNCF réduit fortement les chances d'un achèvement prochain. Ainsi s'éloigne l'espoir de voir le réseau fluvial adapté aux normes existant dans les pays frontaliers du Nord et de l'Est.

C'est d'autant plus dommage que, dans les autres modes de transport, la situation est beaucoup plus satisfaisante. En ce qui concerne *les chemins de fer*, notamment, la France participe activement aux Trans Europ Express (T. E. E.) qui joignent Paris, Lyon et Marseille aux principales métropoles économiques européennes. Elle est membre du pool européen des wagons de marchandises, et depuis 1961, des Trans Europ Express Marchandises (T. E. E. M.). Du côté des Iles Britanniques, les ports de Dieppe, Boulogne et Calais servent de points d'appui aux " malles " transportant passagers et voitures automobiles. Dunkerque est la tête de ligne du ferry-boat le plus actif entre l'Angleterre et le continent.

L'aménagement des *grands itinéraires routiers internationaux* intéresse au premier chef notre pays. Il s'agit d'une gigantesque toile d'araignée de routes dont les caractères techniques répondent aux exigences d'une intense circulation. Ces normes, établies par le Comité des Transports intérieurs de la Commission Économique pour l'Europe, de l'Organisation des Nations Unies, se rencontrent déjà sur bon nombre de routes françaises; il est plus inquiétant de constater que le réseau européen établi par cette commission intéresse surtout la partie orientale du pays. Ce fait traduit simplement la prééminence des axes qui joignent la Mer du Nord et la Baltique d'une part, et la Méditerranée, d'autre part. Le problème de la participation de la France aux courants qui empruntent ces axes revêt une importance capitale à l'aube du Marché Commun.

BERNARD PASDELOUP
Professeur agrégé au Lycée Turgot.

Voie électrifiée entre Valence et Avignon. *Ph. S. N. C. F.*
A l'arrêt des « Routiers ». *Ph. Almasy*

L'ACTIVITÉ SCIENTIFIQUE

Trop souvent les Français sont considérés et — ce qui est plus grave — ont tendance à se considérer eux-mêmes comme les Graeculi, *les " petits Grecs ", de la civilisation moderne, jolis parleurs et marchands d'esprit. Ils auraient bien tort d'ailleurs de renoncer aux élégances de leur culture. Mais on ne saurait les prendre pour les héritiers d'une civilisation aimable et démodée. Dans le domaine des sciences abstraites et expérimentales leur activité ne se ralentit pas. Le bilan dressé par Mademoiselle Cordier, qui dirigeait hier la section scientifique de l'Institut français de Barcelone, est assez éloquent à cet égard. De son côté, M. le Professeur L. Bugnard, Directeur de l'Institut National d'Hygiène, montre quel développement est en train de prendre en France la Recherche Scientifique Médicale.*

LES SCIENCES ABSTRAITES
ET EXPÉRIMENTALES

Les Français ont tenu du xviie au xixe siècle une très grande place dans les découvertes scientifiques. Il nous faut bien convenir qu'actuellement le rôle de la France est moins important; cependant notre pays apporte encore en maints domaines une contribution notable. Depuis la fin de la seconde guerre mondiale les savants et les pouvoirs publics ont pris conscience des nouvelles conditions de la Recherche; un très gros effort se poursuit pour équiper les laboratoires en matériel très moderne, pour en installer de nouveaux correspondant à des disciplines en plein essor.

Pour la formation des chercheurs, un troisième cycle a été créé dans l'Enseignement supérieur; munis de leur licence ou de leur diplôme d'ingénieur, les jeunes gens choisissent une orientation précise : radioactivité, électronique, spectrographie, physique du métal, etc...; ils reçoivent sur ces questions un enseignement théorique approfondi en même temps qu'ils font un travail de recherche, limité mais original; ainsi ils sont guidés, aidés; leur formation est plus sûre et plus rapide qu'auparavant.

Pour accélérer la préparation des licenciés ès sciences et pour mieux l'adapter aux tendances modernes, une réforme des études supérieures en novembre 1958 a créé de nouveaux types de licence (mathématiques appliquées, sciences biologiques, sciences de la terre...) qui permettent à l'étudiant de se spécialiser plus tôt qu'autrefois.

Un Comité Interministériel de la Recherche groupe des

représentants des différents ministères techniques (Éducation Nationale, Industrie et Commerce, Armées, Aviation, Télécommunications, etc.). Un Comité Consultatif, composé de douze personnalités de compétence scientifique indiscutée, a, en particulier, porté son intérêt sur ce qu'il appelle les " actions concertées "; ce sont des domaines de recherche considérés comme d'intérêt national et qui exigent pour arriver à des réalisations valables la collaboration de chercheurs de disciplines et de formations différentes; douze grands sujets ont déjà été choisis : recherches spatiales, neuro-physiologie, cancer et leucémie, exploitation des océans, etc... Un fonds national attribue des crédits spéciaux pour les travaux à entreprendre.

Quelques exemples montreront ce qui déjà a été réalisé.

Un organisme central, le Centre National de la Recherche Scientifique distribue des fonds d'équipement aux laboratoires universitaires; en outre il gère directement une quarantaine de laboratoires, dont le groupe le plus important est à Bellevue, près de Paris.

Parmi les plus remarquables, citons :

- Le Groupe de Gif-sur-Yvette, en Seine-et-Oise; installé sur un domaine de 65 hectares, il comprend un Centre d'études hydrobiologiques qui travaille sur le peuplement des eaux continentales; un Centre de génétique où l'on étudie en particulier le rôle du cytoplasme dans l'hérédité, les mécanismes biochimiques et génétiques des levures, la structure génétique de populations animales expérimentales; un Phytotron, vaste laboratoire où l'on peut créer des conditions climatiques artificielles et rigoureusement contrôlées et modifier ainsi le rythme de croissance des végétaux; un Laboratoire de recherches sur les algues à croissance rapide, en particulier les Chlorella.

- L'Observatoire de Haute-Provence, Saint-Michel (Basses-Alpes); un télescope muni d'un miroir de 193 cm de diamètre, le plus grand d'Europe, vient d'y être installé; équipé du remarquable convertisseur électronique d'images Lallemand et Duchesne, il peut obtenir en dix minutes des photographies d'astres lointains qui nécessitent plusieurs heures avec le télescope géant américain du Mont Palomar.

- Le Centre de Recherches sur les Macromolécules à Strasbourg inauguré il y a six ans : dans un bâtiment de trois étages, soixante-dix chercheurs étudient les substances macromoléculaires d'un point de vue physique, chimique et biologique; ils réalisent la coopération si nécessaire entre les différentes disciplines scientifiques autour d'un même sujet central; ce laboratoire s'est orienté de plus en plus vers la Chimie des grandes molécules et de là vers les molécules de la matière vivante : il se consacre notamment aux protides et à la génétique bactérienne.

- Le Laboratoire de Recherches sur l'utilisation de l'énergie solaire (Pyrénées-Orientales) : un premier four solaire d'une puissance de 75 kwatts fonctionne depuis plusieurs années à Montlouis; un autre, plus puissant, de 1 000 kwatts va être mis au point à Font-Romeu; on y a réalisé, en particulier, la préparation de céramiques nouvelles, les unes isolantes, les autres utilisées comme résistances chauffantes.

- Le Laboratoire d'Électrostatique et de Physique du métal de Grenoble; l'étude théorique et expérimentale de l'aimantation des corps ferromagnétiques a permis d'améliorer considérablement les qualités des aimants permanents; des conceptions nouvelles de construction des machines électrostatiques ont eu pour conséquence la réalisation de modèles relativement petits, légers et transportables, facilement utilisables pour l'industrie et fournissant cependant un très haut potentiel.

- Le Laboratoire d'Optique électronique de Toulouse est un magnifique bâtiment, équipé en microscope électronique, en diffraction des électrons; il est à la disposition de tous les utilisateurs de ces techniques : métallurgistes, cristallographes, chimistes, biologistes. On vient d'y mettre au point le prototype d'un microscope à rayons X, et un microscope électronique fonctionnant sous très haute tension permettant de photographier des bactéries vivantes.

- Le Laboratoire des traitements chimiques (Vitry-Seine), où l'on fait des recherches sur l'élaboration des métaux purs, en particulier sur les métaux qui jouent maintenant un très grand rôle dans la métallurgie : titane, germanium, zirconium, tantale, vanadium.

- Le Centre de Radio-astronomie de Nançay (200 km de Paris) où l'on étudie les ondes hertziennes émises par les astres, grâce, en particulier, à un radiotélescope à antennes multiples, qui comprend en tout 40 miroirs de 5 m et 10 m de diamètre.

- Le Laboratoire des Hautes Pressions (Bellevue), muni de presses donnant dans des espaces réduits des pressions de dix mille kilogrammes par centimètre carré; une pompe en cours de montage fournira une pression dix fois supérieure; on y étudie les propriétés thermodynamiques des corps et, par spectroscopie, les déformations produites à l'échelle moléculaire.

- Le Laboratoire de Chimie des substances végétales; la récolte plus aisée et le transport rapide des plantes de toutes régions, même fort éloignées, et les moyens nouveaux d'analyse, permettent d'utiliser beaucoup mieux qu'auparavant les ressources thérapeutiques des plantes naturelles.

- Le laboratoire de l'horloge où l'on installe une horloge atomique à jets d'atomes de caesium et une horloge à ammoniac, appareils beaucoup plus précis que les appareils classiques.

Nous devons citer aussi les remarquables réalisations du Commissariat à l'Énergie atomique; au Centre de Saclay, qui occupe plus de 3 000 personnes, on a réalisé un synchrocyclotron qui communique aux particules qu'il accélère une énergie de plus de 2 milliards d'électron-volts; c'est un énorme tore de 2 m de diamètre intérieur et de 24 m de diamètre extérieur; au Centre de Marcoule, dans la vallée du Rhône, trois piles nucléaires sont en fonctionnement, dont l'une fournira de l'énergie électrique; en outre, on en extraira annuellement environ 50 kg de plutonium, combustible nucléaire qui pourra équiper de nouvelles centrales.

En collaboration avec la Faculté des Sciences, un important Centre d'Études nucléaires a été construit à Grenoble; il possède maintenant deux piles et occupe 1 500 personnes.

A Orsay, annexe de la Faculté des Sciences de Paris, on a construit un grand accélérateur linéaire de 100 m de longueur, qui peut communiquer aux particules une énergie de 1 B e v, c'est-à-dire de un milliard d'électron-volts; à Strasbourg, tous les services nucléaires ont été regroupés dans une construction nouvelle qui leur a permis une plus grande extension.

D'autres travaux importants se poursuivent dans les Universités et les Grands Établissements Scientifiques : l'École française de Mathématiques est très vivante; d'une part des conceptions nouvelles et très hardies de mathématiques abstraites, particulièrement en topologie algébrique et géométrie différentielle, ont valu à trois mathématiciens français (L. Schwartz, J. P. Serre, M. Thom) l'attribution des trois dernières médailles Field, haute récompense internationale, qui peut être considérée comme le prix Nobel de mathématiques; d'autre part des mathématiques appliquées aux études sociologiques et biologiques (statistique), à l'organisation et l'utilisation des recherches (recherche opérationnelle), à la réalisation mécanique ou électronique des calculs ardus nécessités par la progression continue des techniques (calcul analogique, machines à calculer) sont en plein développement.

La physique théorique, illustrée par Louis de Broglie, trouve de plus en plus d'adeptes, car la science s'attaque aujourd'hui à des phénomènes de plus en plus complexes et éloignés de notre expérience journalière; elle est complétée par la chimie théorique, qui s'efforce d'expliquer par le calcul les propriétés des corps; des résultats très remarquables ont déjà été obtenus quant à la constitution chimique de substances cancérigènes.

Les travaux dans le domaine de l'optique restent, suivant la tradition française, importants; l'Institut d'optique de Paris a mis au point des prototypes nouveaux de microscopes, utilisant les phénomènes de contraste de phase et d'interférences, de polarisation, des microscopes à miroirs, tous appareils qui permettent de voir des phénomènes invisibles autrement.

La France est, après les États-Unis, le pays où la physique de l'état solide est le plus étudiée; on y poursuit, dans les détails, l'étude des propriétés des corps semi-conducteurs, tels que le germanium et le silicium, qui peuvent, dans certaines conditions, devenir émetteurs d'ondes hertziennes; on peut ainsi construire des émetteurs ou des récepteurs de dimensions extrêmement réduites et doués, cependant, de propriétés remarquables (appareils à transistors); une pile solaire thermo-électrique d'une puissance de 100 watts vient d'être réalisée par l'industrie.

En biologie, nous avons déjà évoqué les travaux qui relèvent du domaine de la génétique. C'est en France qu'a été réussie pour la première fois la culture *in vitro* des tissus végétaux, technique qui permet des progrès en agriculture et peut aider à résoudre le problème du cancer. Des méthodes originales sont utilisées pour dresser la carte botanique de la France et connaître les relations entre la nature du terrain et la flore.

Recherches nombreuses aussi, employant des techniques variées, dans le domaine de l'embryologie : production expérimentale de monstruosités, par fixation d'implants, par action des rayons X, de substances chimiques, culture d'organes embryonnaires, recherches sur la régénération. Un grand laboratoire de microscopie électronique appliquée à la biologie dispose de cinq microscopes électroniques. Un laboratoire original et probablement unique au monde, installé dans une grotte naturelle au voisinage des Pyrénées, permet d'étudier, dans leurs conditions normales de vie, les animaux cavernicoles.

A l'Institut Pasteur de Paris, on poursuit des recherches de physiologie microbienne, de biologie cellulaire, de chimie microbienne, de virologie, qui ont un grand rayonnement.

En géologie, les travaux français ont une solide tradition : beaucoup de recherches ont été faites sur les Alpes, sur l'Afrique du Nord et sur les territoires africains, asiatiques et du Pacifique, des anciennes possessions françaises. L'étude des roches, ou pétrographie, est très développée; un grand laboratoire remarquablement équipé, s'y consacre, à Nancy.

Il faut aussi noter qu'un gros effort a été fait dans l'industrie pour développer les laboratoires de recherches : beaucoup de grandes entreprises privées ont d'importants laboratoires où sont poursuivis des travaux de recherche fondamentale et appliquée; des entreprises d'une même branche entretiennent en commun des laboratoires : citons l'Institut de Recherches sidérurgiques et l'Institut National du Pétrole, aux environs de Paris; enfin les entreprises nationalisées : Chemins de fer, Électricité de France, Charbonnages de France, ont de très belles installations.

D'ailleurs la technique française a à son actif de remarquables performances : le barrage de Bin el Ouidane, au Maroc, le plus haut d'Afrique, les travaux de Donzère-Mondragon où le Rhône fut dérivé de son lit sur plusieurs kilomètres, les viaducs géants de la route Caracas-La Guaira au Vénézuéla, le plus long quai du monde au Havre, le pont de Tancarville sur l'estuaire de la Seine, bientôt l'usine marémotrice de la Rance. L'aviation française est très vivante : nous ne citerons que les hélicoptères Djinn et Alouette, originaux et excellents, et la " Caravelle ", avion bimoteur à réaction, moyen courrier, dont la valeur est mondialement reconnue.

Cet exposé est nécessairement très incomplet; ce que nous avons voulu montrer, c'est que la Recherche française est repartie vigoureusement, que sans abandonner ses voies traditionnelles elle s'est résolument orientée vers l'étude de questions nouvelles, avec un esprit neuf et souvent avec succès.

Marguerite CORDIER

Conseiller aux questions scientifiques et techniques
à la Direction Générale des Affaires Culturelles et Techniques.
Professeur à la Faculté des Sciences de Reims.

On pourra lire :

LOUIS DE BROGLIE, *Sur les sentiers de la Science*, Albin Michel 1960 : Réflexions sur quelques grandes questions scientifiques et quelques grands savants.

NICOLAS BOURBAKI, *Eléments d'histoire des Mathématiques*, Hermann, 1960.

ANDRÉ DANJON, *Satellites artificiels et engins extra-terrestres*, Flammarion, 1960. Présentation historique et commentée des différents engins; nombreuses illustrations.

LA RECHERCHE SCIENTIFIQUE
MÉDICALE

La Recherche Scientifique Médicale a pour but d'améliorer les conditions de vie de l'homme, de prévenir la maladie, d'en étudier les causes, la pathogénie, de perfectionner les moyens de diagnostic et de traitement. Elle est essentiellement financée en France par des organismes nationaux. Elle ne peut se poursuivre que par une collaboration étroite entre l'Université, les Hôpitaux et les Établissements d'État chargés de l'organiser et de la subventionner. Deux établissements publics sont plus spécialement chargés de la Recherche Scientifique Médicale : l'Institut National d'Hygiène rattaché au Ministère de la Santé Publique et de la Population, le Centre National de la Recherche Scientifique, rattaché au Ministère de l'Éducation Nationale, dont le Groupe VI (médecine, pathologie expérimentale, pharmacodynamie et thérapeutique expérimentale) s'occupe particulièrement des questions médicales.

L'Institut National d'Hygiène est un établissement public doté de l'autonomie financière; sa création remonte à novembre 1941. Il est chargé, d'une part, de la mise en œuvre d'enquêtes statistiques intéressant la santé et l'hygiène dans le pays, et, d'autre part, de la direction et du financement de la Recherche Scientifique Médicale, plus spécialement dans son aspect clinique.

Il a pour tâches essentielles :

— de provoquer et de pratiquer des travaux de laboratoire et des enquêtes concernant l'amélioration des conditions de vie de l'homme sain, la prévention, le diagnostic et le traitement de la maladie, d'étudier les conditions d'utilisation des progrès de la science au bien-être humain, de confronter les résultats des enquêtes menées dans diverses collectivités avec les recherches de laboratoire;

— de réunir et de diffuser une documentation technique sur l'état de santé du pays, d'entreprendre et d'encourager la publication de travaux susceptibles d'enrichir cette documentation;

— d'organiser un corps de chercheurs médicaux et de techniciens devant travailler à plein temps aux progrès de la connaissance scientifique;

— de développer les centres de recherche médicale existants et d'en créer de nouveaux en fonction des progrès de la science médicale et des besoins nationaux dans le domaine de la Santé et de l'Hygiène.

Le Centre National de la Recherche Scientifique est également un établissement public doté de l'autonomie financière. Il a pour mission de développer, orienter et coordonner les recherches scientifiques de tous ordres. Son activité générale est définie par un Directoire et par le Comité National de la Recherche Scientifique comprenant 13 groupes, dont le 6e est chargé des problèmes que pose la Recherche Scientifique Médicale plus spécialement dans son aspect fondamental.

***

A côté des ressources fournies par les Centres Nationaux, la Recherche Médicale en France reçoit également une aide de divers organismes publics ou privés.

La Caisse Nationale de la Sécurité Sociale lui attribue chaque année, depuis 10 ans, une subvention qui est de 100 millions de francs pour 1960. Ces fonds sont distribués par contrats passés avec les chercheurs après avis d'un Comité réunissant, en parties égales, des représentants des organismes de Sécurité Sociale et de l'Institut National d'Hygiène dont le Directeur assure le contrôle des travaux effectués. Des subventions sont également accordées par les Caisses régionales à des laboratoires de recherches locaux après avis du Comité mixte précédemment cité.

Le Conseil Municipal de Paris et le Conseil Général de la Seine contribuent de leur côté au financement de laboratoires de recherche, gérés par l'Association Claude Bernard, et fonctionnant dans le cadre de l'Assistance Publique parisienne.

Le Service d'exploitation industrielle des Tabacs et Allumettes, le Haut Comité d'études et d'information contre l'Alcoolisme, ont, pour les problèmes spéciaux qui les intéressent, subventionné depuis quelques années, diverses enquêtes statistiques et travaux de recherche effectués par des chercheurs de l'I. N. H.

Parmi les Centres de Recherche privés, le plus important est l'Institut Pasteur, fondé grâce à une collecte internationale.

Le rôle de l'Institut Pasteur dans la découverte en médecine est fondamental, et ses laboratoires de recherche mondialement appréciés.

Son budget est assuré par l'exploitation, sans profit, des découvertes faites dans ses laboratoires et par le revenu de son capital. De nombreux chercheurs et aides techniques de l'I. N. H. et du C. N. R. S. travaillent dans les laboratoires de recherche de l'Institut Pasteur.

Il existe en outre divers organismes privés d'aide à la Recherche. Nous citerons en particulier l'Association pour le développement de la recherche médicale française qui, gérée par un conseil d'administration, s'efforce de réunir des fonds, de subventionner des laboratoires et d'organiser une propagande nationale en faveur de la recherche médicale, la Fondation Rothschild, la Fondation Hostater et la Fondation P. Philippe qui donnent des bourses à des chercheurs médicaux.

*
* *

L'organisation de la Recherche suppose d'abord un recrutement et une formation des chercheurs. Elle comporte ensuite l'attribution de moyens d'existence et de travail convenables.

Dans ces domaines le rôle de l'Université et de l'Administration hospitalière sont primordiaux, et l'établissement d'une collaboration étroite avec les organismes nationaux de recherche, indispensable. C'est, en effet, dans les services d'enseignement et dans les laboratoires universitaires que les chercheurs apprennent leur métier, les connaissances fondamentales et les techniques indispensables à leur activité. Par ailleurs, c'est, le plus souvent, à l'hôpital que le chercheur médecin est amené à travailler. Sans avoir la responsabilité des soins qui relève du clinicien, il doit avoir accès au lit du malade, discuter avec ses confrères des problèmes posés par la clinique et de l'orientation des voies ouvertes à l'expérimentation par l'examen du malade. Cela est vrai dans la plupart des travaux de recherche médicale : étiologie, pathogénie, diagnostic, traitement et prévention.

Dans l'organisation de la Recherche Médicale en France, un gros effort a été fait pour obtenir cette coordination : en particulier entre l'Institut National d'Hygiène, le C. N. R. S., l'Université, les Hôpitaux, les organismes de Sécurité Sociale, l'Institut Pasteur. Ce souci apparaît au premier chef dans le projet de réforme de l'Enseignement médical, où, par une entente étroite entre le Ministère de l'Éducation Nationale et celui de la Santé Publique, une place importante est réservée à la Recherche, aussi bien pour la formation des chercheurs que pour les moyens mis à leur disposition.

Actuellement, l'I. N. H., le C. N. R. S. recrutent suivant les mêmes règles, un corps d'allocataires contractuels qui doivent consacrer tout leur temps à la recherche et qui sont répartis dans les catégories suivantes : stagiaire de recherche débutant (durée : 1 an, renouvelable une seconde année), attaché de recherche (durée : 1 an, renouvelable), chargé de recherche (durée : 3 ans, renouvelable), maître de recherche (durée : 5 ans, renouvelable).

D'autre part, l'I. N. H. et le C. N. R. S. disposent d'un cadre de collaborateurs techniques chargés d'aider les chercheurs dans les réalisations de leurs travaux. Ce cadre comprend des qualifications diverses : ingénieurs, techniciens, aides-techniciens, laborantines... Les salaires sont calqués sur ceux de l'industrie. Il s'agit d'un cadre de contractuels dont les nominations renouvelables sont faites pour une durée d'un an.

La Recherche Scientifique Médicale pose des problèmes de locaux, d'équipement, et de frais de fonctionnement. Jusqu'à ces dernières années, l'Institut Pasteur mis à part, c'est essentiellement dans les laboratoires des services universitaires qu'ont été poursuivis les travaux. Cependant, l'intérêt et le développement de la recherche clinique ont largement accru les recherches effectuées dans les laboratoires des Hôpitaux où la Recherche Médicale trouve une atmosphère particulièrement favorable. L'Institut National d'Hygiène s'est efforcé, depuis dix ans, au mieux de ses disponibilités budgétaires, d'équiper les laboratoires universitaires et hospitaliers spécialisés dans la Recherche Médicale. Les plans d'équipement de ces dernières années ont permis au C. N. R. S. et à l'I. N. H. de donner aux chercheurs un appareillage moderne. Ils y ont été aidés par l'Assistance Publique pour les laboratoires parisiens.

Mais pour certains travaux, la complexité des problèmes posés, allant de la molécule à l'homme, celle des connaissances et des techniques indispensables pour faire progresser les sciences médicales, rendent nécessaire la constitution d'équipes comprenant les divers spécialistes des questions à résoudre, assistés de techniciens compétents. Pour être efficaces, tout en se limitant à l'étude d'un problème défini, les groupes doivent comprendre un nombre relativement élevé de chercheurs et de collaborateurs techniques disposant de moyens convenables. C'est ainsi que l'I. N. H. a été amené à entreprendre l'édification de laboratoires de moyenne importance, dénommés Unités de Recherche, implantés dans les Hôpitaux grâce à des conventions passées avec les autorités hospitalières. Elles sont confiées à des équipes généralement dirigées par un médecin, occupant à plein temps des chercheurs spécialisés et travaillant en liaison avec les dirigeants des services d'enseignement, de diagnostic et de soin appartenant au même Hôpital. Six Unités ont été ainsi déjà réalisées à Paris, deux en province, et une vingtaine d'autres sont en voie d'étude dans l'ensemble du pays. Seuls des problèmes budgétaires en retardent la réalisation. De son côté, le C. N. R. S. finance une politique analogue. Certaines de ses réalisations déjà anciennes constituent des centres de recherche importants.

L'I. N. H. poursuit aussi son effort dans la réalisation d'enquêtes statistiques touchant aux domaines de la santé et de l'hygiène. Une politique sanitaire nationale ne peut être fondée que sur des travaux d'enquêtes et de recherches cliniques permettant de définir au mieux l'état de santé du pays. Diverses sections fonctionnent de façon permanente à l'I. N. H. pour atteindre ce but : maladies infectieuses, tuberculose, cancer, maladies de l'enfant, stomatologie, hygiène industrielle, centre d'exploitation statistique.

L'activité de l'I. N. H. considéré comme un service public de recherche dans les problèmes intéressant la santé publique, a été accru depuis un an par l'organisation d'un " Service Central de protection contre les radiations ionisantes ". Sous l'égide de la Présidence du Conseil, du Ministère du Travail et de la Sécurité Sociale, du Ministère de la Santé et de la Population, ce service doit contrôler et prévenir les dangers qui pourraient résulter, pour les travailleurs professionnellement exposés aux radiations ionisantes et pour l'ensemble de la population, d'une exposition aux radiations dans leurs utilisations médicales, industrielles et de recherche. Dès 1960, la construction d'un Institut National de Recherche et de Contrôle dans ce domaine est prévue par le Ministère de la Santé et de la Population. Le même projet comprend la réalisation d'un laboratoire de recherche sur la pollution atmosphérique et d'un laboratoire de recherches diététiques alimentaires concernant les produits de consommation courante et leur préservation. Cet ensemble est indispensable pour l'étude de problèmes mis au premier rang de l'actualité et liés aux progrès de nos connaissances. Certains ne peuvent être mis en œuvre pour le plus grand bien de l'humanité que si l'on apprécie correctement, à côté d'avantages indiscutables et très largement bénéficiaires, divers inconvénients inéluctables et les moyens de s'en protéger.

Dans toute recherche, des contacts étroits doivent être établis à l'échelle nationale et internationale entre les groupes de travail préoccupés par les mêmes problèmes. Des liaisons ont pu être établies, depuis 1946, entre les chercheurs médicaux français et leurs collègues étrangers, grâce à l'attribution de bourses de recherche à l'étranger, par la Direction Générale des Relations Culturelles du Ministère des Affaires Étrangères. Chaque année, une quinzaine de bourses sont distribuées à de jeunes médecins ayant déjà fait leurs preuves dans le domaine de la Recherche Médicale, pour séjourner dix mois à l'étranger, dans un laboratoire de recherche spécialisé, où ils sont invités par le chef de service. L'expérience a montré l'efficacité du système et les bienfaits qu'une sélection rigoureuse permet de retirer de ces bourses. La réalisation des unités de recherche doit faciliter la venue en France de chercheurs étrangers déjà très fortement attirés vers notre pays par les laboratoires existants.

Des bourses d'échanges sont également attribuées par le gouvernement des U. S. A., en particulier par la Commission franco-américaine d'échanges universitaires (Bourses Fulbright), par des fondations privées comme la fondation Ciba (échanges de chercheurs franco-britanniques).

Des colloques internationaux réunissant un nombre limité de chercheurs spécialisés dans certains problèmes d'actualité, rendent aussi de grands services dans le domaine des Sciences médicales. Le C. N. R. S. en organise périodiquement en France, ainsi que la Fondation Ciba et la Commission Internationale des Sciences Médicales fonctionnant sous le contrôle de l'UNESCO et de l'OMS.

Le développement de la Recherche scientifique médicale est à l'heure actuelle une nécessité vitale. Dans plus de trente pays existent des organismes nationaux spécialement occupés de promouvoir et de subventionner la Recherche et particulièrement la Recherche médicale.

*
* *

L'effort fait dans notre pays, en particulier par l'I. N. H. et le C. N. R. S., en liaison avec l'Université et les Hôpitaux, doit être facilité par une augmentation des budgets mis à leur disposition. La valeur réelle de notre jeunesse, son élan, son enthousiasme, ses qualités d'imagination, d'intelligence, de travail, doivent être reconnus et encouragés : on atteindra ce but par un effort budgétaire accru, amenant la France à disposer, dans ce domaine, de crédits du même ordre que ceux qui sont déjà disponibles dans les grands pays voisins, par une amélioration du statut des chercheurs et de leurs moyens de travail. Un progrès a été réalisé, il doit être amplifié au cours des prochaines années, avec la certitude d'un rendement satisfaisant.

Professeur L. BUGNARD
Directeur de l'Institut National d'Hygiène.

LA PHILOSOPHIE, LES LETTRES ET LES ARTS

Dans le domaine de la Philosophie, des Lettres et des Arts, on s'accorde à reconnaître que la France conserve une place éminente. Mais, héritiers d'un passé trop riche, ses écrivains et ses artistes, aux yeux de certains, ne seraient que des épigones. D'autres, trompés par de frivoles apparences et à la suite de Julien Benda, les accuseraient de byzantinisme.

A de jeunes écrivains, à des critiques de large audience, à un architecte prix de Rome, nous avons demandé de mettre les choses au point.

LA PHILOSOPHIE EN FRANCE

La philosophie tient dans la culture française une place qui mérite examen. Son importance se marque d'abord dans la structure de l'Université : le baccalauréat de philosophie est une institution spécifiquement française; la licence et l'agrégation de philosophie attirent un nombre important de candidats dont une bonne part obéit à une authentique vocation que ne décourage pas la difficulté des épreuves. Il est assez remarquable que la réflexion radicale sollicitée après 1940 par la défaite et l'occupation ait pris une tournure spontanément philosophique, et que dans les Facultés l'enseignement de la philosophie ait connu alors une demande considérable. La philosophie exerce aussi sa fascination sur la littérature et les arts; sur le roman et le théâtre, on le sait assez; sur la poésie, qui ne connaît Valéry? Même la peinture et la sculpture dites abstraites, qui trouvent en France leur plus vaste clientèle, se proposent moins comme des témoins de l'art pour l'art que comme des manifestations d'un art de l'art, animé par le souci de dire avec les moyens de l'art un sens qui dépasse l'art, parce que l'art s'y réfléchit au lieu de s'y épanouir.

Il n'est pas jusqu'à la vie politique qui ne se ressente de cette emprise de la philosophie; on ne veut point excuser l'affligeante multiplicité des partis, ni dissimuler l'indigence de certains programmes ou la médiocrité de certaines réalisations; mais il reste que ce sont souvent des options philosophiques qui ont inspiré la charte des partis et leur comportement initial, avant que les conditions de la lutte, l'ambition des dirigeants, ou la sollicitation des "lobbies" n'en aient altéré la pureté. La France est le pays à qui il a pu arriver, dans un mouvement d'humeur, de donner 2 millions et demi de voix à Poujade, mais c'est aussi le pays où une campagne électorale a pu être amorcée par un débat autour d'un livre sur *les Aventures de la dialectique*.

Mais la philosophie peut-elle se mêler à toutes ces activités sans se compromettre? Certes, les philosophes n'acceptent pas volontiers qu'on puisse parler, comme font les Américains, de la " philosophie " d'une entreprise industrielle ou commerciale pour désigner son programme ou l'allure de son activité. Mais, d'autre part, ne rêvent-ils pas d'égaler leurs actes à leurs pensées et, loin d'exiler la philosophie de la vie, de mener une vie philosophique? Or, pour que la philosophie puisse s'inscrire dans la vie autrement que sous forme d'"attitudes" spéculatives, pour que la théorie philosophique puisse vraiment susciter une pratique, il faut que la réflexion sur des objets proprement métaphysiques se prolonge ou s'achève dans une réflexion sur des objets susceptibles de solliciter et d'orienter l'action, bref que la philosophie engage le philosophe dans le monde, à la fois en exerçant son jugement et en provoquant son vouloir. C'est ainsi qu'en France l'orientation de la philosophie est largement déterminée par la fonction qu'on lui assigne et que lui vaut sa popularité.

Par là s'explique le succès de l'existentialisme, beaucoup plus profond qu'une vogue superficielle et compromettante, beaucoup plus large qu'en Allemagne, d'où son appareil conceptuel a d'abord été exporté. Il n'est pas étonnant qu'avec Sartre principalement, l'existentialisme ait trouvé à s'exprimer par le roman et le théâtre : on en détecterait aisément certains thèmes déjà dans la poésie de Valéry, le roman de Malraux ou le théâtre d'Anouilh : preuve d'une certaine osmose entre la philosophie et l'art; preuve aussi de la facilité avec laquelle les notions philosophiques se transposent dans le registre des *Weltanschauungen* et se prolongent dans des attitudes humaines. C'est qu'en effet l'existentialisme est un humanisme : une doctrine qui traduit naturellement *Dasein* par réalité humaine, *Existenz* par existence humaine, *für-sich* par subjectivité humaine, et qui incline la phénoménologie dans un sens éthique : le phénomène, c'est le fruit qui est la vérité de l'arbre, et sur quoi on juge l'arbre. Le principal souci de cette doctrine est de rappeler l'homme à lui-même, à sa condition et à sa tâche dans un monde humain. Et si elle juge parfois sévèrement les sciences de l'homme, c'est moins pour leur impuissance que pour leur présomption : parce qu'elles trahissent l'homme qu'elles se proposent de connaître, et qu'elles mettent l'homme à leur service au lieu de se mettre au service de l'homme.

Il ne faut pas croire pour autant que l'existentialisme soit une philosophie de la facilité : il n'est pas aisé de valider une réflexion qui est à la fois de l'homme et sur l'homme, d'éclairer l'être du sujet, le rapport en lui du transcendantal et de l'empirique, et le rapport qui le lie au monde. Mais l'existentialisme a en commun avec le marxisme la volonté de dénoncer toute mystification qui consacre l'aliénation de l'homme : comme lorsque l'on substitue à une genèse réelle du signifiant une genèse conceptuelle de la signification, au devenir de la science et aux conquêtes de l'invention une dialectique du vrai, à la lumière naturelle d'un entendement fini la lumière surnaturelle de l'Être, à l'initiative du sujet réfléchissant l'opération d'une réflexion absolue. Dès lors, l'existentialisme se prête au reproche de platitude que Hegel, avant Nietzsche, adressait à l'humanisme. Et ce reproche ne manque pas d'être repris aujourd'hui par les jeunes philosophes qui se recommandent soit de Hegel, soit de Heidegger (Heidegger qui trouve peut-être en France une plus large audience qu'en Allemagne), et qui, au lieu de chercher le fondement de la transcendance dans le transcendantal, cherchant le fondement du transcendantal dans la transcendance, se réfèrent à une instance inassignable, Être ou Logos. Le dialogue de l'ontologie et de l'anthropologie anime ainsi, en France, la scène philosophique.

Mais il y a d'autres interlocuteurs, et point négligeables : le marxisme, que nous avons déjà mentionné, qui n'est pas seulement revendiqué par les tenants de l'orthodoxie communiste, mais souvent invoqué par d'autres comme un garde-fou contre les tentations de l'idéalisme et du pharisaïsme. Le spiritualisme, qui s'efforce de renouveler la psychologie réflexive, florissante à la fin du siècle dernier, par une théorie des valeurs. Le personnalisme, qui cherche un contenu concret pour le formalisme moral de Kant, et qui s'est développé dans l'ambiance d'une philosophie religieuse. Le rationalisme, dont l'imprévisible essor de la science et la pensée bergsonienne ont ébranlé le dogmatisme, que l'histoire de la science et la phénoménologie de l'esprit scientifique n'empêchent pas de réhabiliter, même s'il la psychanalyse, l'imagination. Ces dernières doctrines font un bon bout de chemin avec l'existentialisme, à qui d'ailleurs elles ont parfois frayé la voie. Elles partagent avec lui le recours à la méthode phénoménologique dans la mesure où celle-ci présuppose l'immanence de l'essence à l'existence, du sens à l'apparence, et garde le souci de saisir le sujet concret, incarné et historique, et cependant libre, ingénérable et indéclinable, au travail dans un monde qu'il explore et tâche de maîtriser.

Au reste, ce classement par doctrines, par *ismes*, est toujours injuste et insuffisant; peu de philosophes s'accommodent d'une étiquette. Si la philosophie est vivante, c'est en chaque philosophe, et dans les échanges qui s'établissent entre eux. Car elle est naturellement individualiste, et en quelque façon secrète. Et pourtant, elle finit par imprégner la culture parce qu'elle trouve à s'exprimer par des œuvres littéraires, et aussi dans des revues, comme *les Temps Modernes* ou *Esprit*, *Critique* ou *la Nouvelle Critique* dont l'audience est relativement large : ce phénomène d'osmose me semble d'ailleurs spécifiquement français. Ainsi, entre l'individualisme des Français et la pratique de la philosophie, la causalité est sans doute au moins réciproque.

Mais alors la seconde ne doit-elle pas prendre sa part des reproches qu'on adresse parfois au premier? Le développement de l'esprit critique, la défiance à l'égard de l'orthodoxie, s'ils vont de pair avec la résistance à la coopération, avec une certaine impuissance à construire ou un certain malthusianisme, bref avec certains des travers qui affectent la vie nationale, ne peuvent-ils être imputés à la philosophie? L'on a déjà entendu des " réalistes " faire le procès de la philosophie, mère du byzantinisme et de l'anarchisme. Cependant l'accusation me semble injuste : les maux que l'on dénonce ont aussi d'autres causes, car c'est encore la philosophie qui les dénonce, comme elle peut aussi bien dénoncer les maux inverses, et tout aussi réels, dont souffrent d'autres cultures, qui proviennent du conformisme, de l'enthousiasme aveugle, de l'abandon à la collectivité. Je ne dis point que la philosophie soit innocente : elle arrache l'homme à l'innocence en l'éveillant à la réflexion. Mais elle l'arrache aussi à la torpeur de la coutume ou des instincts, à la sauvagerie des passions. Dirons-nous qu'elle le civilise? Non, la plaidoirie ne doit pas tomber dans le même excès que le réquisitoire : la philosophie n'est pas une école de civilité, elle n'est pas même nécessairement une école de sagesse; ou du moins la sagesse qu'enseigne la métaphysique ne peut-elle se mesurer selon les normes culturelles, et se lire sur le comportement des citoyens. Mais elle est au moins une école de lucidité, et peut-être, chez les meilleurs, de générosité. C'est assez pour qu'on désire que le flambeau ne s'éteigne pas.

Mikel Dufrenne
Professeur à la Faculté des Lettres de Poitiers.

LA VIE LITTÉRAIRE EN FRANCE

Élément souvent essentiel de la formation à l'école et au lycée, distraction souvent préférée tout au long de la vie, la littérature garde en France une grande importance. La statistique nous apprend que 62 % des adultes lisent des livres (contre 45 % en Grande-Bretagne et 38 % aux États-Unis), que 160 millions de volumes sont mis en vente chaque année, que plus du quart de la population lit au moins deux livres par mois. Le goût de la vie littéraire est entretenu par un certain nombre de grandes revues dont les tirages ne sont pas très élevés (à peine 10 ou 20 000) et par des hebdomadaires qui ont un plus large rayonnement. A certains moments, en particulier en novembre et décembre, à l'approche de quelques grands prix littéraires comme le Goncourt et le Renaudot, la curiosité pour la littérature devient presque générale, et toute la presse consacre de longs articles aux livres et à leurs auteurs. Ce large intérêt, sympathique en lui-même, n'implique pas bien entendu un discernement universel et constant : il faut en tenir compte, mais aussi essayer de dégager quelques tendances générales d'après les œuvres elles-mêmes, indépendamment de leur succès.

Le genre littéraire qui garde le plus de lecteurs et malgré tout le plus de vitalité propre, c'est le roman. Romanciers et critiques s'interrogent souvent sur les métamorphoses et les crises du roman, sur son avenir. Mais en fait, le roman prouve son existence comme Diogène prouvait le mouvement : en marchant. La compétition pour les grands prix littéraires auxquels nous venons de faire allusion entraîne même une production pléthorique, encouragée par les éditeurs à l'affût de succès commerciaux plus encore que de l'éclosion de jeunes talents.

Du point de vue technique, on peut dire que la forme classique du roman français a été fixée par les grands écrivains du XIXe siècle : Balzac, Stendhal, Flaubert, etc.; forme de narration qui n'est pas essentiellement différente de celle des grands romanciers anglais ou russes de la même époque; forme traditionnelle devenue banale et d'un emploi presque mécanique. Au cours de l'entre-deux guerres et depuis, les romanciers français ont donc essayé de varier et de renouveler les procédés de narration. Ils ont tenté d'imiter ou d'assimiler les apports et les exemples de grands écrivains comme Marcel Proust, James Joyce, John Dos Passos, William Faulkner, etc. Le récit ne s'est plus astreint à suivre l'ordre du temps historique : il a essayé, ou bien de se soumettre au rythme et aux caprices du temps intérieur et de la mémoire, ou bien de donner le sentiment de la multiplicité et de la variété des événements et des consciences au même moment. Monologue intérieur, simultanéisme, bouleversement concerté de la chronologie, fidélité au langage le plus intérieur de la conscience ou au contraire à la description la plus objective du comportement, toutes ces voies ont été tentées et parfois systématisées à l'excès. Peut-être parce que le lecteur moyen (le " liseur de romans ") n'a suivi que dans une faible mesure, peut-être parce que l'originalité même de ces techniques les condamne à une usure rapide par l'imitation, ces renouvellements n'ont eu qu'une importance relative : ils ont toutefois contribué à rendre plus souple et plus libre la technique traditionnelle.

Plus significative apparaît la tentative de renouvellement du roman par l'intérieur, par le contenu. D'une manière générale, et cela reste vrai pour une grande partie de la production actuelle,

André Malraux
Ph. Rapho-Zalewski

Saint-John Perse
Ph. Keystone

H. de Montherlant
Ph. Rapho-R. Doisneau

François Mauriac
Ph. Rapho-J.-M. Marcel

le roman français est d'abord un roman psychologique, ensuite un roman social présentant à des lecteurs bourgeois un miroir de leur classe. Mais de plus en plus, depuis les années 30, on s'est efforcé de dépasser le plan de la simple narration et de la simple description. On veut comprendre, expliquer, signifier. On ne se contente plus du psychologique (même avec l'exploration du sous-sol par la psychanalyse), on veut de plus en plus faire du roman l'expression d'une vue sur le devenir de la société, et surtout sur la destinée métaphysique de l'homme. " Le roman moderne " écrit André Malraux, " est à mes yeux un moyen d'expression privilégié du tragique de l'homme, non une élucidation de l'individu. " Si, dans la condition humaine, on s'attache surtout au tragique de la condition sociale et politique, on écrira des livres " engagés " comme les romanciers communistes et, dans une certaine mesure, existentialistes; et si l'on s'attache surtout au tragique de la condition métaphysique et spirituelle, on écrira des romans d'inspiration philosophique ou religieuse comme les romanciers catholiques et quelques autres.

Ces grandes tendances indiquées, le panorama du roman français vers le milieu du siècle peut s'ordonner d'après les générations successives. Depuis la disparition de Paul Claudel, d'André Gide, de Roger Martin du Gard, la génération des grands aînés dans notre littérature, c'est celle des hommes nés vers 1885. Génération brillante qui a assuré la relève d'une façon éclatante au lendemain de la première guerre mondiale. Elle comprend des hommes comme Pierre Mac Orlan, Georges Duhamel, Jacques Chardonne, Jules Romains, François Mauriac, André Maurois, Francis Carco, Pierre Benoit, Blaise Cendrars, Paul Morand, Jean Cocteau, Henri de Montherlant et bien d'autres. Ce sont des écrivains classiques qui n'ont guère été touchés par les tentatives de renouvellement dont nous parlions. Comme il est naturel, ils ont davantage aujourd'hui l'audience du public épris de sagesse que celle du public épris de jeunesse. Leurs œuvres se détachent sur l'horizon littéraire comme de grands massifs plus ou moins fréquentés : le bloc compact des *Thibault* de Roger Martin du Gard et celui, géométrique, des *Hommes de Bonne Volonté* de Jules Romains; le massif tourmenté, déchiré des romans de François Mauriac et celui aux formes plus paisibles de Georges Duhamel; le paysage de lacs aux eaux grises, tièdes, parfois profondes, de Jacques Chardonne et celui de jardins exotiques, cocasses et fantaisistes de Pierre Benoît. Les meilleurs ont été les témoins lucides de leur temps et de leur classe, en même temps que des artistes et des artisans d'une grande probité dans leur métier de romancier. Depuis la fin de la seconde guerre mondiale, quelques-uns d'entre eux prolongent leur activité dans des ordres différents : André Maurois par de magistrales biographies de grands écrivains, Henry de Montherlant par des œuvres dramatiques, François Mauriac enfin par une œuvre éblouissante, féroce et courageuse de journaliste. Seul lauréat français vivant du prix Nobel depuis la mort de Roger Martin du Gard et d'Albert Camus, il est aussi l'une des personnalités les plus attachantes de notre littérature.

Notons tout de suite que parmi les romanciers plus jeunes, beaucoup n'ont pas perdu le goût des œuvres de pure analyse psychologique ou des peintures attentives d'histoire et de mœurs contemporaines. Un Paul Vialar, un Henri Troyat continuent dans la même voie, avec la même probité. La faveur du public reste acquise presque exclusivement au roman traditionnel et, parmi les romanciers plus jeunes encore, ceux qui ont conquis une audience importante : Hervé Bazin, Maurice Druon, Gilbert Cesbron et même Françoise Sagan, sont tous des romanciers fidèles aux cadres, au " moule " du roman classique.

La seconde grande génération est celle des écrivains nés vers 1900 et qui ont conquis leur place dans la littérature entre 1925 et 1935. Outre un aîné comme Jean Giono, né en 1895 (et, bien qu'il soit mort prématurément, il faut citer aussi un ancêtre comme Georges Bernanos, né en 1888, mais qui ne débute qu'en 1926), elle comprend des hommes comme Julien Green, Saint-Exupéry (car enfin il y a des morts plus présents dans un tableau littéraire que bien des vivants), André Malraux, Marcel Aymé. C'est la grande génération du renouvellement : avec Bernanos, le roman catholique se transforme de roman du péché et de la morale (qu'il est encore chez Mauriac) en roman de la grâce et du salut; avec Jean Giono le roman paysan devient d'abord une sorte de poème romanesque et païen, puis l'instrument d'une prédication assez naïvement pacifiste et rousseauiste, avant de se transformer encore dans les dernières œuvres de l'écrivain ou de céder la place à un romanesque du sentiment d'accent stendhalien; avec André Malraux enfin, le roman pose et se pose tous les problèmes de l'action dans le monde, même de l'action politique et sociale, à même les chairs meurtries par les fascismes et les révolutions. Vers la même époque, Saint-Exupéry pose et se pose lui aussi les problèmes de l'action, mais à l'état pur, dans la lutte de l'homme contre la résistance de son corps et de la nature. Ce sont des écrivains qui nous invitent à méditer sur des types humains exaltants : le Saint, le Héros et peut-être le Partisan dont l'éthique est faite d'un mélange d'héroïsme et de sainteté laïque. Bernanos et Saint-Exupéry sont morts, André Malraux a renoncé au roman en faveur de la philosophie de l'art, cherchant dans les mystères de la création artistique et du génie une autre réplique de l'homme aux puissances de l'histoire et de la destinée. Mais ils restent tous les trois au nombre des écrivains les plus écoutés de la jeunesse. Et de même chaque nouveau livre de Julien Green et de Marcel Aymé est un petit événement de la littérature vivante; dans l'ordre du roman psychologique d'inspiration chrétienne, mais imprégné en même temps d'un fantastique à l'odeur de soufre, pour Julien Green; dans l'ordre du roman satirique, et surtout du conte où un humour irrésistible et amer met en valeur la plus parfaite vérité d'observation, chez Marcel Aymé.

La troisième grande génération enfin, qui continue le mouvement d'approfondissement des problèmes et de pénétration du roman par la philosophie est celle des écrivains qui ont fait leurs débuts tout de suite avant, pendant ou après la seconde guerre mondiale. Les chefs de file ici sont Jean-Paul Sartre, Simone de Beauvoir et Albert Camus (mort tragiquement en 1960). Avec Sartre et Simone de Beauvoir ce sont les professionnels, et même les professeurs, de la philosophie, qui conquièrent le roman. A vrai dire, ils l'ont conquis par leurs livres de début, ils ne l'ont pas occupé par leurs livres suivants. Les meilleures œuvres de ce que l'on peut appeler *grosso modo* l'école existentialiste, *la Nausée* et *le Mur* pour Sartre, *l'Invitée* pour Simone de Beauvoir, ce sont les premières. Il faut y joindre toutefois, avec *les Mandarins*, de véritables mémoires romancés de toute l'aventure politique et spirituelle de l'intelligentzia française depuis dix ans. Romans débraillés, qui peuvent déplaire ou scandaliser, mais dont on ne peut nier ni l'honnêteté, ni le sérieux, ni la gravité puisqu'ils traitent de tous les problèmes qui se posent aujourd'hui à l'homme, libre de Dieu mais inquiet de sa liberté sur la terre. De *l'Etranger* à *la Chute*, l'œuvre courte et dense d'Albert Camus cherche de la même manière à dessiner une image de la condition humaine qui ne soit pas totalement désespérée et désespérante malgré le contexte de l'absurdité du monde.

Enfin, à côté des romanciers d'inspiration chrétienne et des romanciers d'inspiration existentialiste, il faudrait faire une place à Louis Aragon et aux romanciers d'inspiration communiste : Aragon, dans la série du *Monde réel* ou dans celle des *Communistes*, pose lui aussi les grands problèmes de la conduite politique et morale, mais il leur donne la solution préfabriquée par les héritiers du marxisme. Bien entendu, dans la diversité du roman français contemporain, toutes ces tendances coexistent, de même que toutes ces générations continuent à produire : le roman français, c'est Jean-Louis Curtis, c'est Roger Nimier, Antoine Blondin, Roger Vailland, Alain Robbe-Grillet, Marcel Schneider, Jules Roy, Julien Gracq, Jean Cayrol et combien d'autres.

La prolifération du roman nous oblige à passer plus rapidement sur deux autres secteurs de la vie littéraire, celui de la poésie et celui de la littérature d'idées. Vivante certes, dans les revues spécialisées, les innombrables plaquettes, les anthologies, la poésie n'a pas l'oreille du grand public, ce qui est presque normal, et n'a pas non plus un visage très caractéristique. Au cours des dernières années, la poésie française a perdu avec Paul Valéry son dernier " poète-lauréat ", avec Paul Claudel son patriarche chrétien. Enfin, de l'insurrection surréaliste qui fut le grand mouvement de l'entre-deux guerres, Paul Eluard est mort, André Breton est plus préoccupé de son œuvre de théoricien, cherchant dans des écrits souvent très beaux à définir une éthique surréaliste, que d'ajouter à son œuvre poétique, et Louis Aragon est passé avec plus ou moins de bonheur à une poésie plus facile. En simplifiant beaucoup, on pourrait dire que les deux grandes présences lointaines mais agissantes de la poésie d'aujourd'hui, ce sont les présences de Jules Supervielle et de Saint-John Perse, ce dernier, prix Nobel de poésie 1960; le poète qui a le plus de prestige auprès des amateurs lettrés, c'est René Char; le plus populaire auprès de la grande masse, avec les auteurs de chansons comme Brassens ou Ferré, c'est Jacques Prévert. Si Pierre Reverdy publie surtout des réflexions, si Jouve est devenu très rare, Henri Michaux continue à être l'explorateur perspicace des espaces intérieurs, Raymond Queneau et Jean Cocteau ont l'un et l'autre des activités tellement multiples qu'à tort on oublie parfois la part poétique de leur œuvre. Et dans la foule nombreuse des poètes plus jeunes ou moins connus, citons un Jean Follain, un Maurice Fombeure, un Jean Grosjean, un Yves Bonnefoi, un Jean Rousselot, un Norge; et Patrice de La Tour du Pin, qui a fait figure de jeune maître, et Luc Estang, et Francis Ponge, et Pierre Emmanuel et Aimé Césaire. Impossible de clore l'énumération, impossible de définir chaque tempérament. Dans une poésie très variée parce qu'elle est très libre aussi bien du point de vue formel que du point de vue de l'inspiration, ce sont en effet les tempéraments qui comptent d'abord. Presque tous les héritages de la poésie française, du pré-classicisme au symbolisme et au surréalisme, sont encore cultivés. Mais il n'y a plus d'école pour les poètes, sauf l'école buissonnière, et "les mots font l'amour". Cela favorise un foisonnement qui va jusqu'à l'inflation : mais cela permet aussi le plein épanouissement, dans toutes les directions et dans tous les registres, des tempéraments les plus puissants.

Avec la critique et la littérature d'idées, enfin, nous allons retrouver un certain nombre de romanciers et de poètes qui sont aussi des auteurs d'essais, et cela se comprend d'autant plus facilement que l'un des traits caractéristiques de l'époque est l'intrusion de la littérature de réflexion dans tous les autres domaines : Jean Paulhan a remarqué qu'un grand nombre de nos écrivains ont consacré la moitié de leur œuvre à se justifier d'avoir écrit l'autre. Les grands disparus dont la pensée agit encore par leurs élèves et par leurs livres, ce sont ici Gide et Valéry, mais aussi Alain, Julien Benda, André Suarès.... Mais Albert Camus est l'auteur du *Mythe de Sisyphe* et de *l'Homme Révolté* autant que de *l'Etranger* ou de *la Peste*, Jean-Paul Sartre celui de *Situations* (pour ne rien dire des ouvrages proprement philosophiques) autant que des *Chemins de la Liberté*. Et la seconde jeunesse de François Mauriac, c'est celle du journaliste, la seconde jeunesse d'André Malraux celle du critique et du philosophe de l'art. Les grands essais comme *l'Homme Révolté* ou *les Voix du Silence* sont des événements plus importants que la publication de la plupart des romans. Ils contribuent, sous une forme à peine plus didactique, à cette élucidation des problèmes politiques, moraux et métaphysiques de l'homme contemporain qui est la tâche de toute notre littérature.

On ne peut mieux terminer ce sommaire tour d'horizon qu'en disant un mot de la critique, c'est-à-dire de la réflexion de la littérature sur elle-même, puisque ces ouvrages permettront de prolonger ce que nous indiquons à grands traits. La critique a deux formes principales : il y a une critique classique ou beuvienne qui cherche, en élucidant autant que possible toutes les circonstances de l'œuvre et de l'auteur, à formuler un jugement de goût bien tempéré et à prendre des perspectives cavalières de l'histoire littéraire en devenir. C'est la critique d'un Émile Henriot, d'un Robert Kemp, d'un André Rousseaux, d'un Marcel Arland. Et il y a la critique qui vise à être une philosophie de la littérature et des thèmes littéraires, celle de Georges Poulet, de Maurice Blanchot, de Georges Bataille, dans une certaine mesure celle de Maurice Nadeau, de Gaëtan Picon. Elles ont leurs dangers, l'esthétisme superficiel pour la première, le pédantisme des fausses profondeurs pour la seconde : ici encore, c'est le talent et le tempérament qui comptent d'abord et font d'heureuses synthèses. Dans l'ensemble les oracles qui viennent de ce cabinet de réflexion de la littérature n'ont que peu d'influence sur le goût du grand public et les mouvements de la librairie; mais ils ont une influence profonde au second degré parce que plus qu'à aucune autre époque, les créateurs eux-mêmes s'inquiètent des problèmes de la création esthétique et écoutent avidement tout ce qui se dit dans ce domaine.

Un tableau comme celui-ci est nécessairement injuste, incomplet et faux dans la mesure même où il cherche à être impartial : il n'y a que les esprits myopes qui voient bien les ensembles en gardant le nez collé à l'objet. Nous avons rappelé un grand nombre de noms déjà familiers, mais d'écrivains disparus. Il est incontestable que beaucoup de grands sorciers blancs sont morts depuis une dizaine d'années, et que notre littérature peut en paraître provisoirement découronnée. Mais déjà au bout de la carrière des honneurs les hommes de la génération suivante s'élèvent, et sous nos yeux une jeune littérature foisonne. Son trait le plus constant, je crois bien que c'est le sérieux, et c'est bon signe. Auxiliaire de la méditation plus que moyen de divertissement, la littérature française actuelle veut être, en des temps troublés, la gardienne intransigeante de la qualité de l'homme, et en ce sens, elle est fidèle à la vocation permanente de son passé, elle est un classicisme continué par d'autres moyens.

Robert KANTERS
Critique littéraire.

LE THÉÂTRE FRANÇAIS VIVANT

Au regard d'un observateur distrait du théâtre français contemporain, le dialogue de l'ordre et de l'invention, comme disait Guillaume Apollinaire, peut paraître confus. La disparition des héritiers de Copeau : un Jouvet, un Dullin, celle de leurs compagnons de lutte : un Baty, un Pitoëff, le flottement du goût du public, la consécration tardive de l'œuvre d'un Paul Claudel, l'éclipse partielle de Jean Giraudoux, victime d'imitateurs maladroits, et, simultanément, l'affirmation d'un nouveau réalisme et d'une forme agressive du théâtre d'idées, la configuration mouvante de la géographie des théâtres parisiens et, parallèlement, une très nette reprise de la vie théâtrale en province, autant d'éléments qui le déroutent d'abord. Mais cette confusion n'est qu'apparente : elle est plutôt signe de vie.

Imaginons un étranger qui ne serait pas revenu à Paris depuis un quart de siècle. C'est en vain qu'il cherchera sur un plan de notre capitale, les itinéraires qu'il aimait suivre, étudiant, lorsqu'il fréquentait les cours de la Sorbonne ou ceux de l'Alliance Française. Si l'on excepte le bastion de la Comédie-Française, réduit maintenant à la seule salle Richelieu, où les querelles intérieures n'entament pas une tradition unique au monde, mais qui, toutefois, n'a pas retrouvé depuis Bourdet, malgré l'administration généreuse et intelligente d'un Pierre-Aimé Touchard, cette foi en elle-même qui stimule l'invention et qu'André Malraux entend lui rendre, quel ne sera pas son dépaysement!

Sur le " Boulevard ", à quelques exceptions près, il ne retrouvera pas le genre de spectacles qui tenait alors l'affiche. La troupe des Variétés n'existe plus. Des théâtres au lourd passé, comme la Porte Saint-Martin, le Gymnase, l'Ambigu, ne sont plus les temples réservés d'un genre ou d'un auteur. Certes, un Jacques Deval, un André Roussin, un Louis Ducreux, connaissent des succès plus ou moins prolongés à la Renaissance, aux Nouveautés, à Édouard VII, à la Madeleine. Mais, le temps n'est plus où Alfred Savoir, Édouard Bourdet, Sacha Guitry, Henry Bernstein, Robert de Flers, Marcel Pagnol, Steve Passeur, ou de moindres seigneurs comme Denys Amiel, André Birabeau, Bisson, Duvernois, Kistemaekers, Natanson, Louis Verneuil, apportaient au théâtre dit du " Boulevard " les ressources de talents variés, et parfois l'éclat d'une manière originale. De la génération des Jean-Bernard Luc, des Albert Husson, des Marc-Gilbert Sauvageon, on ne peut dire qu'elle a vraiment renoué le fil de cette tradition. Le Palais-Royal lui-même se survit. Le vaudeville se meurt, et l'on fait fête à Labiche, à Feydeau, classiques du genre.

Cette tradition serait-elle morte? La révolution du Cartel, la coalition presque unanime d'une critique exigeante et combative, la disparition d'une certaine société où elle recrutait son public, expliquent-elles ce déclin? On ne saurait l'affirmer. Un théâtre survit, qui se nourrit encore de psychologie facile, ne se soucie pas de renouveler son langage, pille l'héritage de la grande comédie de mœurs ou du vaudeville, traite, sous la dénomination surfaite autant que déplorable de " parisianisme ", des choses de l'amour avec une grâce un peu lourde, s'attache à la peinture d'un milieu social périmé, sombre dans la vulgarité et la platitude. Ce théâtre-là ne possède ni la poésie, ni le style, ni même ce métier supérieur qui pourrait, dans son ordre, lui assurer une valeur durable. Seule, l'œuvre d'André Roussin (*Bobosse*, *Les œufs de l'autruche*, ...), semble devoir échapper à cette fatale caducité.

Toutefois, s'il a pu alors assister aux débuts d'un Jean Anouilh chez les Pitoëff, ou d'un Armand Salacrou chez Dullin, notre visiteur retrouvera ces auteurs originaux et vigoureux au premier rang d'un "Boulevard" plus aventureux que l'ancien, géographiquement insituable, puisqu'il passe par le Théâtre Saint-Georges, la Comédie des Champs-Élysées, et même la Rive gauche. Oui! quelle ne sera pas la surprise de notre amateur de constater que l'auteur de *La Sauvage* et du *Voyageur sans bagage* fait applaudir l'*Alouette*, *Ornifle*, *L'hurluberlu*, *Becket* par le public du ci-devant "Boulevard", et que celui de *La terre est ronde* et de *L'Inconnue d'Arras* a pris ce même public au piège d'œuvres ambiguës et surprenantes, telles que *Les fiancés du Havre* ou *Dieu le savait*. Et il convient d'ajouter à ce tandem un Marcel Aymé dont la fantaisie s'accommode d'un réalisme à la Jules Renard très savoureux (*Clerambard*, *La tête des autres*, *Les oiseaux de lune*, ...), un Claude-André Puget (*Les jours heureux*, *Le Grand Poucet*, *La Peine Capitale*, *Le Roi de la fête*, ...) dont le talent rappelle certaines réussites de Jean Sarment, un Georges Neveux (*Plainte contre inconnu*, *Zamore*, ...), auteur original au style ferme, un Félicien Marceau (*L'œuf*, *La bonne soupe*), adroit et incisif.

Je ne perds pas de vue notre visiteur, aussi bien ai-je le dessein de lui servir de guide. S'il était au Quartier Latin dans les années 1930, je ne doute pas qu'il n'ait assidument fréquenté les théâtres du Cartel : l'Atelier de Charles Dullin, à Montmartre, avec Alexandre Arnoux, Armand Salacrou, Bernard Zimmer; le Vieux-Colombier, où la jeune Compagnie des Quinze de Michel Saint-Denis faisait valoir, avec l'œuvre attachante d'André Obey (*Noé*, *Loire*, *Bataille de la Marne*, et, plus tard, *L'Homme de cendres*), les leçons de Copeau; la Comédie des Champs-Élysées, et à partir de 1934, l'Athénée où Louis Jouvet jouait Jules Romains, Marcel Achard, Jean Cocteau, et surtout Jean Giraudoux; le Théâtre Montparnasse où Baty acclimatait ses somptueuses chimères, après avoir révélé Jean-Jacques Bernard,

Simon Gantillon, et Jean Victor-Pellerin; ces salles enfin, du Théâtre des Arts (aujourd'hui Théâtre Jacques Hébertot) aux Mathurins (qui accueillirent aussi le Rideau de Paris de Marcel Herrand et Jean Marchat), où Georges et Ludmilla Pitoëff, sans jamais pouvoir se fixer, travaillèrent avec une passion dévorante qui entraîna parfois des faux-sens féconds, à élargir le goût du public, en ouvrant tout grand l'éventail d'un répertoire exceptionnel, d'Ibsen à H.-R. Lenormand, de Tchékov à Anouilh, de Pirandello à Claudel, de Shakespeare à Supervielle.

Ces grands animateurs ne sont plus. Pitoëff est mort en 1939, comme la guerre se déchaînait; Copeau et Dullin, dix ans plus tard; puis Jouvet en 1951 et Baty en 1952. Il ne fait cependant pas de doute que le théâtre français vit encore sur le capital amassé entre les deux guerres mondiales par les fondateurs du Cartel.

Cette association, plus morale que matérielle, groupa Baty, Dullin, Jouvet et Pitoëff. Le contrat qui les liait et qui constituait un acte de foi dans le théâtre d'art, fut signé le 6 juillet 1927. Il respectait la liberté et la personnalité des signataires. On est en droit, cependant, de parler d'un esprit commun. La diversité de leurs styles ne saurait dissimuler l'unité de leurs ambitions : rendre au théâtre, gâté par le commerce, sa dignité d'art, le " décabotiniser " en combattant le culte de la vedette, ramener les poètes et les grands écrivains à la scène, intégrer au répertoire français les grands dramaturges étrangers (Ibsen, Strindberg, Tchékov, Pirandello, mais aussi Shakespeare), plaire au public selon la grande règle de Molière, mais sans concession. Copeau, en fondant le Vieux-Colombier (octobre 1913), avait fait de ces différents points le programme de sa réforme. Le Cartel a vécu sur son héritage. Il en a transmis l'esprit à ses successeurs, mais ceux-ci savent que ce genre de bataille n'est jamais définitivement gagné.

Il semble, d'autre part, que leurs efforts ne se portent pas tout à fait sur les mêmes fronts. L'évolution économique et sociale ne va pas de pair avec l'évolution esthétique. Le Cartel a pu négliger certaines besognes qu'un Barrault, un Vilar, les jeunes Compagnies ou les Centres régionaux mettent aujourd'hui au premier plan de leurs préoccupations. La concurrence du cinéma s'est dangereusement développée, bien qu'il n'y ait plus de rivalité sérieuse entre ces deux arts dans l'ordre esthétique. La Télévision a relayé cette concurrence, en apportant classiques et modernes à des millions de spectateurs en chambre. Les problèmes d'organisation professionnelle, la renaissance d'un théâtre populaire, la vitalité de l'amateurisme et sa qualité, la recherche d'une nouvelle écriture ont pris le pas sur les expériences de mise en scène pure. Tout n'a-t-il pas été tenté dans ce domaine, depuis André Antoine, fondateur du Théâtre Libre (1887), et tous ceux qui, de Lugné-Poe à Copeau et au Cartel, ont réagi contre lui, tout en s'inspirant de ses vertus et de sa passion du théâtre? En assimilant les influences étrangères (Stanislawski, Craig, Appia, Piscator, Rheinhardt), les metteurs en scène français semblent avoir, depuis cinquante ans, épuisé toutes les possibilités. De Raymond Rouleau à Pierre Valde, de Julien Bertheau à Raymond Hermantier, de Jean Meyer à Jean Mercure, d'André Barsacq et de Maurice Jacquemont à Roger Blin, de Jean-Marie Serreau à André Reybaz le théâtre parisien possède des maîtres artisans. Et l'on aurait tort de ne pas inscrire à ce palmarès, les meilleures réalisations des cabarets-théâtres (Michel de Ré, Yves Robert), celles du Théâtre en Rond d'André Villiers ou les remarquables mises en scène de Roger Planchon, à Lyon-Villeurbanne, qui a entendu la leçon de Brecht.

Un Barrault au Théâtre de France (ancien Odéon), ou un Vilar au T. N. P., décantent aujourd'hui, selon leur tempérament propre, selon leurs moyens aussi, cet héritage. Cela ne veut pas dire qu'ils n'apportent rien. Jean-Louis Barrault a pu tenter une certaine forme de " théâtre total ", synthèse de moyens d'expression variés, de la musique au mime (*Le Procès*, adapté de Kafka par André Gide, *L'Etat de Siège* d'Albert Camus, *Le Livre de Christophe Colomb* de Paul Claudel, *L'Orestie* d'Eschyle, adaptée par André Obey). Il ne néglige pas pour autant un travail d'intelligente restauration sur Molière, Racine, Marivaux. Jean Vilar, tirant bénéfice de contraintes extérieures (Avignon, Palais de Chaillot), choisissant délibérément le " tréteau nu " prôné par Copeau, décabotinisant le comédien le plus possible, secondé par Demangeat, Gischia et Gérard Philipe, ainsi que par le compositeur Maurice Jarre, a connu de grandes réussites (*Le Cid* et *Cinna* de Corneille, *Don Juan* de Molière, *Le Triomphe de l'amour* de Marivaux, *La Ville* de Claudel, *Les Caprices de Marianne* de Musset).

D'autres metteurs en scène ont fait fructifier tel ou tel aspect de l'héritage du Cartel. Georges Vitaly renouvelle la farce et le théâtre de fantaisie, en même temps qu'il donne corps, sur de modestes plateaux, à la poésie d'un Schéadé (*Monsieur Bob'le*) ou d'un Audiberti (*Le mal court*, *La fête noire*, *Pucelle*, *Les naturels du Bordelais*, *La Hobereaute*).

André Reybaz révèle l'œuvre violente et colorée de Michel de Ghelderode (*Hop Signor!*, *Fastes d'enfer*, *Mademoiselle Jaïre*) et fait, avec *Capitaine Bada* de Jean Vauthier, une des plus notoires créations de l'après-guerre.

Nicolas Bataille, Sylvain Dhomme, Jacques Mauclair, Robert Postec, Jean-Marie Serreau ont réussi à imposer l'œuvre d'Eugène Ionesco à un public de plus en plus étendu, qui reconnaît dans la détresse des héros dérisoires et l'humour à la Henri Monnier des *Chaises*, de *Victimes du devoir*, de *Tueur sans gages* et de *Rhinocéros*, la caricature à peine poussée de son désarroi. A sa manière, un tel théâtre témoigne de ce " monde cassé " dont parlait Gabriel Marcel. Mais, à la différence de l'auteur d'*Un homme de Dieu*, du *Chemin de Crête*, de *Rome n'est plus dans Rome*, fidèle à la leçon d'Ibsen, un Ionesco comme un Beckett

(*En attendant Godot, Fin de partie*), celui-ci servi par Roger Blin, cherchent, jusque dans la morphologie de leurs pièces, à exprimer cette absurde cassure de l'homme et du monde et des hommes entre eux. Roger Blin, lui-même, héritier d'Antonin Artaud, artiste exigeant, trouve, dans un Jean Genêt (*Les Nègres, le Balcon*), l'expression lyrique de ces révoltes.

Certains de ces metteurs en scène préoccupés de trouver une forme de spectacle qui exprime aussi fidèlement que possible notre époque, ont été touchés par le symbolisme, puis par le réalisme critique d'Arthur Adamov (*La grande et la petite manœuvre, Tous contre tous, Le ping-pong, Paolo-Paoli...*), par le dépouillement d'un style qui refuse tout effet de littérature. Ils aident ainsi un nouveau réalisme à se dégager, qui renoue peut-être avec la tradition de Zola ou de Mirbeau, tout en subissant l'influence de Brecht.

D'autres animateurs, tels que les Grenier-Hussenot ou Jacques Fabbri, ont essayé, dans la tradition des tréteaux et de la Commedia dell'Arte, de renouveler la farce, par une saine réaction contre un théâtre psychologique ou idéologique, tandis que Marcel Marceau réinvente la pantomime, et Yves Joly ou Georges Lafaye, les marionnettes.

Cependant, héritiers d'un humanisme, chrétien ou non, qui croit à un homme permanent, de grands écrivains comme Henry de Montherlant ou François Mauriac, parvenus tous deux à la maturité de leur talent, donnent au théâtre des œuvres de facture traditionnelle certes, mais fortement structurées et rigoureusement écrites. *La Reine morte, Le Maître de Santiago, Port-Royal* comme *Asmodée* ou *Les mal aimés* représentent une part inaliénable de notre patrimoine et ne peuvent être, sans mauvaise foi, taxées d'académisme.

Faut-il voir, enfin, dans les œuvres d'un Sartre (*Les mains sales*, mise en scène par Pierre Valde, *Le Diable et le Bon Dieu*, mise en scène par Jouvet, *Les Séquestrés d'Altona...*), d'un Camus (*Les*

Justes...) trop tôt enlevé à ce théâtre qu'il aima passionnément, d'un Thierry-Maulnier (*Le Profanateur, La Maison de la nuit, ...*) une renaissance du théâtre d'idées? Ces écrivains abordent la scène par une démarche d'ordre intellectuel ou éthique. Loin de converger, leurs œuvres ouvrent sur des horizons différents. Cette liberté de dialogue, empreinte parfois d'âpreté, garantit à notre théâtre une ouverture, une sorte de pluralisme idéologique, très éloigné de tout engagement exclusif, qui est l'apanage de l'esprit français.

En ce milieu du siècle, notre théâtre ne manque donc ni d'auteurs, ni de metteurs en scène, ni de comédiens, ni de décorateurs (de Wakhevitch et de Labisse à René Allio et à Jacques Noël); manquerait-il de spectateurs? C'est un des aspects les plus originaux de l'effort de nos animateurs d'après-guerre que la reconquête du public. La fondation de Centres en province (Rennes, Toulouse, Aix, Saint-Étienne, Strasbourg etc.) répond à cette ambition. Généralement inspirés du Cartel, leurs animateurs (Parigot et Goubert, Sarrazin, Lafforgue, Dasté, Gignoux) ont à vaincre beaucoup de paresse et de préjugés. De jeunes salles, comme la Salle Récamier ou celle de l'Alliance Française, en font l'expérience quotidienne. En menant à son terme l'entreprise de Firmin Gémier, promoteur en 1920 du Théâtre National Populaire (T. N. P.), Jean Vilar, sans se départir d'une ligne esthétique presque trop rigoureuse, fait figure de champion de cette reconquête. Mais les objectifs sont loin d'être tous atteints.

Le Festival d'Avignon (depuis 1947) demeure le plus représentatif de ces festivals dramatiques qui, chaque été, rassemblent dans la province française (Angers, Arras, Bordeaux, Lyon, Montauban, Nîmes, la Bourgogne, Vaison, Sarlat) des publics enthousiastes, pour lesquels le théâtre prend une dimension nouvelle.

Paris, enfin, s'affirme capitale mondiale de l'art dramatique, en accueillant, depuis 1954, au Théâtre Sarah Bernhardt (directeur A.-M. Jullien), redevenu Théâtre des Nations, un Festival international, qui constitue une confrontation vivante et amicale des réalisations nationales les plus attachantes.

Aidés par une critique dramatique sincère et libre qui aime profondément l'art qu'elle défend, par un effort remarquable des éditeurs spécialisés (Collections du Seuil et de l'Arche), par un renouveau des études de littérature dramatique (les travaux d'un Jacques Schérer sur le classicisme, ceux d'un André Villiers sur la psychologie du comédien, de nombreuses thèses d'histoire ou d'esthétique...) et les recherches des érudits et des théoriciens (Société d'Histoire du Théâtre, Revue théâtrale, Théâtre populaire), stimulés par la pauvreté à peu près générale de leurs moyens techniques, secondés timidement, mais quelquefois efficacement par l'État (Aide aux Théâtres, Concours des Jeunes Compagnies, Aide à la première pièce), les hommes de théâtre français d'aujourd'hui n'ont qu'une ambition : apporter à ce public qu'ils essaient de regrouper, avec un style neuf, un théâtre qui réponde à son attente et ne soit pas indigne d'une longue et exceptionnelle tradition. Puissent-ils trouver en Malraux un ministre qui leur donne les moyens de leur ambition !

Georges LERMINIER
Critique dramatique.

RADIO ET TÉLÉVISION

Douze millions de récepteurs-radio et un million six cent mille téléviseurs fonctionnent en France. C'est-à-dire que presque toutes les familles écoutent la radio et que la découverte de la merveilleuse T. V. fait de très rapides progrès.

Quelle radio écoutent les Français? La leur, probablement... puisqu'il existe une très officielle Radiodiffusion française, laquelle émet sur quatre chaînes principales : France I (anciennement Paris-Inter, informations, musique), France II (anciennement Chaîne parisienne, variétés), France III (anciennement Chaîne nationale, émissions culturelles) et France IV (modulation de fréquence). En réalité les choses se présentent moins simplement. Si le monopole de la Radiodiffusion appartient à l'État depuis la Libération, la Radio privée, ou commerciale, celle qui vit de la publicité et qui fleurissait avant la guerre, n'a pas pour autant désarmé. Elle s'est tout simplement " repliée " dans les " territoires périphériques " : les petits États indépendants qui entourent la France. Elle y a planté des émetteurs dont le rayonnement intéresse largement le sol français : ainsi Radio-Luxembourg, Radio-Monte-Carlo, Radio-Andorre et Europe I (depuis la Sarre) proposent-il aux auditeurs de langue française des programmes truffés de slogans publicitaires.

Il est difficile de savoir dans quelle mesure les préférences de l'auditoire vont à la Radio d'État, financée par une taxe obligatoire sur chaque récepteur, ou aux Radios privées, gratuites mais dispensatrices de fastidieux refrains commerciaux. Dans ce domaine, les statistiques publiées sont rarement désintéressées... Néanmoins on peut avancer sans crainte d'erreur grossière qu'après la guerre l'audience des postes privés a dépassé largement celle de la R. T. F. A cela plusieurs raisons : le dynamisme d'une radio " libre " profitant du regain des affaires, la vétusté des appareils récepteurs qui ont souvent dans les campagnes dix ou vingt ans d'âge et " accrochent " péniblement quelques rares stations, les habitudes prises, la méfiance instinctive vis-à-vis d'une Radio officielle dont les antennes asservies pendant l'occupation propageaient le mensonge, le mauvais état du réseau national à reconstruire (portée des émetteurs incomplète et inégale), l'esprit frondeur de nos compatriotes qui dénigrent si facilement toute institution.... Bref, un large public populaire subissait les rengaines publicitaires pour se divertir, se détendre aux jeux et chansons des Radios privées, et l'auditeur plus exigeant, d'esprit indépendant depuis que la guerre lui a enseigné l'art de sauter les frontières, demandait à la B. B. C., à la Radio suisse, italienne ou allemande, ses informations et meilleurs concerts....

La tendance s'est sensiblement renversée. Si tout un public rural d'âge mûr reste fidèle à Radio-Luxembourg, si la jeunesse citadine fait volontiers d'Europe I son poste d'élection, à cause des émissions de jazz ou de musique légère ininterrompue, la R. T. F. a regagné du terrain, augmenté sa puissance, amélioré ses productions, et les Français, accablant leur Radio, ont fini par s'entendre dire par nombre d'étrangers qu'ils possédaient une des meilleures Radios du monde. N'oublions jamais que, de Lille à Marseille, quarante millions d'auditeurs, individualistes et divisés, réclament chacun pour soi une Radio différente et bien déterminée....

Mais justement, la R. T. F. offre en fait à ses auditeurs un impressionnant éventail de productions en tous genres. D'abord parce qu'elle reflète très fidèlement l'activité intellectuelle et artistique du pays. Pas un concert important, pas une pièce de théâtre jouée à Paris ou en province, pas une " actualité " d'intérêt national qui ne soient retransmis. Les événements religieux, sportifs, historiques, littéraires, cinématographiques trouvent sur les ondes les plus larges échos et il n'est pas rare qu'un livre nouvellement paru soit analysé, discuté, commenté dans trois ou quatre émissions au cours d'une même semaine....

La Radio d'État, ainsi largement *ouverte*, vaut donc à peu près ce que valent, à un moment donné en France, les manifestations de l'art et de l'esprit. Détail caractéristique : il existe relativement peu chez nous " d'hommes de Radio ", qui travailleraient exclusivement pour le micro. Par contre, un échange constant s'opère avec la Presse, les journalistes venus des organes les plus divers disposant en grand nombre de chroniques ou même d'émissions à la Radio. Rien d'étonnant, puisqu'en somme une Radio démocratique se doit d'être pluraliste. Toutes les familles spirituelles, tous les partis politiques ont le droit de s'y faire entendre. Et les choses se passent bien à peu près ainsi. Le dimanche, à la Radio française, se succèdent par exemple des émissions catholique, protestante, rationaliste..., et d'autres jours les porte-parole des formations les plus opposées s'affrontent courtoisement au cours de " Tribunes ", libres débats sur des sujets brûlants, dont la plus célèbre est la " Tribune de Paris ", une émission qui compte déjà plus de dix ans d'existence. Ce serait, toutefois, manquer à la vérité que de dire que cette liberté est toujours respectée. Elle demeure tributaire des conformismes de circonstance.

Ainsi, même si l'unanimité ne peut se faire sur le prestige, pourtant indiscutable, de la Radio française, l'auditeur s'y reconnaît plus ou moins, le professeur de province choisit les conférences, le mélomane les concerts, la vieille demoiselle les soirées lyriques, chacun pestant contre le mauvais goût de l'émission voisine. Au lieu que les Radios privées, obligées pour des raisons économiques d'atteindre le plus grand nombre, donnent satisfaction à tout le monde en général et à personne en particulier, je veux dire au spécialiste ou à l'amateur un peu difficile....

Peu d'hommes de radio en France, avons-nous écrit. Peu d'écrivains aussi qui écrivent pour elle, sans doute parce que l'aspect éphémère des créations proprement radiophoniques, et leur maigre rentabilité les rebutent. La Radio s'est vengée en recueillant, chaque fois qu'elle a pu, les réflexions et confidences des plus grands poètes ou prosateurs contemporains. La formule des " Entretiens avec... " appliquée à Claudel, Mauriac, Léautaud, Simenon, etc... a connu un grand et durable succès ces dernières années. Dans le domaine musical, la Radio a permis la création et le développement d'une musique moderne que le public routinier des concerts dominicaux aurait condamnée sans vouloir l'entendre. Et combien de pièces reçues par le Comité de lecture de la Comédie-Française, mais injouables pour des raisons matérielles, qui ont connu leur " première " grâce à la R. T. F.! Reflet de la vie culturelle, mais aussi moteur puissant de cette vie culturelle, la R. T. F., on peut l'écrire, remplit très honorablement sa mission.

Et la T. V.? Pourquoi a-t-elle été si lente à se développer, alors qu'au lendemain de la guerre, elle était techniquement au point? C'est une longue histoire qui débute par une " bataille des lignes ", le gouvernement français ayant retenu une définition de 819 lignes (la meilleure qualité d'image) alors que le reste de l'Europe et du monde émet, en gros, sur 615 lignes. Le public ne comprend pas grand chose et se méfie.... Ensuite le Parlement français se montre incapable de voter les crédits nécessaires à la construction du réseau national d'émetteurs. Le ministère des P. et T. et la direction de la R. T. F. voient leurs pouvoirs et leurs attributions mal définis.... En plus de ces atermoiements, le scepticisme congénital des Français jette le discrédit sur les programmes, violemment critiqués dans la presse par des gens qui ne les ont jamais vus. Certaines peintures inquiétantes du " Siècle de la Télévision " aux U. S. A. et des réticences familiales, achèvent de " geler " le marché. Et les années passent....

La Télévision française est aujourd'hui heureusement sortie de cette dangereuse période de stagnation. Un plan d'équipement enfin adopté par les députés et vite réalisé a permis d'installer la télévision dans les grandes villes et, en 1961, l'ensemble du territoire peut bénéficier du spectacle électronique.

Le public a découvert avec ravissement le charme des reportages en direct, d'autant plus passionnants que l'embryon de réseau français a été très tôt relié aux Télévisions voisines. Le Couronnement de la Reine Élizabeth, la Coupe du Monde de football en Suisse, retransmis en "Eurovision", ont attiré les foules parisiennes, nordistes et alsaciennes (les premières servies) devant les petits écrans où scintillaient les images vivantes et instantanées accourues des pays étrangers. Dès lors, la T. V. n'a cessé de faire tache d'huile.... et le nombre d'appareils vendus double à peu près chaque année.

C'est, comme il fallait s'y attendre, le public populaire qui a le premier répondu à l'appel de la T. V. Les antennes ont poussé comme des champignons sur les maisons des mineurs du Nord.... La fraction bourgeoise du pays, elle, plus occupée, plus attachée à sa culture livresque, risque de bouder encore un certain temps la nouvelle technique. Les banlieues et les campagnes, sevrées de distractions, ont surtout vu là un cinéma ou un théâtre à domicile merveilleusement inattendu. Des "télé-clubs" sont nés, animés par l'instituteur ou le curé de village, qui permettent la réception collective avec souvent une discussion des émissions imitée de la formule "ciné-club".

En même temps, sous l'impulsion d'une équipe jeune, enthousiaste, les programmes se sont accrus et transformés. Choisissant, parmi les œuvres qui datent de plus de cinq ans, des films de qualité (comme les ciné-clubs encore une fois), attirant à elle les grandes troupes de théâtre (T. N. P., Renaud-Barrault, Comédie-Française), multipliant surtout les reportages audacieux qui introduisent le télé-spectateur dans tous les endroits insolites ou défendus : une mine, un avion à réaction, la Chambre des Députés, la tour de radar d'Orly, un phare, le télescope de l'Observatoire National, un bolide en course des 24 heures du Mans, etc..., la T. V. s'est attaché très vite un public ravi de son ubiquité et de son indiscrétion.

Exempte de tout souci publicitaire, enrichie par l'arrivée des meilleurs animateurs de la Radio, elle maintient actuellement ses productions à un niveau fort élevé et connaît encore l'ivresse et l'émulation des défrichements en terres vierges.

Rencontre-t-elle une concurrence ? Pas à proprement parler, puisque, la portée des émetteurs de télévision restant limitée, les Télévisions privées, installées comme leurs Radios-mères dans les "territoires périphériques" ne peuvent se "faire voir" bien loin.... Néanmoins Télé-Luxembourg et Télé-Monte-Carlo ont bravement pris un départ symbolique....

Mais les véritables difficultés de la Télévision française lui viennent surtout de l'intérieur, de son organisation elle-même. Considérée juridiquement comme une administration, la T. V. étouffe dans ce carcan, et, au moment où ces lignes sont écrites, le gouvernement se préoccupe de lui donner un statut, statut sans cesse différé, réclamé depuis longtemps pour la Radio, mais dont le besoin se faisait plus encore sentir pour la T. V. Si tout le monde s'est mis d'accord pour accorder à la R. T. F. l'autonomie financière, les querelles sont toujours pendantes dès qu'il s'agit de définir ses rapports avec le Pouvoir....

Depuis la Libération, les gouvernements successifs se sont

servi des micros de la R. T. F. comme de vulgaires instruments de propagande. Grâce aux caméras électroniques, la tentation est grande pour un chef de gouvernement d'établir avec le public un contact direct. La vie politique s'inscrit aujourd'hui en France comme dans le reste du monde sur les tubes fluorescents. M. Guy Mollet avait même accepté, dans un " petit courrier " familier, de répondre les yeux dans les yeux aux téléspectateurs qui lui écrivaient....

Le Gouvernement de la Ve République n'en a pas usé autrement. L'autorité morale du Général de Gaulle doit beaucoup au contact direct que permet le petit écran.

La R. T. F. — et tout le monde pense plus particulièrement à la télévision — sera-t-elle mise en France au service d'un gouvernement particulier ou au service de la Nation? Tout dépend de l'issue d'une bataille toujours en cours.

Jean-Guy MOREAU
Critique de télévision.

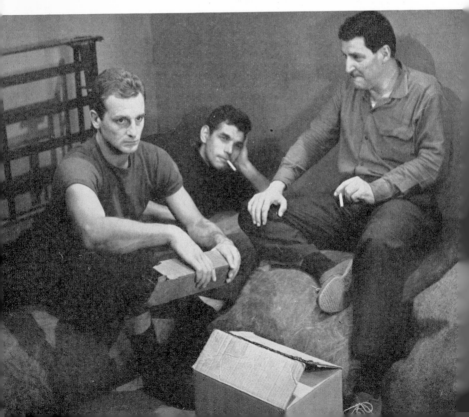

LE CINÉMA FRANÇAIS

Il est opportun de se demander d'abord s'il existe dans le cinéma français des constantes qui le rattachent à notre tradition nationale et en particulier à nos siècles classiques. Pour Marcel Raymond les mots qui résument la tradition française sont : perméabilité, décantation, expression. Une civilisation s'est formée peu à peu qui a su composer une savante harmonie des contraires, résoudre en un accord parfait les extrêmes : audace et retenue, fantaisie et gravité, sensibilité et intelligence, esprit gaulois et esprit chevaleresque.

De là cette place donnée dans la littérature, l'art et la vie de société, à l'équilibre, la délicatesse, la nuance. De là cette crainte permanente de simplifier et d'épaissir, ce souci de la mesure, qui se manifeste en particulier dans les raffinements de l'analyse psychologique; recherche minutieuse de l'imperceptible, de l'insaisissable, attention fervente portée aux courants de conscience les plus sinueux et les plus subtils.

Le cinéma français ne saura certes pas toujours maintenir cet équilibre, concilier vérité et poésie, incarnation dans un terroir et sens du mystère personnel. Toutefois il gardera le plus souvent assez de tact et de fermeté pour harmoniser les extrêmes et faire sentir la circulation secrète qui unit la matière à l'esprit et le concret à l'imaginaire. C'est ainsi que, contrairement au réalisme allemand (qui a d'autres mérites), le réalisme de l'école française de 1920 ne recherchera point le détail violent ou trivial, mais l'exactitude dans la nuance, le petit fait vrai et émouvant : c'est un réalisme non de la crudité mais de

Brigitte Bardot dans « la Vérité » de H. G. Clouzot Ph. Dalmas
Une scène du film de J. Becker « le trou ». Ph. Cinédis

l'intimité, c'est un intimisme. Louis Feuillade, l'auteur des fameux ciné-romans que sont *Fantomas* (1913) et *Les Vampires* (1915), avait parfaitement exprimé cet idéal dans une phrase rapportée par Georges Sadoul : « Créer l'atmosphère juste, donner la note exacte, obtenir le maximum des faits, sans nous départir d'une simplicité qui confère à l'œuvre sa signification la plus haute[1] ».

Le courant du réalisme français se développera au cours de ces quarante années selon une harmonieuse diversité, qui connaîtra pourtant une certaine dislocation à partir de 1940. Toutefois un goût profond de la vérité quotidienne, filtrée à travers une sensibilité lyrique assez complexe, sinon toujours aussi rigoureuse, a donné à l'école française une indéniable unité, et on a pu l'appeler à juste titre l'école du réalisme poétique. Les représentants les plus notables en sont les suivants que l'on peut grouper en quatre générations[2].

PREMIÈRE GÉNÉRATION.

A. CALMETTES : L'assassinat du Duc de Guise (1908); L'Arlésienne; Macbeth.

Émile COHL : *Dessins animés*; Fantasmagorie (1908); Les joyeux microbes; Le retapeur de cervelles.

Louis FEUILLADE : L'homme aimanté (1907); Série : La vie telle qu'elle est; Fantomas; Les Vampires.

Victorien JASSET : La vie du Christ (1906); Série : Zigomar; Série : Les Batailles de la Vie.

Louis LUMIÈRE : La sortie des Usines Lumière (1894); Arrivée d'un train en gare de La Ciotat; L'arroseur arrosé.

Max LINDER : *Nombreux films comiques*; Les débuts d'un patineur (1907); Max et le quinquina; Sept ans de malheur; Le roi du cirque.

Georges MÉLIÈS : La partie de cartes (1896); L'homme de têtes; Voyage dans la lune; Les 400 farces du diable; Voyage à travers l'impossible; A la conquête du pôle, etc., etc....

1. *Histoire de l'art du cinéma* (Ed. Flammarion).
2. Nous donnons pour la plupart la date de leur première œuvre importante et en certains cas, la date d'une des œuvres les plus récentes.

Henri POUCTAL : La dame aux camélias (1911); Le Comte de Monte-Cristo; Travail.

Émile REYNAUD : *Dessins animés*; Un bon bock (1891); Pauvre Pierrot; Guillaume Tell.

Ferdinand ZECCA : Histoire d'un crime (1901); Les victimes de l'alcoolisme; Vie d'un joueur.

DEUXIÈME GÉNÉRATION.

Claude AUTANT-LARA : Faits divers (1923); Construire un feu; Ciboulette; *Assistant pour les films de Maurice Lehmann* (L'affaire du Courrier de Lyon, etc...).; Le mariage de Chiffon; Douce; Sylvie et le fantôme; Le diable au corps; Occupe-toi d'Amélie; L'auberge rouge; Le blé en herbe; Le rouge et le noir; Marguerite de la nuit; La traversée de Paris (1956); En cas de malheur; La jument verte; Les régates de San Francisco (1960).

Jacques de BARONCELLI : Ramuntcho (1920); Champi-tortu; Pêcheurs d'Islande; Le rêve; La duchesse de Langeais (1942).

Raymond BERNARD : Le petit café (1920); Triplepatte; Le costaud des Épinettes; Le miracle des loups; La croix de bois; Les Misérables; Un ami viendra ce soir (1945).

Robert BOUDRIOZ : L'âtre (1921); L'épervier.

Alberto CAVALCANTI : Rien que les heures (1926); La p'tite Lilie; En rade; *Participe à l'école documentariste anglaise; Films anglais jusqu'en 1949; Actuellement producteur au Brésil.*

Marcel CARNÉ : Nogent (1930); Jenny; Drôle de drame; Quai des brumes; Le Jour se lève; Les Visiteurs du soir; Les Enfants du Paradis; Les Portes de la Nuit; Marie du port; Juliette; Thérèse Raquin; L'air de Paris; Les tricheurs; Terrain vague (1960).

Louis DELLUC : Le silence (1920); Fièvres; La femme de nulle part.

Germaine DULAC : Sœurs ennemies (1915); La fête espagnole; La souriante Madame Beudet; La coquille et le clergyman; Arabesque.

Julien DUVIVIER : La tragédie de Lourdes (1924); Poil de carotte; *Nombreux films entre 1920 et 1928*; David Golder; La tête d'un homme; Maria Chapdelaine; La Bandera; La belle équipe; Pépé le Moko; Carnet de bal; La fin du jour; Panique; Sous le ciel de Paris; Le petit monde de Don Camillo; Marianne de ma jeunesse; Voici le temps des assassins; Pot-Bouille, etc...

Jean EPSTEIN : L'Auberge Rouge (1922); Cœur fidèle; La belle Nivernaise; Les aventures de Robert Macaire; La chute de la maison Usher; Finis Terrae; L'or des mers; Le tempestaire.

René CLAIR : Paris qui dort (1924); Entr'acte; Le voyage imaginaire; Un chapeau de paille d'Italie; Les deux timides; Sous les toits de Paris; Le million; A nous la liberté; 14 Juillet; Fantôme à vendre; La belle ensorceleuse; Ma femme est une sorcière; C'est arrivé demain; Le silence est d'or; La beauté du diable; Les belles de nuit; Les grandes manœuvres; Porte des Lilas; un sketch de " La Française et l'amour " (1960).

Henri FESCOURT : La lumière qui tue (1913); Les Misérables; Le Comte de Monte-Cristo; Les Grands.

Jacques FEYDER : La Faute d'orthographe (1919); L'Atlantide; Crainquebille; Visages d'enfants; Gribiche; Carmen; Thérèse Raquin; Le grand jeu; Pension Mimosas; La Kermesse héroïque; Les gens du voyage; La loi du Nord; Une femme disparaît (1942).

Abel GANCE : Un drame au château d'Acre (1915); Mater Dolorosa; La 10e Symphonie; J'accuse; La Roue; Napoléon; La Fin du monde; Lucrèce Borgia; Un grand amour de Beethoven; Le paradis perdu; La Vénus aveugle; Le capitaine Fracasse; La tour de Nesles; *Films en polyvision;* Austerlitz (1960).

Marcel L'HERBIER : Phantasmes (1917); Rose France; L'homme du large; El Dorado; Don Juan et Faust; L'inhumaine; Feu Mathias Pascal; *Films commerciaux;* La comédie du bonheur; La Nuit fantastique; L'honorable Catherine; Le Père de Mademoiselle (1954).

Yvan MOSJOUKINE : L'enfant du carnaval (1921); Le brasier ardent.

Jean PAINLEVÉ : La Pieuvre (1928); Les Oursins; La Daphnie; Le Bernard l'Hermite; Crabes et crevettes; L'Hippocampe; Voyage dans le Ciel; Assassins d'eau douce; La Vie scientifique de Pasteur (1947).

Léon POIRIER : L'Amour passe (1913); La Brière; Jocelyn; La Croisière noire; Verdun; L'appel du silence; La route inconnue (1948).

Pierre PRÉVERT : L'affaire est dans le sac (1928); Adieu Léonard; Voyage surprise (1947).

Jean RENOIR : La fille de l'eau (1924); Nana; La Petite Marchande d'allumettes; La Chienne; Boudu; Madame Bovary; Le crime de Monsieur Lange; Une partie de campagne; La Grande Illusion; La Bête Humaine; La Règle du Jeu; *aux U. S. A. :* L'étang tragique; L'homme du Sud; Journal d'une femme de chambre; *aux Indes :* Le Fleuve; Le Carrosse d'Or; French-Cancan; Elena et les hommes; Le déjeuner sur l'herbe (1959).

Ladislas STAREVITCH : La Voix du Rossignol (1923); Le rat de ville et le rat des champs; La Cigale et la Fourmi; Le Roman de Renard.

V. TOURJANSKY : Les mille et une nuits (1920); L'ordonnance.

Alexandre VOLKOFF : Kean (1924); Les ombres qui passent.

Jean GREMILLON : Tour au large (1927); Gardiens de phare; La petite

Lise; l'Étrange Monsieur Victor; Remorques; Lumière d'Été; Le Ciel est à vous; Le 6 juin à l'aube; Pattes blanches; L'amour d'une femme (1954); André Masson (1958).

TROISIÈME GÉNÉRATION.

Marc ALLEGRET : Lac aux Dames (1934); Orage; Entrée des Artistes; Félicie Nanteuil; Julietta; Futures vedettes (1954) etc...

Jean BENOIT-LÉVY : La maternelle (1932); Itto; La mort du cygne.

Pierre CHENAL : La rue sans nom (1932); Crime et Châtiment.

Jean COCTEAU : Le sang d'un poète (1931); L'Aigle à deux têtes; Les parents terribles; Orphée (1950); Le testament d'Orphée (1960).

CHRISTIAN-JAQUE : *Nombreux films commerciaux. Films avec Fernandel.* — Les disparus de Saint Agil (1937); L'Enfer des Anges; Premier Bal; Sortilèges; l'Assassinat du Père Noel; La Symphonie fantastique; Voyage sans espoir; D'homme à hommes; Carmen; Boule de Suif; La Chartreuse de Parme; Fanfan la Tulipe; Nana; Si tous les gars du monde (1955); Nathalie etc...

Henri DECOIN : Abus de confiance (1932); *Films commerciaux :* Battement de cœur. *Comédies interprétées par Danielle Darrieux:* Les Inconnus dans la maison; L'homme de Londres; La Vérité sur Bébé Donge; L'affaire des Poisons; Folies-Bergère; Razzia sur la chnouf; Tous veulent me tuer.

Edmond GRÉVILLE : Le train des suicidés (1934); Dorothée cherche l'Amour etc...

Sacha GUITRY : *Théâtre filmé :* Le roman d'un tricheur (1936); La poison; Si Versailles m'était conté; Napoléon; Assassins et Voleurs.

Georges LACOMBE : Jeunesse (1934); Les musiciens du Ciel; Le pays sans étoile; L'escalier sans fin etc...

André MALRAUX : Espoir (1932).

Léonide MOGUY : Le mioche (1933); Prisons sans barreaux; L'empreinte du dieu; Demain il sera trop tard etc...

Fédor OZEP : Les frères Karamazov (1933); Amok.

Max OPHULS : Liebelei (1932) (*en Autriche*); *Films commerciaux :* La ronde; Le plaisir; Madame de ...; Lola Montès (1955).

Marcel PAGNOL : César (1936); Jofroy; Angèle; Regains; La femme du boulanger; La fille du puisatier; La Manon des sources; Lettres de mon moulin (1954).

Maurice TOURNEUR : L'équipage (1928); Les gaietés de l'escadron; Volpone; La main du diable; Impasse des deux anges (1948).

Jean VIGO : A propos de Nice (1929); Zéro de conduite; L'Atalante; Mort en 1934.

Quatrième Génération.

Yves Allégret : Dédée d'Anvers (1948); Une si jolie petite plage; Manèges; Les miracles n'ont lieu qu'une fois; Nez de cuir; Les orgueilleux; Oasis; La meilleure part; Quand la femme s'en mêle; etc...

Alexandre Astruc : Le rideau cramoisi (1952); Les mauvaises rencontres (1955); Une vie (1958).

Jacques Becker : Dernier Atout (1942); Goupi mains rouges; Falbalas; Antoine et Antoinette; Édouard et Caroline; Casque d'or; Touchez pas au grisbi; Ali-Baba; Arsène Lupin (1957); Montparnasse 19; Le trou (1959).

Robert Bresson : Anges du péché (1943); Dames du bois de Boulogne; Journal d'un curé de campagne; Un condamné à mort (1956); Pickpocket (1959).

André Cayatte : Au bonheur des dames (1942); Le chanteur de minuit; Roger la Honte; Amants de Vérone; Justice est faite; Nous sommes tous des assassins; Avant le déluge; Le dossier noir; Œil pour œil; Le miroir à deux faces; Le passage du Rhin (1960).

J.-P. Le Chanois : Au cœur de l'orage (1940); L'École buissonnière; Les évadés; Les Misérables; etc...

René Clément : La bataille du rail (1946); Les maudits; Le château de verre; Jeux interdits; Monsieur Ripois; Gervaise; Barrage contre le Pacifique; Plein Soleil (1959).

H.-G. Clouzot : Les inconnus dans la maison; L'assassin habite au 21 (1942); Le Corbeau; Quai des orfèvres; Manon; Salaire de la peur; Les Diaboliques; Les Espions (1957); La Vérité (1960).

J.-Y. Cousteau : Épaves; Paysages du silence; Par 18 m de fond (courts métrages); Le monde du silence.

Louis Daquin : Nous les gosses (1941); Voyageur de la Toussaint; Premier de Cordée; Frères Bouquinquant; Point du jour; Maître après Dieu; Bel-Ami; Les Arrivistes.

Jean Delannoy : Pontcarral (1942); Éternel retour; Symphonie pastorale; Dieu a besoin des hommes; Les jeux sont faits; Aux yeux du souvenir; Chiens perdus sans collier; Notre Dame de Paris; Maigret tend un piège; La Princesse de Clèves.

Jacques Dupont : Documentaires; La tasse du diable.

Jean Faurez : Service de nuit (1945); La fille aux yeux gris; La vie en rose; Contre-enquête; Vire-vent.

Georges Franju : Le sang des bêtes; En passant par la Lorraine; Hôtel des Invalides; Au fil d'une rivière; Le T. N. P. (courts métrages). La tête contre les murs; Les yeux sans visage (1958).

Paul GRIMAULT : Passagers de la Grande Ourse (1945); Voleur de paratonnerres; Flûte magique; Épouvantail; Petit soldat; La bergère et le ramoneur (*dessins animés*).

Léo JOANNON : Alerte en Méditerranée (1943); Caprices; Camion blanc; Carrefour des enfants perdus; Le Défroqué; Le désert de Pigalle; Le secret de sœur Angèle.

Alex JOFFÉ : Les Assassins du Dimanche; Les fanatiques; Fortunat.

Pierre KAST : Les charmes de l'existence; Les femmes du Louvre; Les désastres de la guerre; La guerre en dentelles; La chasse à l'homme; L'architecte maudit (*courts et moyens métrages*); Un amour de poche; Le bel âge (1959).

Roger LEENHARDT : Naissance du Cinéma; Les dernières vacances; Victor Hugo; François Mauriac (1955); Jean-Jacques Rousseau; Paul Valéry (1960).

J.-P. MELVILLE : Le silence de la mer; Les enfants terribles; Quand tu liras cette lettre; Bob le Flambeur; Deux hommes dans Manhattam (1959).

NOËL-NOËL : Les casse-pieds (1948); La vie chantée.

Marcelle PAGLIERO : *En Italie :* La nuit porte conseil (1946); *En France :* Un homme marche dans la ville; Les Amants de Bras-Mort; Chéri-Bibi.

Georges RÉGNIER : Les paysans noirs (1949); *Documentaires, dont* Utrillo.

Alain RESNAIS : Van Gogh; Guernica; Les statues meurent aussi; Nuit et brouillard; Toute la mémoire du monde; Le chant du Styrène; Hiroshima mon amour (1958).

Georges ROUQUIER : Le charron; Le chaudronnier; Malgovert (*courts métrages*); Farrebique; Lourdes; S. O. S.; Noronha (1957).

Jacques TATI : Jour de fête (1949); Les vacances de M. Hulot (1953); Mon oncle (1957).

Roger VADIM : Et Dieu créa la femme; Sait-on jamais; Les bijoutiers du clair de lune; Les liaisons dangereuses; Et mourir de plaisir (1960).

René WHEELER : Premières armes; Châteaux en Espagne; Vers l'Extase.

Parmi les jeunes, il faut mentionner Marcel Camus (*Mort en fraude*), Albert Lamorisse (*Crin blanc, Le ballon Rouge*), Louis Malle (*Ascenseur pour l'échafaud, Les amants*), Chris Marker (*Dimanche à Pékin, Lettre de Sibérie*), Edouard Molinaro

(*Le dos au mur*). Il faut mettre à part Claude Bernard-Aubert (*Patrouille de choc*, *Les tripes au soleil*) pour son indépendance et son courage.

Il est impossible de séparer les grands créateurs des membres de leur équipe qui ont eu un rôle fondamental dans l'élaboration et la réalisation de leur œuvre : citons, parmi tant d'autres, pour les décorateurs, Lazare Meerson, collaborateur de René Clair, et Trauner, qui travaille souvent avec Carné; Max Douy, co-équipier de Bresson (*Les Dames du Bois de Boulogne*) et d'Autant-Lara (*Occupe-toi d'Amélie*); Christian Bérard, qui sculpta en décors le baroquisme scintillant de Cocteau.

Pour les chefs opérateurs, Louis Page, fidèle à Grémillon, Agostini, auquel sont dus les blancs et les gris des *Anges du Péché*, Christian Matras, magicien de la couleur dans les films de Christian-Jaque, Claude Renoir, admirable collaborateur de Jean Renoir (*Le Fleuve*, *Le Carrosse d'or*).

Et pour les musiciens, Auric (Clair et Cocteau), Van Parys (Clair), Cloerec (Autant-Lara), Kosma (Carné), Jaubert (Vigo, Carné et Duvivier), Grunenwald (Bresson), Georges Delarue (Franju, Resnais) etc.

Si arbitraire qu'il soit d'attribuer à l'école française à titre exclusif des mérites qui se retrouvent dispersés dans la production des autres pays, il semble bien toutefois que ces soixante années ont consacré la permanence de trois caractères fondamentaux :

1. le sens de l'harmonie plastique;

2. l'audace de l'investigation psychologique ou sociale;

3. le goût de l'expérience et de l'essai de " laboratoire " qu'on peut appeler aussi " l'avant-garde ".

En ce pays que l'on dit si mesuré, si raisonnable, se sont révélés ici, comme dans d'autres domaines, quelques aventuriers de grande envergure dont les tentatives esthétiques ont été fécondes : le *Napoléon*, d'Abel Gance, avec ses éblouissantes recherches symphoniques et la découverte de la polyvision ; une conception neuve de l'adaptation du roman (*Journal d'un Curé de Campagne*) ou de la pièce de théâtre (*Les Parents Terribles*) ; un bouleversement du scénario traditionnel, contraint à épouser la coulée du souvenir (*Les dernières Vacances*) ou le goutte à goutte de la durée (*Vacances de Monsieur Hulot*) ; une sorte de néo-réalisme national d'une belle imprudence (*Farrebique* et *Lourdes*, de Rouquier) ; une tentative d'écriture aussi abstraite et intellectuelle que possible, imposant une dialectique de l'image (*Les Dames du Bois de Boulogne, La pointe courte, Hiroshima mon amour*).

Les ambassadeurs du goût français en pays ami ne sont pas toujours, du fait de la distribution, les films les plus caractéristiques. Il ne saurait être question pour le public averti et la presse indépendante de mettre sur un pied d'égalité Renoir, Bresson, Tati, d'une part, et de l'autre, Delannoy, Christian-Jaque ou Julien Duvivier.

Le tableau de la production française de 1954 à 1960 peut se résumer ainsi :

	1954	1955	1956	1957	1958	1959	1960
a) Nombre de films produits :	98	110	129	142	126	133	158
b) Purement français :	53	76	90	81	75	68	79
c) Co-production :	45	34	39	61	51	65	79
d) Coût moyen en millions de FF (en NF pour 1960) :	113	109	111,5	115	140	149	1,73

La part du film français dans les recettes totales du marché métropolitain s'est élevé en 1960 à 53 %. Les recettes brutes de 1960 ont atteint 657 millions de NF.

La fréquentation des salles de 1956 à 1960 se chiffre de la façon suivante : 1956 : 398   1957 : 411   1958 : 371   1959 : 353   1960 : 352[1]

Parmi les adultes, les plus de 40 ans vont au cinéma dans la proportion de 60 % ; les plus de 50 ans, dans la proportion de 40 %. Environ un fran-

1. Ces chiffres donnent le nombre des spectateurs en millions.

çais sur huit entrant dans un cinéma est accompagné d'un enfant. Les classes les plus aisées fréquentent les salles obscures dans la proportion de 70 %. Cette proportion monte jusqu'à 75 % pour la petite bourgeoisie. Elle se maintient à 67 % pour les classes moyennes. Elle tombe à 40 % pour les milieux les plus modestes.

La lutte contre les mauvais films et contre ceux qui risquent de corrompre le goût du public est menée en France par la presse et les censures (censures d'État, cotes de la Centrale catholique). Mais l'effort le plus efficace de ces dix dernières années tend à une éducation rationnelle du public et a été mené dans les Ciné-clubs[1]. C'est en 1945 que s'est formée la Fédération Française des Ciné-Clubs qui comptait en 1953, 60.000 adhérents. On compte actuellement quatre grandes fédérations : la FFCC, la FLECC, la Fédération Centrale, Film et Famille. Le travail d'information et de formation des Ciné-clubs se poursuit dans toute la France auprès des adultes et des jeunes. Des cycles spéciaux sont organisés dans de nombreuses villes pour les élèves des collèges et des lycées. A Paris et en province, certains lycées, comme le lycée Voltaire, ont un Ciné-club qui comporte des projections et des débats hebdomadaires.

Sur un autre plan, la création d'un Institut en relation avec les autres Instituts mondiaux de cinéma, l'IDHEC (Institut des Hautes Études Cinématographiques) doit assurer une meilleure sélection de créateurs et d'artisans, puisque cette école donne à ses étudiants tous les éléments d'une culture générale et technique. L'ETPC[2], École de la rue de Vaugirard, se limite à la formation professionnelle. Enfin, la création à la Sorbonne de l'Institut de Filmologie, dû à l'initiative de M. Cohen Séat et qui compte d'éminents esthéticiens comme Émile Souriau, consacre la place prise par le cinéma dans la vie intellectuelle de la nation ; la Filmologie comporte un grand nombre de sections destinées à étudier les divers aspects de la réalité cinématographique[3].

Henri AGEL

Agrégé de l'Université, Professeur à l'I. D. H. E. C.

1. Cf. Bulletin de l'Institut des Hautes Études Cinématographiques, n° 10.
2. École technique de Photo et de Cinéma.
3. Un centre culturel, consacré aux grands auteurs de l'écran, s'est ouvert en novembre 1959, au Musée des Arts Décoratifs.

L'exégèse cinématographique se développe de façon abondante. Signalons deux excellentes collections : Éditions du Cerf (Collection 7e art) : Pierre LEPROHON, *50 ans de Cinéma français*, André BAZIN, *Qu'est-ce que le cinéma ?* Henri AGEL, *Miroirs de l'insolite dans le cinéma français*, etc...

Éditions universitaires.

LES ARTS PLASTIQUES

Les artistes contemporains, on le vit à l'Exposition internationale de Bruxelles, s'opposent comme s'opposent les grandes puissances. Ici, héritier du cubisme et du surréalisme, l'art tend vers l'informel, il se réclame en peinture de Mondrian, de Klee, de Kandinsky, en sculpture de Brancusi, de Moore, de Calder. Là, fait pour exalter les vertus collectives, il se veut accessible aux masses et son réalisme côtoie l'académisme. En France cependant une longue tradition d'humanisme écarte les arts des trop vives séductions de l'abstrait, mais les étrangers groupés dans l'Ecole dite de Paris poussent aux grandes audaces.

Des peintres novateurs du siècle, Braque, Picasso, Villon, Ozenfant demeurent. Les *Avions* de Villon, l'*Oiseau* de Braque, la *Chute d'Icare* de Picasso, une tenace jeunesse, une fantaisie de vieux sages ont toujours valeur d'exemple. La sculpture qui, sous l'impulsion de Bourdelle et de Maillol, connut un grand essor entre les deux guerres et vit le succès de créateurs soucieux de lier leur art aux normes de l'architecture, Despiau, Pompon, Jeanniot, Pommier, parmi d'autres, suscite moins d'enthousiasme. Les sculpteurs les plus en vue sont des étrangers fixés à Paris. Aux adeptes d'un art classique pur et stable, comme Raymond Martin ou Berthe Martinie († 1958), se heurtent des émules de Laurens et de Pevsner, des baroques comme le Marseillais Cesar Baldaccini, dur forgeron d'êtres fantastiques à partir de vieilles ferrailles. Seule s'impose Germaine Richier (†), le sculpteur du *Christ* d'Assy, lauréate de Saõ Paulo en 1951. Ses bronzes sommaires ou déchiquetés, mêlant formes humaines et formes végétales, l'*Orage*, la *Jeune fille à l'Oiseau*, le *Diable*, l'*Homme de la nuit*, frémissent de vie spirituelle.

Aucun artiste doué ne souhaite rompre avec les audaces passionnément discutées pendant cinquante ans; elles sont devenues une forme de notre sensibilité, elles ont répandu un art d'intensité, d'allusion ou de choc, en peinture la stridence des accords dissonants, la véhémence de la couleur pure, partout les ruptures plus émouvantes parfois que la continuité. Mais les artistes se comptent par milliers et il n'est pas aisé de se reconnaître dans la confusion des œuvres. Les valeurs sont parfois faussées par les exigences du commerce, les manifestations tapageuses, par la multiplicité des Salons et par la hâte des artistes à exposer leurs ébauches dans la crainte de se laisser oublier.

Des richesses rassurantes nous sont, bien sûr, offertes par les peintres qui, touchés par les styles nouveaux, ont gardé contact avec la nature. On revoit avec plaisir, chaque année, aux Salons d'Automne, des Indépendants, des Tuileries, les compositions tourmentées de Waroquier, les fleurs éclatantes de Savreux, les fins paysages de Brayer, de Neillot, les ports de mer colorés de Desnoyer, les spirituelles variations de Zendel. Brianchon, Legueult, Planson, Limouse, Cavaillès, maîtres dits de la " réalité poétique ", qui en 1930 avaient emprunté aux tableaux apaisés de Bonnard et de Matisse les éléments d'un style accueillant au bonheur de vivre; Aujame, Chapelain-Midy, Poncelet, maîtres du " retour au sujet " en 1934 et avec eux Humblot, Rohner, animateurs du groupe " Forces nouvelles ", ont acquis une notoriété durable. Libérées des premières formules, leurs toiles vibrent d'une chaleureuse sensibilité. L'expressionnisme possède en Gromaire, Goerg, Nakache, Yvette Alde des représentants de haute qualité. Le surréalisme, que n'ont renié ni Labisse, ni Coutaud, a peu à peu pénétré toute la peinture de ses poétiques mystères. Il trouve en Carzou un rêveur troublé par les solitudes du monde moderne.

Mais ces tendances du premier demi-siècle entrent peu à peu dans le passé. Dans l'instabilité du goût contemporain a même très tôt disparu une originale formule de l'après-guerre. Les " Jeunes peintres de tradition française ", patronnés par André Lhote, Tal Coat, Pignon, Gischia, Fougeron, Robin, Marchand, Estève, Singier, Manessier eurent leur heure de triomphe en 1945 à la salle 13 du Salon d'Automne. Dispersés, après avoir cherché la beauté dans une synthèse entre les dernières stylisations de Matisse et de Picasso, ils se heurtent à de nouveaux problèmes.

La France est prise aujourd'hui dans le débat international de l' " abstrait " et du " concret ". L'opposition entre les prestiges de la forme et la richesse humaniste, constante depuis 1912, a pris grande acuité quand s'affrontèrent les peintres du Salon des Réalités nouvelles, ouvert à Paris en 1946, et les figuratifs de l'Homme témoin, du Réalisme progressiste dont les manifestes parurent en 1948.

Les premiers peintres abstraits refusaient toute référence à la nature. Cet art hermétique avait pour tenants les géomètres Herbin, Dewasne, Deyrolles, Piaubert, les instinctifs, promoteurs du " tachisme " en 1953, Riopelle et Mathieu, les modérés accordant l'instinct et la pensée, Brielle, Poliakoff, Schneider, Soulages, Valensi. Influencés par les recherches des slaves Ubac et Nicolas de Stael et disciples de Mondrian ou de Kandinsky, ils se reconnaissaient aussi des maîtres français, Gleizes, Villon, Delaunay ou Monet peintre des *Nympheas*. Herbin coloriait avec patience carrés, triangles, cercles pour signifier subtilement le contenu d'un mot. Mathieu donnait des titres historiques à des masses de couleur confusément triturées, Soulages harmonieusement opposait sur un fond uni de larges bandes de noir cireux à des jaunes crus, des verts à des bruns. Ils eurent un grand succès. Matisse et Picasso, revenus à une extrême stylisation, avaient enfin conquis le grand public et les visiteurs des Salons se montraient moins rebelles à l'audace. La peinture abstraite était soutenue par l'influence américaine, par des critiques enthousiastes, de luxueuses revues, d'habiles marchands. Paradoxalement même, dans les milieux religieux, d'éminents Dominicains qui ne craignaient pas de demander les décors de leurs chapelles à Matisse, Léger ou Braque et avaient depuis longtemps opté pour l'art d'avant-garde, n'étaient pas loin de penser que l'abstraction pouvait être le plus sûr langage de la foi. Après Gleizes, Bazaine, Lapicque, Singier et surtout Manessier, prix Carnegie en 1955, se sont orientés vers l'art sacré.

En grandes vagues l'abstraction a débordé du Salon des Réalités nouvelles sur le Salon de Mai, elle a fait dès 1955 son entrée à la galerie Charpentier, elle a trouvé sa consécration en 1956 dans un livre de Brion pour le grand public.

Elle a naturellement modifié le décor de la vie. Les harmonies de taches colorées ont vite trouvé leur plus juste emploi dans les arts du tissu, de la tapisserie, de la céramique, et surtout, pour mainte église neuve ou meurtrie par la guerre, dans le vitrail, tous arts déjà renouvelés en 1924 par le fauvisme et le cubisme et rajeunis et vivifiés jusqu'à nos jours par un admirable effort de nos ateliers d'art et de nos Manufactures nationales. Cette pénétration de l'abstrait fut d'autant plus aisée que de bonne heure et régulièrement après 1945, les grands peintres s'étaient passionnés pour toutes les techniques de la forme et de la couleur et y avaient apporté leurs audaces. Picasso, Braque, Léger se firent céramistes. On fait grand cas des verrières réalisées en 1957 par Villon pour la cathédrale de Metz. Plus significatif est l'essor de la tapisserie.

Dès 1915 la Manufacture de Beauvais, détruite en 1940, et celle des Gobelins avaient commencé d'accueillir les peintres modernes. Le mobilier de *Paris*, tissé en 1932 à Beauvais sur cartons de Dufy, avait fait sensation par ses bleus, par l'intrusion d'un fauvisme spirituel dans un art dont les meilleurs représentants étaient encore Veber et Anquetin. Mais la technique demeurait celle d'Oudry, une fidèle copie des mille nuances d'un tableau. Dès 1915 Jean Lurçat à Aubusson tentait un retour au style médiéval, aux grosses chaînes, au gros point, à une gamme réduite de tons francs, à l'alliance du texte et de l'image. Son succès date de l'après-guerre, de ces tentures sur des poèmes d'Eluard, sur les thèmes du coq, du soleil, des astres, de la végétation où noirs, verts, vermillons s'associent à un jaune éclatant. L'église d'Assy, pour laquelle œuvrèrent avec lui Rouault, Bazaine, Germaine Richier, fut comme le creuset de toutes les expériences nouvelles, mais le talent de Lurçat s'est surtout affirmé dans les vastes tentures des *Vins* de Beaune, de l'*Aviation* pour la Compagnie K. L. M. à Paris. Son art, figuratif, est expressionniste et surréaliste comme celui de ses émules, Marc Saint-Saens et Picart le Doux. Mais les tapisseries " abstraites " se multiplient, œuvres par exemple de Perrot, de Fumeron, de Maurice André. En gammes fraîches, en compositions somptueuses, elles affirment que le renouveau de la tapisserie est encore une admirable création française.

***

D'autres peintres ont désiré témoigner non des trouvailles d'un géomètre ou des vagues élans lyriques d'un être qui ferme les yeux sur le monde, mais des hommes dans leur concrète et quotidienne existence, du rythme des saisons, du climat âpre et changeant de la vie sociale. Cet humanisme qui a maintenu en grande faveur les peintres de la tradition, accru le prestige des " Naïfs ", successeurs du Douanier Rousseau, Beauchant, Bombois, Eve, Caillaud, a donné naissance en 1948 à deux mouvements importants.

Le " Réalisme progressiste ", animé par Fougeron, Amblard, Vénitien, Tatzlitzky, Mireille Miailhe, Gerard Singer, lié aux positions culturelles de l'U. R. S. S., influencé par les drames de la récente guerre, dominé par le souci de la vie collective, évoquait les luttes du parti communiste, la misère des humbles, les problèmes de la paix et de la guerre, par rapport à des événements précis. Il se signalait par les *Francs Tireurs et Partisans* d'Amblard pour la mairie de Saint Denis, les *Mineurs* de Pignon, l'*Hommage à Houllier* et *Civilisation américaine* de Fougeron, la *Mort de l'ouvrier Gadois* de Vénitien. Il cherchait un style moderne du grand sujet au souvenir complexe du Caravage, de David, de Courbet, des Naïfs. Il n'a pas survécu à Staline, et ses adeptes sont aujourd'hui revenus, si l'on en juge par le Salon d'Automne de 1958, à des formules très variées, mais pendant cinq ans il a passionné l'opinion et a peu à peu imposé sa présence.

Le second mouvement, celui de " l'Homme témoin ", représenté surtout par Buffet, Lorjou, Yvonne Mottet, de Gallard, Minaux, cédait plutôt à des impératifs philosophiques. Ces peintres entendaient colorer leurs images de l'angoisse moderne, et leur art tragique, lié à l'existentialisme, était pessimiste jusqu'en ses truculences. Il s'exprimait surtout par l'allégorie.

Lorjou, en vastes toiles, évoquait l'*Age atomique*. Sur le thème du *Bouc et de l'Arlequin* il fustigeait l'hypocrisie sociale. Buffet, après avoir dit en petites scènes de genre ses propres détresses, peignait en trois grands panneaux les *Horreurs de la guerre*. Le premier s'exprimait par la véhémence hurlante du jaune, du noir, du vermillon. Le second, génie précoce, au contact de la plus jeune génération, et formé à l'expressionnisme de Gruber, limitait ses moyens à un graphisme anguleux et refusait la couleur. Laissant à Lorjou le soin de prolonger Rubens ou Bruegel, il s'inspirait d'Holbein, de Roger de la Pasture ou d'Enguerrand Charton. André Minaux, connu dès 1951, puisait dans les spectacles de la nature une plus grande confiance dans la vie et peignait de 1952 à 1955 avec succès, en harmonies sonores, la *Moisson*, le *Repos sur l'herbe*, le *Repas des Paysans*.

Tandis que Buffet et Lorjou s'imposaient, que Minaux d'année en année rencontrait une plus large audience, de nombreux jeunes peintres, convaincus de l'intérêt de l'art figuratif et soucieux de ne pas quitter la réalité sensible, attachés pourtant à l'écriture moderne, exposaient aux Surindépendants, au Salon des jeunes peintres fondé en 1950 par la transformation du Salon des Moins de Trente ans.

Parmi les plus doués se signalaient Couty, Commère, Dat, Folk, Jansem, Lublin, Pradier, Taylor, Thompson et tout particulièrement Paul Rebeyrolle, prix Fénéon en 1951. Sur de vastes toiles, Rebeyrolle posait sa couleur à la brosse ou au couteau très largement. Sa gamme intense, dominée par un blanc de craie, nuancée de gris, soutenue par un bleu et un ocre vifs, faisait surgir des formes caricaturales mais tendres, associées en compositions épiques. Sur d'apparents sujets de genre, *les Truites*, le

Une exposition de fresques de Picasso
Ph. Magnum-David Seymour

Chien égorgeant les troupeaux, l'*Enfant au mouton*, le *Plant de tomates*, exposés à la galerie de la Pensée en 1956, le peintre disait fortement son amour de la vie, son désarroi ou sa colère devant les puissances du mal.

Vers 1956 et après les grandes batailles de 1948-1953, au moment où déjà s'apaisait l'intransigeance des progressistes, où s'étaient séparés les membres du groupe de l'Homme témoin, dans cette confrontation entre art abstrait et art concret, la partie semblait gagnée par les figuratifs. Un an plus tard la situation se renversait.

La peinture abstraite jouit aujourd'hui d'une faveur accrue. Son prestige a gagné nombre de peintres, de galeries, une partie importante du public. On notait en 1957 comme un signe de ce progrès l'orientation de deux peintres figuratifs très différents. André Masson, surréaliste, exposait à la galerie Leiris sous les titres suggestifs de *Migration*, *Formes captives*, *Jubilation Féminaire*, de purs graffiti colorés. Un dynamisme cosmique suscitait de belles harmonies, mais obscures. Marchand, chez David et Garnier, montrait ses dernières aquarelles. Ses thèmes favoris, l'oiseau, la femme, la mer, n'étaient plus que prétexte à des rythmes enchevêtrés d'une confuse apparence. A côté des abstraits triomphants se placent maintenant d'adroits pasticheurs et des abstraits honteux. Ils font la loi au Salon de Mai, occupent trois salles du Salon d'Automne, ont en 1958 à la galerie Charpentier, dans l'exposition dite de l'Ecole de Paris, l'honneur de la grande salle du rez-de-chaussée. Picasso, Villon les cautionnent. Sous le titre de *Création*, Villon propose une pure géométrie de ses tons lumineux habituels. La *Chute d'Icare* de Picasso au Palais de l'Unesco, concession évidente à l'informel, est sans doute encore une amère composition expressionniste, la *Femme au rocking chair* de la galerie Charpentier n'est qu'un jeu. Plus que l'œuvre ici compte la présence. Cette salle est d'ailleurs d'aspect agréable et, pour citer les seuls français, les meilleurs toiles sont signées Atlan, Cortot, Piaubert, Poliakoff, Prassinos, Schneider et Soulages. Nombre de figuratifs se sont laissé tenter par la mode nouvelle; elle touche Labisse, Yves Alix, Gromaire et même le jeune Rebeyrolle.

Je ne crois pas pourtant ce triomphe durable. Le Salon de Mai 1958 montrait un vieillissement des formules, une chute dans l'académisme. Les centaines de millions donnés récemment à Londres et à New York pour l'acquisition de toiles impressionnistes indiquent un retour des grands collectionneurs à l'art figuratif. André Marchand, vite revenu de son voyage vers l'abstrait, expose à la galerie Charpentier parmi les figuratifs un tableau exquis, *Vies silencieuses,* ronde arbitraire d'oranges autour d'une carafe sur fond blanc. Dans cette musicale harmonie de tons purs, le réel lisible a retrouvé sa présence. Toute une part de la critique, bourgeoise ou populaire, réagit contre la vogue de l'abstrait. L'exposition annuelle au musée Galliera des Peintres témoins de leur temps, le Salon "*Comparaisons*" maintiennent le goût du sujet, et la galerie Charpentier, qui met en si bonne place les abstraits, a tout de même réservé aux visiteurs, comme ultime plaisir, en ses salles lointaines, les figuratifs anciens et nouveaux. C'est bien Planson, Desnoyer, Cavaillès, c'est Chagall, Goerg et Gromaire, ce sont Minaux et Fougeron, ce sont Tailleux, Buffet, Jansem et Commère que l'on vient enfin découvrir, et l'Exposition est couronnée par un hommage aux peintres naïfs, Caillaud et Beauchant.

Mieux encore, les jeunes peintres abstraits, souvent en cela d'accord avec les étrangers de Paris, Viera da Silva, Za-Wou-Ki ou Burssens, s'écartent de l'imitation de Mondrian, de Kandinsky, et leurs intentions sont autres que celles d'Herbin, de Dewasne, de Poliakoff. Ils conçoivent leur art, à la manière de Klee, comme une " intuition lyrique du monde et de l'homme ". Ils ne fuient donc plus devant le réel, ils veulent animer leurs harmonies des mystères de ce monde étonnant que la physique nucléaire ou la biochimie nous révèlent, des vibrations de leur sensibilité devant l'aventure singulière de la vie présente. Ils peignent ainsi le *Premier jour*, l'*Aventure nucléaire*, les *Eléments*, les *Soleils perdus*; ils recomposent d'anciens signes magiques. Ces intentions n'aboutissent qu'à l'informel comme si devant tant de mystères l'on ne pouvait que balbutier, mais elles traduisent l'intrusion du réel dans la peinture abstraite. C'est le grand mérite de jeunes artistes comme Busse, Bouvier, Serpan, Viseux, comme Bernard Dufour sensible aux palpitations de la forêt, comme Atlan († 1960) dont l'écriture veloutée mi-hiératique, mi-vivante suggère une poésie cosmique à valeur de magie, de nous proposer en gammes inédites cette interprétation irrationnelle et sensible de leurs rêves et de leurs émois en face du monde.

Ces œuvres ne sont toutefois encore qu'une inflexion française d'un style international. Les traditions françaises sont maintenues par les jeunes artistes que la nouvelle vogue de l'abstrait n'a pas ébranlés. Ils nous laissent entendre que dans le bouleversement de notre connaissance du monde les vieilles réalités demeurent, que nous vivons encore sur la terre, à la ville, au village, dans la maison, que l'on peut peindre encore des couchers de soleil sur la mer, des vases fleuris, des nourritures terrestres, des enfants, des êtres qui s'aiment, luttent, souffrent, travaillent. Ces réalités simples, qui nous parlent de nous, magnifiées par l'art, ont une saveur particulière comme sont particuliers une lumière d'Ile de France, un coron du Nord, le visage d'un vigneron de Beaune, le sourire d'une Parisienne.

Les maîtres de cette peinture figurative sont toujours Buffet et Lorjou. Le premier hésite entre des *Nus* tristes et laids, les compositions colorées sur le thème du *Cirque*, de l'histoire de *Jeanne d'Arc*, des *Oiseaux et des Femmes* et les paysages solitaires et précis de Venise et de Paris. Discuté, considéré par certains critiques comme sclérosé depuis 1949, il conserve sur la jeunesse son prestige. Mais Lorjou est plus que jamais créateur. Hanté par Rubens, Ensor, Daumier, par les grands baroques, il veut être un témoin passionné de son temps. Sa truculence, qui ne connaît point le sacré, néglige les aventures nucléaires pour regarder à ras de sol et fouailler toutes les tares sociales, toutes les hypocrisies.

Il l'a montré avec audace à Bruxelles en marge de l'Exposition universelle, mais dès 1957 il reprenait la lutte contre les peintres abstraits, contre tout académisme, en installant, nouveau Courbet, sa baraque foraine à la foire des Invalides et présentait les *Massacres de Rambouillet*. Cette toile, volontairement scandaleuse, évoquait une vision de carnage, une profanation de la beauté poussée à l'épique, dans le timbre déchirant des tons crus. Sur le motif transposé d'une chasse aux faisans dans les tirés présidentiels, il évoquait allégoriquement la guerre, le déchaînement de la bête en l'homme, dans un heurt brutal de noir, d'outremer, de bleu de prusse, de vert, de vermillon et de jaune soufre, comme jadis en une autre gamme Bruegel nous présentait sa *Folle Marguerite*, vision atroce, hallucinante et pleine cependant de sourde tendresse.

C'est dire que les figuratifs sont d'abord des expressionnistes. Les jeunes peintres expriment les mêmes sentiments avec plus de mesure. Les plus doués semblent être actuellement Françoise Adnet, Bardone, Carrega, Commère, Guerrier, Jansem, Rodde, Schurr, Sebire, Tailleux, Taylor. Après Rebeyrolle, Morvan ou Yankel qui cèdent au goût de l'abstrait, ils témoignent des fécondes recherches françaises.

Il y a parmi eux des âmes rêveuses et amères comme Adnet, Taylor, des esprits malicieux comme Tailleux ou Schurr, de frais et francs paysagistes comme Bardone et Sebire. Jansem, prix Antral en 1953 et qui vient de triompher en Belgique, se montre déjà en pleine possession de ses dons.

Il use généreusement du blanc, posé au couteau à palette, sur quoi passent des gris, un jaune citron glacé, un vermillon narquois. Expressionniste désenchanté, il emprunte ses thèmes à la vie des gueux, des nomades, des paysans pauvres; il témoigne de profondes misères et de sa sympathie pour les êtres de misère. La *Marchande de figues*, le *Marché aux puces*, le *Chevrier*, l'*Enterrement*, la *Femme au parapluie* montrent, cernés d'un trait incisif, des personnages aux formes ingrates, des physionomies douloureuses, hébétées, images de solitude. Les natures mortes où sont séparés par de grands vides des objets dérisoires et des fleurs fanées disent aussi fortement l'amertume du peintre.

Jean Commère est un optimiste lyrique. Il unit au sentiment de la douceur angevine peinte en paisibles paysages, le sens aigu de l'atmosphère parisienne. Il a trouvé un bel accord de tons joyeux et clairs, des jaunes radieux unis à des vermillons lumineux. Qu'il peigne des *Maternités*, le *Bal du Quatorze Juillet*, les *Plaisirs du Dimanche*, le couple *Yves Montand-Simone Signoret*, le *Bain* ou seulement des tables fleuries, il fait tenir sur ses toiles l'image du bonheur populaire ou bourgeois, de la vie sensuelle et sensible, de la confiance dans la nature; il affirme que notre temps peut encore admettre des Manet et des Renoir.

D'autres sont des constructeurs vigoureux. Carrega, interprète des chantiers et des ports, use d'une écriture éclectique pour chanter la permanence des sentiments éternels, les formes franches et saines de la vie des humbles. Le style de Raymond Guerrier, prix de la Jeune Peinture en 1953, est plus brutal. Dans ses récentes expositions d'Avignon et de Paris, Guerrier prouve un sentiment viril de la peinture. Ses sujets sont des natures mortes de poissons ou de volailles, de rudes paysages bretons ou provençaux. Il pose au couteau d'épaisses couches de couleur, accumule empâtements et rehauts, choisit une gamme de noir, de brun, de vert sourd, de blanc de craie qu'il soutient par une préparation sombre, outremer ou bleu de prusse. Le dessin coupe anguleusement les contours, n'indique que les grandes masses. La réalité matérielle, franchement saisie dans ses grands effets, est toutefois peinte avec sensibilité. Dans cette brutale et sommaire vision de la nature et des objets, c'est encore un reflet de l'inquiétude moderne qui transparaît.

Ces jeunes artistes, qui œuvrent à contre-courant de la mode, se distinguent encore en ceci qu'ils tiennent leur art pour sérieux et difficile, qu'ils se refusent à étonner pour le seul plaisir d'étonner. Ils songent à acquérir d'abord un métier solide, à trouver les moyens sûrs d'exprimer honnêtement et fortement ce qu'ils ont à dire. Ils prolongent les meilleures traditions de l'art français sans revenir en arrière. Leur goût du concret diffère des poussées d'humanisme de 1930 et 1934. Elles n'étaient qu'un adoucissement bourgeois et charmant des formules les plus mesurées des fauves et des cubistes, ou bien une orientation sociale, en compositions lisibles, de certaines acquisitions du surréalisme. Les jeunes figuratifs de 1958 ont d'autres audaces et s'ils oscillent comme tous leurs contemporains entre l'instinct et la règle, la sensation et la méditation, ils tendent à soumettre en langage moderne les premiers aux seconds. Par eux s'élabore un art qui compose sa belle originalité du goût raisonné des traditions et du sens de la vie. Le succès de la Première Biennale de Paris, consacrée aux jeunes artistes, sur l'initiative de R. Cogniat, n'infirme pas ces conclusions. Elle fut, jusqu'à l'outrance tapageuse, un apparent triomphe de l'art informel, en octobre 1959. Pour la France elle consacra le sûr métier du peintre Pierre Dmitrienko, du sculpteur Hiquily, du graveur Brigitte Coudrin, mais l'académisme décadent des œuvres exposées rendait plus savoureux, plus prometteur le bel effort continué des peintres du concret.

Robert GENAILLE
Inspecteur général de l'Instruction publique.

LES GRANDS COURANTS
DE LA
MUSIQUE FRANÇAISE CONTEMPORAINE

Comme toute la musique de l'Europe et de l'Amérique du Nord au xxe siècle, la musique française contemporaine est placée sous l'influence de quelques courants essentiels, peu nombreux, qui se sont manifestés d'abord par l'activité théorique et les œuvres de maîtres aujourd'hui incontestés, comme Debussy en France, Arnold Schoenberg en Autriche, Bela Bartok en Hongrie, Igor Stravinsky enfin, qui, d'origine russe, a travaillé successivement en Russie même, puis en France, en Suisse et aux États-Unis d'Amérique.

Claude Debussy a renouvelé le langage sonore, en rompant avec le langage tonal et le style du romantisme, et en opérant une synthèse entre le langage modal de l'ancienne musique française et ses apports personnels, tendant tous à briser, voire à supprimer les cadres de la tonalité; Arnold Schoenberg a complètement détruit ces cadres, et a abouti, à travers un chromatisme exacerbé et l'atonalité complète, à l'organisation sonore sérielle; Bela Bartok a rejoint et approfondi les recherches modales de Debussy, après en avoir découvert les principes dans la musique populaire originelle, non entachée encore de déformation tonale et romantique; Stravinsky, enfin, a apporté les premiers exemples de polytonalité, et a profondément révolutionné les aspects rythmiques de la musique.

*
* *

Voici d'abord Florent Schmitt, mort en 1958 à l'âge de 88 ans. Son *Psaume XLVII*, sa *Tragédie de Salomé*, *Oriane et le Prince d'Amour* font partie du répertoire consacré de la musique française du XXᵉ siècle. Il y a huit ans, il donnait son *Quatuor à cordes*, et trois mois avant sa mort, une *Symphonie*, témoignages vigoureux de la persistance de son élan créateur. Florent Schmitt, héritier authentique des grands maîtres romantiques, dont il a le souffle et l'allure, a néanmoins fait entrer dans son œuvre les principales conquêtes harmoniques de Debussy ; il a d'autre part, ne l'oublions pas, précédé le jeune Stravinsky, de qui il est l'aîné de plus de dix ans, dans quelques-unes de ses recherches rythmiques et orchestrales les plus audacieuses.

Arthur Honegger, disparu prématurément à la fin de 1955, était de nationalité suisse, mais la France était sa patrie de naissance et d'élection. D'un esprit puissamment romantique, lui aussi, il a su en alléger le message par l'écriture aérée, déliée dont un Debussy d'une part, un Stravinsky de l'autre devaient lui fournir le modèle. On a pu dire que la majeure partie de son œuvre rendait un son tantôt classique, tantôt romantique ; et des partitions telles que *Jeanne au Bûcher*, *La Danse des Morts*, ses cinq symphonies, sont là pour en témoigner. Mais il a montré, une fois au moins dans sa vie, en composant son opéra *Antigone*, que les préoccupations atonales les plus hardies d'un Schoenberg ne lui étaient pas demeurées étrangères.

Son compagnon d'âge et de célébrité, Darius Milhaud, est une nature infiniment plus complexe. Aussi peu romantique que possible, il a puisé chez Stravinsky les premiers éléments d'une écriture harmonique qu'il a cependant développée de telle façon, dont il a tellement épuisé toutes les conséquences possibles, que dans la conscience musicale contemporaine, elle se confond avec sa personnalité : il s'agit de la polytonalité, qui est l'art de superposer, dans un même discours musical, deux ou plusieurs tonalités distinctes. Sa production est immense et, de ce fait, inégale; mais depuis son *Christophe Colomb*, opéra-oratorio sur le poème de Claudel, on sait que la France et le monde possèdent en lui un de leurs grands maîtres. Depuis la fin de la deuxième guerre mondiale, deux œuvres maîtresses, deux opéras, *Bolivar* et *David*, auxquels il convient d'ajouter son *Service sacré*, bâti sur la liturgie israélite du Sabbat, ont montré que sa veine généreuse, son inspiration contrastée, faite de lumières vives et d'ombres profondes, comme les lumières et les ombres de sa province natale, la Provence, ne sont nullement taries. Grand voyageur, Milhaud a composé beaucoup d'œuvres d'inspiration folklorique, rejoignant en cela les préoccupations fondamentales d'un Bartok.

Un peu plus jeune que Honegger et Milhaud, mais ayant fait partie, après 1918, du même fameux " Groupe des Six ", Georges Auric a manifesté, depuis une quinzaine d'années, une personnalité aussi vigoureuse qu'attachante. Son activité s'exerce principalement dans les deux domaines de la musique de film et de la musique de ballet. A la musique de film, il est un des rares à avoir conféré une noblesse et une dignité, une valeur dont l'importance est grande, si l'on songe aux centaines de milliers d'hommes et de femmes de notre temps, pour qui la musique de cinéma se confond avec la musique tout court. Des innombrables films auxquels il a musicalement collaboré, qu'il nous suffise de rappeler les chefs-d'œuvre de Jean Cocteau : *Le Sang du Poète*, *L'Eternel Retour* et *La Belle et la Bête*. Comme compositeur de ballets, Auric est l'auteur de *Phèdre*, de *Le Peintre et son modèle*, de *Chemin de Lumière*, trois partitions qui comptent parmi les rares œuvres de ballet dont la substance musicale est assez dense pour leur permettre de s'affirmer également dans la salle de concerts. Le langage musical d'Auric, influencé autant par celui de Strauss que par celui de Stravinsky, ne dédaigne pas, de temps en temps, les recherches de dissonance et même d'atonalité, dans une ligne qui touche à la fois la musique de Bartok et celle de Schoenberg.

Il convient de citer ici les personnalités typiquement françaises de Jacques Ibert, d'Emmanuel Bondeville et de Henry Barraud, qui se placent tous trois dans la descendance du renouveau français inauguré par Fauré, par Debussy, continué par Ravel et par Roussel, non sans de fortes notes individuelles pour chacun d'entre eux. Qu'il nous suffise de citer, d'Ibert, les beaux ballets que sont *Les Amours de Jupiter*, *Le Chevalier Errant* et *La Ballade de la Geôle de Reading*; de Bondeville, ce pur chef-d'œuvre qu'est son opéra *Madame Bovary*, l'ouvrage lyrique le plus féminin, le plus sensuel, le plus passionné de la musique française depuis *Manon* de Massenet et *Pelléas et Mélisande* de Debussy; de Barraud, enfin, nature sombre, pessimiste, mais large et généreuse en même temps, le poème symphonique *Offrande à une ombre* et l'oratorio *Le Martyre des Saints Innocents*, œuvres toutes deux inspirées par les horreurs de la guerre, auxquelles il faut ajouter la belle tragédie lyrique de la liberté qu'est *Numance*.

Parmi les rénovateurs les plus puissants du langage, du style, de l'esthétique de la musique en France depuis une quinzaine d'années, il faut placer au premier rang Olivier Messiaen et André Jolivet. Est-il besoin de dire qu'en raison même de leurs tendances et de leurs efforts, il s'agit là de personnalités fortement controversées, voire contestées? Et pourtant, c'est d'eux que devait partir, peu de temps avant 1940, une nouvelle révolution musicale dont les conséquences se font déjà puissamment sentir dans la plus jeune génération.

L'ascendance musicale de Messiaen, c'est évidemment chez Debussy qu'il faut la chercher. On peut même dire que jusqu'à un certain point de son évolution, qui se place autour de 1949, toutes les recherches, toutes les œuvres de Messiaen constituent d'une part un élargissement, un agrandissement, d'autre part une systématisation des conquêtes amorcées par Debussy. Sur le plan mélodique, Debussy a remis en honneur la ligne de la mélodie grégorienne, les petits intervalles, la déclamation syllabique. Sur ce même plan, Messiaen n'a fait qu'approfondir cette renaissance du plus vieux chant français, car sur le plan spirituel, Messiaen, catholique fervent, organiste à l'église de la Trinité dès l'âge de 23 ans, en 1931, fait procéder la plus grande partie de son œuvre de la théologie catholique, d'un esprit chrétien aussi profond que personnel. Sur le plan harmonique, Debussy a remis les modes anciens à l'honneur; il sera suivi dans cette voie par Messiaen, qui élargira immensément la perspective modale, par la recherche et l'emploi systématique, non seulement des modes grégoriens, mais aussi des modes de l'orient asiatique, ainsi que par l'invention de nouveaux modes, soumis à des lois d'une grande précision et d'une admirable subtilité. Sur le plan rythmique enfin, Debussy a été le grand libérateur du rythme des carcans de la mesure classique; et ici, Messiaen a accompli des bonds prodigieux, en étudiant et en utilisant les rythmes hindous les plus compliqués, en donnant à sa musique des aspects entièrement nouveaux grâce à l'introduction révolutionnaire de la musique du monde entier dans la musique occidentale et française. Nous ne pouvons, dans le cadre de cette brève étude, entrer dans une analyse détaillée des conquêtes de Messiaen, dont nous venons d'esquisser les grandes lignes. Toutes les grandes œuvres composées par lui jusqu'en 1949 — *L'Ascension* pour orgue (et la version de cette œuvre pour orchestre), *Les Vingt Regards sur l'Enfant Jésus*, pour piano, qui révolutionne complètement l'écriture pianistique, *Harawi*, vingt chants d'amour et de mort pour soprano et piano, l'immense symphonie *Turangalila*, les *Visions de l'Amen*, pour deux pianos, les *Cinq Rechants*, pour douze voix réelles — obéissent à ces élargissements, à ces conquêtes révolutionnaires, qui eussent amplement suffi à établir la gloire du compositeur. Et cependant, Messiaen ne s'est pas arrêté en chemin, il a, depuis, largement dépassé cette phase de son activité créatrice. En 1950, il publiait ses *Quatre Etudes de Rythme*, pour piano, dont une au moins, appelée *Mode de valeurs et d'intensités*, devait servir de modèle et de flambeau aux recherches les plus hardies des jeunes compositeurs dont nous parlerons à la fin de cette étude. Ce *Mode de valeurs et d'intensités* a été couronné, depuis, par Messiaen, de deux œuvres capitales : *Le Réveil des Oiseaux*, pour piano et orchestre, dont tous les modes sont des transcriptions, à l'échelle humaine, de chants d'oiseaux que Messiaen écoute et recueille passionnément, par centaines, depuis des années ; et enfin, le *Livre d'Orgue*, recueil de sept morceaux pour orgue seul, qui représente, jusqu'à nouvel ordre, la somme des conquêtes de Messiaen dans la recherche d'une synthèse harmonique et rythmique[1].

Avant de parler de l'activité de la jeune génération, il nous faut considérer l'importante personnalité d'André Jolivet. Élève de Paul Le Flem et d'Edgar Varèse, c'est-à-dire d'un compositeur de pure tradition française et d'un chercheur passionné dans le domaine d'une musique de batteries et de rythmes qui devait aboutir aux recherches de musique électronique et " concrète " auxquelles nous assistons depuis quelques années, Jolivet poursuit, depuis vingt ans, un travail créateur tour à tour influencé par ces deux tendances certainement contradictoires. Mais la contradiction de ses origines artistiques, Jolivet l'a toujours surmontée dans ses œuvres capitales. Convaincu de la nécessité profonde d'une musique humaine au sens total et quasi-magique de ce terme, il a cherché son inspiration, comme Messiaen, bien au-delà des frontières rassurantes du continent européen et de la civilisation des blancs. Musique des noirs, musique polynésienne, musique des îles des mers australes,

1. Au *Réveil des Oiseaux* s'est ajouté, en 1956, *Oiseaux Exotiques* ; en 1959, le *Catalogue d'Oiseaux*, pour piano seul ; en 1960, *Chronochromie*, pour grand orchestre.

modes exotiques de toutes les latitudes, rythmes et batteries de la même origine, voici ce qui, toujours, est venu victorieusement contrecarrer dans le travail créateur de ce tempérament extraordinairement puissant, ses nostalgies d'Ile-de-France, ses coquetteries avec les petites formes musicales de la Renaissance. Une œuvre comme les *Trois Complaintes du Soldat*, issue du drame de la défaite française de 1940, et qui a établi la popularité de Jolivet, n'est pourtant pas de celles qui porteront son nom aux générations futures. C'est par ses *Cinq Danses Rituelles*, par son *Concerto pour piano et orchestre*, par son *Concerto pour Ondes Martenot et orchestre*, par sa *Symphonie*, par son *Concerto pour trompette*, que Jolivet, successeur de Debussy autant que de Bartok et hardi chercheur lui-même, agit sur les jeunes générations.

Parmi les compositeurs français qui ont à peine dépassé l'âge de trente ans, il en est un qui les domine, de très haut, en talent et en importance, et qui, déjà, fait figure de chef de sa génération : il s'agit de Pierre Boulez. C'est qu'en effet, à la suite de Messiaen et, parfois, lui montrant le chemin, il a tenté et peut-être réussi complètement à établir une synthèse entre le langage modal de la nouvelle musique française et le langage sériel issu, en Europe Centrale, des recherches de Schoenberg et de ses disciples. Le plus grand peut-être de ceux-ci, Anton Webern, a conduit les principes du langage sériel à des applications d'une subtilité qui ne semblaient pas pouvoir être dépassées. Et pourtant, ses œuvres font aujourd'hui, comparées avec celles d'un Boulez, l'impression que devaient faire sans doute, sur un auditeur éclairé assistant à la naissance des symphonies de Beethoven, les premières symphonies de l'École de Mannheim ou, tout au plus, les premières symphonies de Haydn et de Mozart. Cela n'enlève naturellement rien à la valeur propre des œuvres de Webern; mais force nous est de constater que Boulez et les meilleurs qui l'ont suivi ont élargi l'application des principes weberniens à tous les éléments du discours sonore, que la simple série des hauteurs sonores devient chez eux série de timbres, série de nuances et série de rythmes, et qu'ils ont d'autre part, sur le plan de la forme et de l'esthétique générale de leurs partitions, réussi cette chose extraordinaire de " faire du Debussy sériel ", comme s'est exprimé un critique averti, et grand défenseur de la musique contemporaine, Heinrich Strobel. *Le Soleil des Eaux*, cantate pour trois voix solistes et orchestre sur des poèmes de René Char, une *Sonate pour piano*, une *Polyphonie* pour dix-sept instruments, des *Structures*, au nombre de neuf, pour deux pianos, un *Livre pour quatuor à cordes* et enfin *Le Marteau sans Maître*, pour contralto et cinq instruments, sur des poèmes de Char également, voilà l'essentiel du bagage de Boulez, dont chaque œuvre marque une étape décisive de son évolution[1]. Entrer dans les détails très complexes de son langage dépasserait le cadre de cette étude. D'ailleurs, la musique de Boulez a ceci de remarquable que point n'est besoin de connaître les arcanes de la pensée et les subtilités techniques qui ont présidé à sa naissance pour pouvoir la goûter. Certes, son étrangeté, sa rudesse souvent, sa violence, et aussi l'extrême subtilité de ses dessins ont de quoi troubler l'auditeur non prévenu. Mais qu'il y revienne, et bientôt il sera conquis; c'est d'ailleurs vrai pour toute musique moderne de valeur, si difficile d'accès qu'elle puisse sembler au prime abord.

Milhaud, Messiaen, Jolivet, Boulez, voici quatre compositeurs des trois dernières générations de musiciens français qui jouissent d'une audience largement internationale, dont l'influence sur la musique des autres pays est grande, qui sont discutés, honnis, admirés, adulés, et qui se placent certainement à la tête du mouvement musical de notre temps.

Antoine GOLEA,
Critique musical.

---

1. Depuis le *Marteau sans Maître* (1954), une autre sonate pour piano, *Poésie pour pouvoir*, sur un poème de Henry Michaux, et *Pli selon pli*, " hommage à l'ombre de Mallarmé ", en cinq parties, pour orchestre, soprano et piano solo, sur trois sonnets du poète, ont enrichi ce bagage.

URBANISME ET ARCHITECTURE
DANS LA RECONSTRUCTION

Dès que son territoire fut libéré, la France entreprit le recensement de ses ruines.

La tâche était immense; il fallait à la fois assurer la reconstitution de foyers élémentaires et donner des moyens d'existence à des millions d'hommes qui venaient de subir les rudes exigences de la guerre et de l'occupation.

Si aujourd'hui, quinze ans après la fin des hostilités, tout n'est pas réparé, l'essentiel est accompli, et le reste réintégré dans un programme plus général de rénovation.

La France est le seul pays au monde qui ait indemnisé ses sinistrés. Une loi généreuse accorda la restitution dite " à l'identique " du bien détruit, mais évita l'erreur de la précédente reconstruction (1920), en limitant l'indemnité à l'essentiel à l'exclusion du superflu.

La solidarité de la nation devant une catastrophe de cette ampleur ne pouvait se soutenir que si les abus et l'exploitation du malheur étaient solidement endigués. Sur ce point, la réussite est quasi totale. L'infime proportion de scandales, du reste réprimés, peut être considérée comme négligeable. Si l'on songe à l'immense improvisation à laquelle l'État a dû faire face, on ne peut que rendre hommage au Ministère de la Reconstruction et à ses agents.

Si la reconstruction de la précédente guerre fut réalisée sous le signe de la facilité (l'Allemagne paiera) et du mauvais goût, la mémoire et le manque d'argent aidant, celle-ci fut entreprise avec beaucoup plus de méthode.

Chaque ville sinistrée fut dotée d'un plan d'urbanisme et d'un encadrement de techniciens, Architectes en chefs, Ingénieurs, Hygiénistes, Remembreurs, etc....

La reconstruction s'est ainsi développée dans l'ordre.

Mais l'urbanisme en France avant la guerre était un mot vide de sens pour la population et vide d'expérience même pour les " spécialistes " qui ne pouvaient l'être que sur le papier, puisqu'ils n'avaient jamais eu l'occasion d'exercer leurs talents.

Au mieux, l'urbanisme paraissait limité au tracé des voies. Les seules réalisations d'envergure exécutées avant la guerre s'étaient bornées à des opérations routières.

L'urbanisme, science de l'aménagement des groupements humains, était très en retard en France, en comparaison de l'Angleterre, des Pays-Bas et de l'Italie, pour ne citer que les pays proches. Même Le Corbusier n'avait pu mettre en application ses doctrines qui firent pourtant leur preuve avec tant d'éclat ailleurs — et depuis.

Le Français, attaché à son bien, regarda d'un œil méfiant ces gens bizarres qui proposaient des solutions apparemment utopiques. Au nom du visage éternel de la France, on se laissait aller à une certaine paresse imaginative, sorte de refus de vivre son temps.

C'est dans ce climat sceptique ou hostile que les Urbanistes de la Reconstruction entreprirent de démontrer qu'il était stupide de laisser passer l'occasion offerte par le désastre et qu'il fallait repenser l'aménagement des villes détruites dans l'optique de notre temps. Tâche rendue plus ardue par le fait que les villes, même les plus touchées, n'étaient pas entièrement détruites. Le travail de l'Urbaniste se bornait le plus souvent à la réparation d'un accroc du tissu urbain.

Une opinion publique peu avertie, une doctrine souvent incertaine, une organisation de l'aménagement du territoire qui se cherchait encore, expliquent certaines timidités. Si l'on ajoute

Le Centre National des Industries et Techniques
(C. N. I. T.) au rond-point de la Défense
(agglomération parisienne)

Ph. Spirale

**Mourenx-la-Neuve (région de Lacq),
cité de 12 000 habitants, surgie au milieu des bois et des prés**

Ph. Claude Roux

**Ensemble de nouveaux immeubles dans la banlieue
parisienne à Aubervilliers**

Ph. Perceval-Spirale

que la loi sur la reconstruction portait en elle un germe de confusion en utilisant l'expression " à l'identique ", on comprend pourquoi, à de trop rares exceptions près, les plans d'urbanisme n'ont pas le côté audacieux que l'on aurait pu souhaiter.

Il fallait changer trop d'habitudes séculaires, bouleverser trop de préjugés. Faute de bases, il n'a pas été possible de placer cette reconstruction dans la perspective du développement de la puissance économique du pays. On s'est attaché surtout à restituer des logements, sans trop se soucier des besoins d'avenir de la région reconstruite.

A un planisme technocratique, vraisemblablement efficace, mais un peu effrayant, on a préféré un compromis bonhomme et mesuré.

Il est encore trop tôt pour juger de l'œuvre.

Quoi qu'il en soit, les résultats sont aujourd'hui visibles. Des villes neuves bien équipées sont nées. Des réussites indiscutables sont acquises : Le Havre, Royan, Boulogne, pour ne citer que des villes au contact immédiat du tourisme, proposent des solutions de très grande valeur.

Si les plans d'aménagement des villes reconstruites ne sont pas tous à l'abri des critiques, il faut toutefois constamment avoir à l'esprit que ces villes sinistrées sont toutes plusieurs fois centenaires, qu'elles comportent des monuments historiques dont il fallait sauvegarder les abords et que l'on était devant une inconnue : la ville reconstruite retrouverait-elle sa population d'avant-guerre? Serait-elle en expansion ou en régression? Questions auxquelles personne ne pouvait répondre. L'Urbaniste naviguait entre deux écueils : voir trop grand et peut-être tuer définitivement la ville déjà meurtrie, ou être trop prudent en prenant le risque d'une conception étriquée.

Cette alternative conduisait fatalement à une solution de compromis où, à défaut de bases solides, le bon sens avait force de programme.

D'autre part, le début de la reconstruction s'est fait dans la pénurie de matériaux. Les Architectes avaient à leur disposition la pierre, peu de bois, peu de fer, de l'ardoise, pas de métaux rares, ni cuivre, ni plomb, ni zinc. Leurs ambitions furent contraintes à beaucoup de modestie.

Que, dans ces conditions, on trouve un air de famille aux constructions réalisées à la même époque, sur des programmes très voisins et avec des moyens semblables, c'est assez naturel. La première période de reconstruction n'a pas échappé à une certaine monotonie et à un certain conformisme. Puis, les conditions de réalisation évoluant et s'améliorant, l'architecte s'est libéré des contraintes et a enfin pu réaliser des œuvres d'une qualité comparable à celles de ses confrères étrangers.

Les ensembles d'Abbeville, de Calais, certains quartiers de Boulogne, du Havre, de Valenciennes, d'Amiens, de Saint-Malo, de Beauvais, le vieux port de Marseille, le front de mer de Royan, témoignent d'une variété de talents et d'une qualité de pensée qui démontrent qu'une génération d'architectes français s'est levée grâce à cette reconstruction. Il est évident que c'est souvent dans des œuvres extérieures à la Reconstruction qu'ils **ont** pu finalement témoigner de leur personnalité avec le plus d'éloquence.

Car la reconstruction restait, malgré tous les efforts d'indépendance, une œuvre de restauration soumise aux besoins personnels et au goût d'une multitude de sinistrés. Presque chaque fois qu'une œuvre de valeur a été réalisée, c'est en prenant des libertés avec la loi écrite, grâce à la compréhension — j'allais presque dire à la complicité — de fonctionnaires ou d'édiles dont l'imagination s'était mise en branle et qui voyaient l'avenir.

De tous ces efforts est née une école architecturale française, timide à ses débuts, où l'on se grisait volontiers de mots creux (formalisme, fonctionnalisme, structuralisme, etc...), mais qui a su peu à peu acquérir une grande expérience.

Il est vrai qu'aujourd'hui un autre danger la menace : la diversité des moyens.

Désormais, l'architecte lutte contre une profusion de tentations. Tout ce que son imagination conçoit, il peut le réaliser, les portées les plus audacieuses, les revêtements de façades les plus divers.

Le style, c'est-à-dire l'expression d'un ordre abouti dans ses moindres détails, est difficile à atteindre dans ces conditions. Si l'on ajoute que la science permet de corriger aujourd'hui ce que la nature, la région, le climat obligeaient à prendre en considération autrefois, on conçoit aisément que les styles régionaux n'aient plus de sens et même que les styles nationaux tendent à se fondre comme les styles de vie.

Notre architecture du xixᵉ siècle dominée par les Académies et les Salons respirait un conformisme mis au service du pompeux et de la fausse grandeur, et d'ailleurs les grands architectes, sauf exception, faisaient une carrière et non pas une œuvre.

Le Corbusier a rappelé opportunément que l'architecture était faite pour les hommes, pour les servir, que son véritable objet était l'intégration à un mode d'existence. L'homme du xxᵉ siècle ne vivant pas au même rythme ni dans les mêmes conditions que ses aïeux du xviiᵉ siècle, le devoir des architectes est de rechercher une architecture correspondant à l'homme de notre temps et de l'exprimer avec les moyens de notre temps.

Ce programme génial à force d'évidence a soulevé une tempête à peine apaisée et l'on comprend maintenant que l'architecture n'est pas moderne parce que l'architecte a adopté des fenêtres horizontales, pas plus qu'une chaise n'est de style Louis XV parce que les pieds sont galbés. La forme naît d'impératifs divers et elle est animée par une imagination mue elle-même par une certaine philosophie.

Le Français résiste aux formes collectivistes. C'est pourquoi l'école architecturale moderne française a plus de lien par l'esprit que par la forme : en cela elle se différencie du mouvement architectural mondial.

Les Anglo-Saxons visent à satisfaire des standards de vies par le truchement des standards de méthodes. Ils sont animés par un esprit mécanique qui tend à satisfaire des besoins globaux dans un temps donné pour un temps défini.

Le Français vise à satisfaire des besoins individuels mais permanents, sans attribuer au standard trop de vertu définitive, s'attachant, même dans les réalisations de caractère collectif, à sauvegarder l'individu isolé.

La maison américaine est une suite d'écrans disposés face à la nature, bien équipée, ouverte à tout venant. La maison française est un lieu moins accueillant, plus inconfortable, plus isolé du monde extérieur, plus mystérieuse, dont l'habitant veut sauver une ambiance d'autant plus difficile à créer qu'elle est indéfinissable.

Cela explique pourquoi beaucoup de touristes américains cherchent en vain les témoignages de notre architecture contemporaine, car, ne retrouvant pas leurs standards ni les formes de leurs constructions, ils passent, sans les voir, devant des réalisations parfaitement adaptées aux Français d'aujourd'hui.

Des œuvres très importantes existent : l'unité d'habitations de Marseille, l'usine de Flins, de grandes centrales électriques, des barrages, de grands centres scolaires, des usines comme l'Alsacienne à Annecy, des immeubles de bureaux, de grands centres de recherches comme à Rueil, d'un esprit différent sans doute de celles qui ont été réalisées à Caracas ou dans le Michigan, mais tout aussi utiles pour l'histoire de l'architecture de notre temps.

Les grands ensembles urbains d'Alger et de presque toutes les grandes villes françaises témoignent de l'architecture contemporaine en France, mais ils sont peu connus, car les moyens de diffusion de nos œuvres réalisées sont insignifiants. Et surtout, rien ne s'était fait encore à Paris : or pour un étranger la France, ce n'est guère que Paris.

Au nom des plus belles perspectives du monde, le Parisien renâclait à se débarrasser de son Paris honteux. La pression de l'événement automobile qui asphyxie la ville, le manque de logements, d'espaces verts, l'évolution des esprits commencent à forcer les barrages d'un sentimentalisme qui conduisait à l'asthénie.

Quand on dit non trop longtemps aux problèmes vitaux, on finit par être obligé de dire oui à n'importe quelle solution le jour où l'urgence balaye tout.

Il était temps que la résistance des Parisiens à l'urbanisme et à l'architecture faiblît; sinon la fameuse formule " Paris, la ville la plus sinistrée de France " de boutade devenait constat. Les ravages annuels de la vétusté sont pires que ceux d'une bombe atomique : on les a calculés, ils se chiffrent par milliards.

Certes une résistance est bonne. Elle oblige le novateur à approfondir ses recherches, à prendre comme réalités concrètes non seulement ses goûts et ses moyens mais l'opinion de ceux qui vivront, si l'on peut dire, *chez lui*. Aujourd'hui la bataille du nouveau Paris s'engage et, parallèlement, celle de la rénovation des régions désertiques ou mal équilibrées de province. L'Aménagement du Territoire est en marche.

Pierre DUFAU
Membre du Cercle d'Etudes architecturales.

UN ART DE VIVRE

Un moment de détente après des explorations qui ont pu sembler parfois sévères. Leconte de Lisle avait beau proclamer, il y a un siècle : " L'impure laideur est la reine du monde ", jusque dans les raffinements de la civilisation la plus artificielle subsiste le souci de la beauté, de la simplicité élégante. Il est sensible dans cet " art de vivre " à la fois traditionnel et toujours renouvelé dont Madame Valentine Fougère relève les aspects divers avec un goût hardi et sûr. Il est sensible encore dans le développement de l'éducation physique et la pratique des sports qu'étudie Monsieur Raymond Boisset, grand sportif lui-même et grand universitaire. Les activités de jeu, en France, sont choses sérieuses.

Ce n'est pas un code des usages mondains, en d'autres termes, du savoir-vivre en France, que ce chapitre se propose de présenter. Il ne s'agit pas non plus d'établir une nomenclature des rites et des coutumes qui régissent l'existence quotidienne, mais d'essayer de définir, à travers les images que celle-ci nous offre, un style de vie qui est particulier au pays de France et qui fait que ses habitants ont une façon à eux de s'en aller de la naissance à la mort, de se nourrir, de se vêtir, d'orner leur existence, d'accueillir les quatre saisons, de laisser parler leur esprit imaginatif, leur goût, leur bonhomie, leur ironie, dans toutes les circonstances de chaque jour.

Un premier témoignage nous en est donné par le spectacle

de la rue qui n'est pas encore, et grâce à Dieu, malgré l'envahissement des automobiles, tout à fait interdit au piéton.

Pour le voyageur étranger qui n'a pas mis le pied dans notre capitale depuis une dizaine d'années et qui entreprend à loisir cette quête du quotidien le long des charmantes rues commerçantes, vantées par l'architecte Zerfuss dans la campagne qu'il est en train d'entreprendre contre un urbanisme abstrait et volontiers puritain, Paris s'est profondément transformé; non pas certes dans son aspect général et dans sa couleur essentielle, qui est toujours le gris de la perle ou de la cendre douce, mais dans l'agencement de ses boutiques, celles des beaux quartiers comme celles des faubourgs.

C'est au niveau de l'homme qui marche dans la rue que la couleur a fait son apparition, insidieuse d'abord, puis éclatante, témoignant ainsi de l'influence exercée (sans le savoir) et longtemps après leur consécration d'artiste, par des hommes comme Léger et comme Matisse. Car c'est bien à coup sûr à eux que l'on doit, dans une architecture nette de toute fioriture, ces beaux réceptacles des objets offerts à la convoitise du passant que sont les magasins des Deux Rives, les librairies accueillantes et bariolées, les boutiques de disques, les boutiques d'estampes et d'ouvrages rares ouverts à la devanture sur leurs éclatantes illustrations : lithographies, eaux-fortes, bois en couleurs, dont la vogue est plus florissante que jamais, les boutiques des grands couturiers eux-mêmes, conduits depuis la guerre à faire cette concession aux exigences de l'époque, les " cafés " qui ne cessent de moderniser leur aspect, de multiplier les glaces et les reflets... Tout est là d'abord pour le plaisir des yeux, tout témoigne, dans le chatoiement des couleurs vives et bien accordées, de l'invention la plus souriante et du goût le plus délicat. Je verrais volontiers inscrits parmi les divertissements signalés par *la Semaine à Paris*, le renouvellement bi-mensuel de telle devanture de la rue du Faubourg Saint-Honoré, qui présente à l'angle d'un carrefour ses féeries les plus surprenantes, et la remontée de cette voie royale, qui est celle de l'élégance la plus raffinée.

Les Grands Magasins eux-mêmes, les rois de la rue, débordant sur les trottoirs, envahis chaque jour par des visiteurs dont la césure du déjeuner ne tarit pas l'affluence, les Grands Magasins sacrifient non seulement à ce goût pour la couleur qui se met à posséder les Français, mais encore aux modes de l'avant-garde dans le domaine des arts plastiques. Et peut-être est-ce un mauvais tour, après tout, qu'ils jouent à la peinture non figurative, que de montrer avec une si heureuse évidence l'utilisation décorative qui peut en être faite : fonds abstraits pour présenter les collections d'automne, faits d'étoffes de diverses matières, savamment découpées et assemblées, allant du roux au violet, au vert " Bretagne ", au gris de l'écorce; délicat assemblage de taches soigneusement accordées : ambre, pistache, argent doré, rose éteint, cernées comme les éléments d'un vitrail moderne, pour accompagner les flacons de parfum dont la vente suit la saison du " blanc[1] ", selon un rite immuable.

Et que dire des affiches sur nos murs, sur les palissades des chantiers qui partout surgissent, sur le flanc ou à la poupe des autobus? Motifs abstraits des affiches de la Loterie Nationale et cependant combien suggestifs, marque de vin célèbre, réduite au symbole le plus dépouillé du porteur de bouteilles à domicile, lettres géantes et isolées pour suggérer un produit nouveau (encore un emprunt à Léger) : tout s'adresse à la vue, séduit, attire, propose un enseignement pour l'observateur de la psychologie des foules, pour l'amateur de sociologie.

Il serait intéressant encore une fois de signaler, — à côté des grandes réalisations architecturales des dernières années, à côté de ces témoignages de notre vitalité que sont, entre autres et

---

1. Les Grands Magasins réservent spécialement le mois de Janvier à l'exposition et à la vente du " blanc ", c'est-à-dire du linge : draps, nappes, serviettes, etc... Aussitôt après, en février, c'est le tour des parfums.

sans choisir, le Centre National des Industries et Techniques du rond-point de la Défense, le Musée du Havre, le plus moderne d'Europe, et la grande sculpture en figure de proue de G. H. Adam qui, devant lui, fait face à la mer, — les innombrables exemples que le spectacle de la rue nous offre de notre amour de la vie, de notre heureuse adaptation aux exigences sociales d'aujourd'hui.

En voici un, entre beaucoup d'autres, qui a l'avantage de montrer combien les formes les plus hardies, du moment qu'elles sont justifiées par leur fonction, peuvent être acceptées par le grand public et acheminer à une contemplation plus purement esthétique. Je veux parler des terrains de jeux pour enfants, tels qu'ils viennent d'être édifiés dans l'immédiate banlieue parisienne, à Bagneux ou à L'Hay-les-Roses, dans le cadre des Habitations à Bon Marché construites par la Municipalité. Là s'élèvent ce que le sculpteur qui les a conçues, Pierre Szekely, appelle des sculptures praticables, ou encore des micro-architectures : formes en béton armé, crépies de blanc, aux belles courbes, comme il convient pour les petits, plongeoir, toboggan, labyrinthe, " pateaugeoir " qui favorisent (non pas au hasard, mais à la suite d'études fort raisonnées) les goûts les plus élémentaires et les plus forts des enfants : leur besoin de sauter, de grimper, de ramper pour parvenir soudain à la libération, de se cacher et d'observer sans être vus. Rien n'est plus harmonieux que ces blanches sculptures, dispersées selon un rythme très étudié, sur l'herbe verte des pelouses à jeux.

Nous n'avons pas encore mentionné, dans cette symbolique de la rue, la place de la nourriture : on fait volontiers grief aux Français de l'importance trop considérable qu'ils attachent aux arts de la table. Mais ce n'est certes pas la gourmandise seule qui est sollicitée par les mille et une boutiques où se vendent ce qui se mange et ce qui se boit et les ustensiles divers qui permettent de se livrer à ce rite essentiel. N'est-ce pas encore l'œil qui est satisfait d'abord par le spectacle des Halles aux premières heures du jour, par l'architecture savante et colorée que composent les entassements de fruits, de légumes et de fleurs?

Et les boutiques spécialisées, si tentantes par les produits qu'elles offrent et par la façon de les mettre en valeur : le célèbre magasin aux fromages de la rue d'Amsterdam, par exemple, qui présente journellement à la convoitise des gourmets, avec les bries, les camemberts, les bleus d'Auvergne, etc... au moins une vingtaine de divers fromages de chèvre.

Et les marchés? S'ils n'ont pas le pittoresque de ceux des pays méridionaux, ni leur éclat, de quels soins ne témoignent-ils pas dans l'agencement de ce qu'ils ont à proposer au chaland? Dans quel pays du monde la viande est-elle mieux coupée, parée, prête à cuire (de même que les boutiques des grands couturiers ont le " prêt à porter ")? Et quels savoureux commentaires pour la vanter au public, quelles promptes et habiles arguties pour faire accepter à la cliente un morceau qu'elle ne désire pas! Ce n'est pas en vain que ces lieux pleins d'enseignement sont fréquentés par les romanciers, et Marcel Jouhandeau ne rapporte pas seulement, dans son filet, les poireaux et les carottes du pot au feu hebdomadaire.

Et les " porteurs de nourritures " dans la foule dominicale, à la sortie de la messe? Les messieurs qui tiennent précautionneusement au bout du doigt, par la ficelle de son emballage, le saint-honoré qu'ils ont choisi eux-mêmes, ou dans le creux de la main le melon qu'ils ont longuement flairé, soupesé, tâté au point sensible.

Oui, le repas en France est une chose importante, qu'on ne doit pas traiter légèrement. Il faut acheter avec soin, choisir ses vins avec compétence selon le menu du jour, dresser la table comme une œuvre d'art. C'est dans cet apprêt, sur les somptueuses nappes brodées des dîners privés ou les toiles rustiques des agapes familiales, que se manifeste le mieux le refus du conformisme des Français dans leur façon de vivre, à quelque classe qu'ils appartiennent. Il n'est, pour s'en convaincre, que de feuilleter les revues de décoration si nombreuses dans ce pays, ou de voir, au troisième étage des Grands Magasins, toutes les variantes qui sont proposées à la classe moyenne aisée, dans le choix et l'arrangement des verres, des assiettes, des plats, et du chemin de table. Un ambassadeur avisé sait le soin qu'il faut apporter au magnifique et savant assemblage des porcelaines, des cristaux, des fruits, des feuillages et des fleurs pour les réceptions qu'il organise, et ne dédaigne pas, bien au contraire, ce sûr moyen de séduction.

Je voudrais parler maintenant de la façon dont les Français ornent leur intérieur, et imaginer, pour les besoins de la cause, une jeune femme qui aurait à acheter d'un seul coup tout ce qu'il lui faut pour organiser sa vie familiale et parer son appartement. L'individualisme des Français est si vif en cette matière que, malgré la prolifération des grands immeubles locatifs d'une monotonie parfois si agressive, aucun foyer ne ressemble à un autre. Au surplus, ce culte de la maison, qui a pris parfois les formes les plus déplaisantes — notre triste banlieue des années 20 en est un déplorable exemple — reste si fort que ce qu'il n'est plus possible d'avoir à Paris, on le cherche à la campagne, tout au moins pour le week-end et les vacances. Que de fermettes, d'habitations paysannes, de vieux moulins désaffectés, de petits manoirs souvent fort délabrés ont été ainsi achetés par les habitants des villes! Nettoyés, aménagés avec amour pour compenser l'exiguïté de l'installation citadine, ils attestent l'exigeant besoin qu'ont les Français de ce qu'ils ont appelé " la douceur de vivre ".

Plus timidement, commencent à s'élever en province des maisons très modernes qui cherchent à concilier les goûts individuels de ceux qui les habitent avec les exigences de la vie sociale. J'en connais une, à Saint-Marcellin non loin de Grenoble, qui est en train de devenir célèbre à cause de son caractère exemplaire et de l'harmonie de sa réussite. Elle est posée un peu à l'écart de la ville, au pied de douces collines, et elle a été édifiée grâce à la collaboration intelligente et étroite de ceux qui se proposaient d'y loger, et qui ont su exprimer leurs désirs et leurs goûts, et de ceux qui avaient à la construire et à l'aménager intérieurement, depuis la cheminée de la salle de séjour en galets de l'Isère, jusqu'aux éléments de rangement de la cuisine. Elle est un témoignage de cet " art total " dont parlent aussi volontiers les architectes que les hommes de théâtre.

Revenons à cet appartement idéal que notre jeune femme doit installer, après avoir fait, comme il convient, le tour des deux grands salons annuels : le Salon des arts ménagers et le Salon des artistes décorateurs, et le " lèche-vitrine " à la devanture des boutiques de décoration qui naissent de plus en plus nombreuses dans tous les quartiers.

L'architecture d'aujourd'hui lui offre des murs nus : elle les ornera d'une ou plusieurs tapisseries. On sait l'importance sans cesse croissante qu'a prise, depuis sa renaissance sous l'impulsion de Jean Lurçat, cette " fresque du nomade " selon l'expression de Le Corbusier. Mais connaît-on aussi la douceur et la chaleur de la laine, l'intimité que donne une tapisserie à une salle de séjour, à une chambre à coucher? et l'inépuisable variété de ses combinaisons de surface et de couleurs? Car, depuis le bestiaire triomphant de Jean Lurçat et les mille fleurs des jardins à la française de Picart le Doux, des esthétiques diverses affirment la vigueur de cette forme d'art due au travail conjugué de l'artiste et de l'artisan (le lissier).

Un voyage d'exploration dans la province française devrait obligatoirement comporter une visite aux manufactures d'Aubusson où s'élaborent, sur les cartons des peintres Prassinos, Matégot, Singier et de tant d'autres qu'il est impossible de citer, tant de tapisseries aux couleurs somptueuses, qui orneront les édifices publics, les transatlantiques, les halls des grands complexes industriels comme les salons de nos demeures. Et comment ne pas citer encore les puissants accords en noir et blanc du sculpteur Adam, déjà nommé à propos du Havre, dont les tentures se trouvent à la salle des conférences de l'U.N.E.S.C.O., à l'Ambassade de France de Washington, etc., etc...?

Après la couleur, la lumière. Pour l'éclairage de cet appartement idéal dont nous parlons, on fera appel aux créations métalliques de Serge Mouille, orfèvre spécialisé dans le travail du fer peint, qui crée aussi bien l'objet utilitaire que l'œuvre d'art; il est parfois assez difficile, sinon par le critère de la fonction, de déterminer la frontière entre ce qui appartient à l'art et ce qui appartient à l'artisanat, surtout quand il s'agit du même créateur. Mais si la personne qui s'installe est timorée et peu habituée encore aux formes modernes, elle ira chercher à la foire à la ferraille ou au marché aux puces, la lampe Louis-Philippe en faïence peinte, pour une table de chevet, ou la grosse bonbonne de verre qui éclairera un coin sombre.

Quant aux meubles, si trop de gens recherchent encore le style Louis XV ou Louis XVI, oubliant que ceux-ci sont nés à une époque dont nous n'avons plus les goûts ni la manière

de vivre, d'autres au contraire s'en iront choisir soit la commode
ou la bibliothèque de belle série, bien adaptée aux exigences
de la vie contemporaine et de dimensions qui conviennent aux
appartements actuels; soit les tables en bois massif inspirées
par la tradition paysanne (il existe même des tabourets qui
viennent directement de l'escabeau pour traire les vaches),
que les boutiques de décoration nous proposent.

Un artiste admirable, dont l'influence sur l'art contemporain est aussi
grande que méconnue, Alexandre Noll le sculpteur, a créé lui-même,
avec le bois dont il a la passion, un ensemble de meubles : buffets, bahuts,
commodes, tables au superbe piètement, faits de panneaux taillés dans la
masse, étroitement joints, fixés par des chevilles à la fois nécessaires et
décoratives, dont la somptuosité un peu barbare a déconcerté lors de leur
première apparition mais dont l'influence est loin d'être tarie. A côté de
ces créations uniques, faites pour les amateurs fortunés, que d'objets
magnifiques Noll n'a-t-il pas formés de ses robustes mains si habiles (sans
parler de son œuvre sculptée qui est considérable) : coupes, cruches,
pichets, boîtes à cigarettes, en sycomore, en palissandre, en noyer, en
ébène, en bois de violette, aussi beaux à voir qu'agréables à toucher!
Un autre artiste, Mathieu Matégot, l'un des peintres-cartonniers de
tapisseries les plus représentatifs de la nouvelle esthétique non figurative
(mais dont les œuvres cependant rappellent les paysages vus des avions
qu'il prend sans cesse) a créé lui aussi, parallèlement à son travail d'artiste,
une série de petits meubles élégants et bien adaptés à leur fonction, en
tôle peinte et perforée : tables gigognes, porte-journaux, étagères, etc...
qui sont de petits chefs-d'œuvre. C'est lui qui a peuplé Paris d'innombrables voitures des quatre saisons toutes blanches, avec un auvent de
toile bariolée, telles qu'on peut les voir à la devanture d'une foule de
magasins, servant de réceptacle à leurs articles.

Le métier d'art qui connaît actuellement le succès le plus
étendu, c'est la céramique dont il arrive d'ailleurs qu'on abuse
un peu. Un choix très rigoureux s'impose. Mais si l'on s'en
donne la peine, quelle récompense! Voici les bols exquis de
Francine Delpierre dans lesquels il est si agréable de prendre
le thé du matin, ses vases somptueux, ses ravissants bibelots

d'étagère, d'une matière si fine et si délicatement ornée qu'elle rappelle les anciennes créations de la Chine. Voici les poteries utilitaires aux formes pleines de drôlerie d'Andrée Vilar et de Valentine Schlegel, les coupes et les plats massifs de Szekely-Borderie, les porte-fleurs cylindriques de Jouve.

Les grès blancs sont créés au château de Ratilly, dans la Puisaye de Colette (assiettes, bols, pichets, petites soupières individuelles pour le gratiné à l'oignon) par un couple de jeunes potiers pleins de vaillance, qui organisent l'été, dans leur demeure féodale, des stages pour les élèves étrangers.

Les grès au sel, d'une si belle matière, qui exigent des formes austères et pures, c'est à la Borne en Berry qu'on les trouve, à deux pas du pays du Grand Meaulnes, dans un tout petit village où se sont installés, autour de potiers qui descendent des archers écossais de Charles VII, des artistes courageux, hostiles à la publicité tapageuse. Leur exemple a encouragé les gens du pays à reprendre la fabrication des objets traditionnels : bouillottes, vases à traire les vaches, oiseaux-sifflets pour les enfants, crèches de Noël. L'artiste la plus originale du groupe, c'est Babette Joulia, qui vit d'une façon fort frugale — et comme les paysans du lieu — dans une petite maison dont le seul luxe est la beauté des formes qu'elle crée.

A ce propos, d'heureuses surprises sont réservées aux touristes peu pressés, qui savent prendre les chemins de traverse, qui ont du flair et du goût. Ils découvriront tel tisserand installé sur les pentes des Maures, tel tailleur de bois d'olivier de la Côte (sait-on que les oliviers morts pendant un cruel et récent hiver ont été donnés aux artistes par des municipalités généreuses?), tel ancien sabotier de Bretagne qui creuse maintenant dans le hêtre et le châtaignier des ustensiles parfaitement beaux, dont le modèle lui est parfois donné mais qu'il invente souvent lui-même.

Je n'en finirais pas d'énumérer la diversité des matériaux qui servent à la création des objets dont la présence autour de nous contribue à l'embellissement de la vie : le verre, soufflé et façonné par Henri Schneider, aussi précieux que la fleur dont il est le support; l'émail sur cuivre des coupes de Durantet; il faudrait mentionner aussi les émaux de l'abbaye de Ligugé (celle de Huysmans), inspirés par Rouault et par Braque. La paille elle-même, façonnée à la manière scandinave mais de façon si personnelle par la femme de l'un de nos auteurs dramatiques, Arlette Puget (miroirs, roses des vents, coqs de clocher), le cuir des belles reliures de Madame Stahly, la nacre, la plume...

Je parlerai cependant encore des cheminées que l'usage du chauffage central ne fait pas disparaître, au contraire, tant le besoin de " faire un feu pour être son ami " et surtout de le *voir*, reste fort au cœur des hommes : cheminées en plâtre de forme inhabituelle mais belles comme des sculptures, prolongées par le banc de la conversation, cheminées de cuivre rouge que le soleil et les braises font briller d'un étincelant éclat.

Je parlerai aussi de la cuisine qui est moins que jamais désertée par la maîtresse de maison. On s'est assez vite détourné en France des placards et " blocs-vaisselle " ripolinés, qui évoquaient par trop la clinique, la salle d'opération. La cuisine a été humanisée, si j'ose m'exprimer ainsi, par l'adjonction au-dessus de l'évier de grands et vifs carreaux de céramique, avec des cavités coloriées pour y loger les ustensiles d'aspect trivial mais d'usage constant : l'éponge, la lavette; par la présence sur les murs de paniers charmants achetés chez les artisans du val de Loire ou de la Brière (paniers à œufs, à huîtres, à poissons, à légumes), ou d'une panoplie de cuillers en bois nouvelles ou anciennes, par les longs chapelets d'aulx ou d'échalottes qui pendent du plafond, par les pots de grès (la Borne encore) bien rangés sur la table à découper dont le plateau sera de marbre, s'il est possible. Quel plaisir de participer ainsi, par le choix des objets et leur groupement personnel, à cette transfiguration du réel qui est proprement l'art de vivre.

Quand sera prêt l'appartement idéal dont je viens de parler — et il ne ressemblera à aucun autre, car aucune habitude sociale n'est assez forte pour imposer l'usage standardisé d'un mobilier type —, la jeune femme qui l'a aménagé avec amour songera à sa propre parure. La mode, que l'on dit si tyrannique et dont les mutations brusques font le désespoir des imprudentes — elles ne sont pas légion — constitue un des plaisirs les plus certains des Françaises — et peut-être des Français — à quelque classe qu'elles appartiennent. Elle leur permet d'exercer leur goût, leur originalité (aucune femme ne s'habille ni ne se coiffe comme une autre), leur judicieux savoir-faire. L'usage de la mode est fait de prévisions (une revue comme *Elle* dont le succès a été étudié avec beaucoup de gravité par un jeune philosophe comme un phénomène sociologique, y contribue très largement), et d'un esprit de décision aussi prompt qu'opportun dans le choix des étoffes, des vêtements qui conviennent à la saison, des accessoires multiples : gants, sac, foulard, parapluie et même porte-clefs.

A leur tour les industries qui vivent de la mode, grandes ou petites, depuis les fabricants des tissus de soie lyonnais, jusqu'aux fabricants de boutons du Marais, déploient des facultés d'invention, un goût, un humour souvent, qu'il leur faut d'ailleurs continuellement renouveler pour satisfaire les exigeants désirs de leur clientèle. L'on sait la place que tiennent, dans l'économie nationale, les créations des grands couturiers, la présentation des collections, la mise en route d'une couleur à la mode, l'apparition d'une nouvelle matière (qu'elle soit naturelle ou produit de synthèse).

La rue, encore une fois, à laquelle nous revenons pour finir, sera le vivant miroir de ces changeantes apparitions, dans les vitrines et sur les gens qui passent. Nous conseillons aux étrangers qui viennent à Paris, après le tour des boutiques de l'avenue Matignon ou de l'avenue Montaigne, une flânerie dans la rue du Sentier ou dans la rue d'Aboukir, là où s'entassent, dans des magasins austères et profonds, des kilomètres de tissus. Nous leur conseillons ensuite de " monter " à Montmartre, au pied de la Butte, pour y voir le curieux spectacle, dans un quartier voué aux étoffes, des foules féminines cherchant fébrilement le tissu sans pareil, à bon marché bien évidemment, qui fera si bel effet à la prochaine saison (les costumiers de théâtre eux-mêmes ne dédaignent pas cette visite), ou encore de chercher attentivement, rue Grégoire de Tours ou boulevard

Présentation de mode chez un grand couturier. *Ph. Pierre Balmain*

Un intérieur moderne

Ph. Maison Française, architectes Salier, Courtois et Sadirac.

St-Germain, la minuscule boutique où l'on aura la joie de découvrir la cravate tissée à la main qui convient pour un anniversaire, le curieux collier, fait de plaques de métal passées au chalumeau, ou de petits cailloux, ou de graines de plantes, qu'un mari apportera à sa femme un jour de liesse, etc..., etc... Un long arrêt à la terrasse d'un café sera le point d'aboutissement de ces diverses déambulations, pour le plaisir, pour voir l'utilisation que fait la foule anonyme des trésors variés dispensés par la mode.

Et lorsque viendra la nuit, un nouveau spectacle naîtra à son tour. Car la vie sécrète à la fois ses poisons et ses contrepoisons. L'envahissement des automobiles nous vaut la féérique apparition du fleuve incandescent qui roule de la Concorde à l'Arc de Triomphe — et ne pensez pas que le voyageur d'autobus y reste insensible, même s'il n'en est pas tout à fait conscient — et l'électricité, qui est en train de transformer quelques-unes de nos avenues en apparitions fantastiques, d'une éblouissante beauté, continue son rôle de transfiguration en projetant, sur les vieilles pierres de nos monuments qu'elle fait palpiter, une lumière de rêve. Rien n'est beau comme le Paris de la nuit. Quel poète noctambule, à la suite de L. P. Fargue, en célèbrera les prestiges? Rien n'est beau comme nos villes de province quand les festivals de l'été les allument au bord de leurs fleuves. Qui peut oublier le château d'Ussé, le château de la Belle au Bois dormant, surgissant des frondaisons du Val de Loire, tout lumineux sous les étoiles?

C'est ainsi qu'en même temps que les contraintes de la vie d'aujourd'hui, dans un monde que les pessimistes ne voient livré qu'à la machine, au bruit et à la fièvre, naissent d'autres objets d'exaltation, d'autres sources de joie. L'art de vivre n'est autre que leur judicieuse et consciente utilisation.

Valentine FOUGÈRE

ÉDUCATION PHYSIQUE ET SPORT

On ne saurait en France dissocier éducation physique et sport. Il nous paraît impossible de concevoir une éducation physique qui ne soit influencée et couronnée par le sport, comme il nous est impossible d'imaginer un sport qui n'ait été préparé par l'indispensable éducation physique.

Tant que l'enfant est dans le secteur scolaire, sauf dispense délivrée par le médecin, l'éducation physique est pour lui obligatoire; dès l'instant où il a cessé de fréquenter un établissement scolaire, elle devient facultative. Quant au sport, il ne peut être imposé, et, à aucun moment, même dans les établissements scolaires, le jeune Français n'est obligé de pratiquer un sport quelconque. La liberté de l'individu est donc totale pour le sport, partielle pour l'éducation physique. L'Etat n'intervient que dans la mesure où il est de son devoir de donner à toute la jeunesse l'éducation sous toutes ses formes, qui fera des enfants, des adultes, et d'aider, après l'école, enfants et adultes à se perfectionner, dans cette éducation permanente " qui est une de nos préoccupations " essentielles à l'heure actuelle.

Les textes officiels montrent que l'enseignement de l'E. P. S. (éducation physique et sportive) obligatoire au même titre que les autres disciplines, occupe 2 h. 30 par semaine à l'école primaire, de 4 à 5 h dans le second degré et le technique (2 h d'E. P. S. et 2 ou 3 h de plein air). Des épreuves facultatives d'E. P. S. viennent s'ajouter, suivant des formules diverses, aux examens du secteur scolaire (majoration de 5 points maximum). Dans l'enseignement supérieur, certaines grandes écoles imposent l'E. P. S., parfois sanctionnée aux examens de fin d'année ou de sortie, mais dans les Facultés l'étudiant reste libre d'utiliser ou non les moyens en installations et en personnel mis à sa disposition.

Ainsi les textes font une place raisonnable à l'E. P. S., mais l'application est freinée par l'insuffisance de l'équipement de nos établissements en salles et terrains d'E. P. S. et de sport, aggravée par l'accroissement des effectifs. L'Université de Caen, si elle montre le futur visage de l'Université française, risque fort de rester, longtemps encore, une exception.

Des tentatives pour pallier les inconvénients de cette situation ont un grand succès. L'expérience de Vanves, réduisant les heures consacrées aux disciplines intellectuelles et augmentant les heures consacrées à la formation physique, a montré l'intérêt des classes à mi-temps. Les " classes de neige " permettent à un nombre, hélas limité, d'écoliers des villes d'aller passer un mois avec leurs maîtres dans des chalets des Alpes où ils mènent de pair leurs études et leur initiation à la montagne.

Il a paru que l'enfant qui, à son départ de l'école ou du collège, n'est plus soumis à aucune obligation d'activité physique et sportive, était abandonné. Aussi, depuis quelques années, se développe l'E. P. S. postscolaire qui, avec une grande souplesse, groupe, soit pendant les heures de travail, soit pendant les loisirs, les jeunes travailleurs de la ville ou de la campagne. Ces volontaires poursuivent, parallèlement au secteur scolaire, leur formation physique générale et leur initiation sportive.

Les compétitions sportives organisées par l'U. S. E. P. à l'école primaire, par l'OSSU dans le second degré, le technique et le supérieur, la J. O. dans les milieux post-scolaires, bien que n'atteignant pas encore la grande masse, préparent le recrutement du sport français.

Le domaine du sport est celui de la liberté, ce qui explique la diversité et la complexité de son organisation, poussées à un point tel que certains n'hésitent pas à la qualifier d'anarchique.

Les associations sportives, les clubs qui, au nombre de 56 000 environ, comprennent soit une, soit plusieurs sections sportives, élisent une représentation régionale (ligues), puis nationale (Fédération). Le Comité National des Sports rassemble les 47 Fédérations nationales spécialisées (FFA, FFBB, FFR, etc.) et 6 associations nationales dites " affinitaires ", car elles groupent des clubs multisports (scolaires, ouvriers, catholiques, laïques), mais son action reste très limitée.

En face de cette structure de l'initiative privée, qui par voie élective part du club pour aboutir au C. N. S., l'Etat présente une Administration relevant du Ministère de l'Education Nationale : le Haut-Commissariat à la Jeunesse et aux Sports représenté dans chaque Académie et dans chaque département.

L'Etat ne dirige pas le sport en France; par le Statut du Sport, le Ministère de l'Education Nationale a délégué aux Fédérations Nationales ses pouvoirs pour l'organisation des compétitions régionales et nationales ainsi que pour la représentation du sport français à l'étranger. Néanmoins il apporte au sport, au sport amateur, une aide substantielle : subventions aux Fédérations et aux clubs, réduction sur les frais de déplacement en chemins de fer, organisation de stages de perfectionnement des athlètes ou de formation des cadres, d'épreuves de masse ou de propagande, mise à disposition de fonctionnaires compétents, participation aux frais d'aménagement d'installations sportives, etc. Par le contrôle qu'il exerce sur l'emploi des subventions accordées, l'Etat a une action indirecte sur le développement et l'évolution du sport dans le pays.

La libre initiative explique la diversité du sport. Il n'y a guère d'orientation sportive rationnelle des jeunes; le plus souvent c'est entraîné par la tradition familiale ou locale, par l'admiration pour une vedette du moment, par les " copains ", que l'on devient joueur de basket ou de rugby, cycliste plutôt qu'athlète. Il y aurait une curieuse géographie sportive de la France à établir. Basket ball, football couvrent l'ensemble de nos provinces; le fief du rugby se trouve au sud de la Loire et non dans les régions voisines de l'Angleterre; le jeu de boules ne se limite plus à la vallée du Rhône. Certains sports restent typiquement régionaux, prennent presque un caractère folklorique (joutes, tir à l'arc, pelote basque, etc.); pourtant la plupart des sports évoluent vers une plus large diffusion.

Les clubs sont inégalement répartis. Certaines agglomérations n'ont aucune association sportive; dans certaines bourgades ou certains quartiers plusieurs groupements se font une concurrence parfois vive (dans l'Ouest, catholiques et laïques) qui diminue l'efficacité et accroît les difficultés de chacun. La place du sport dans la vie du Français varie beaucoup. Rares — en dehors des professionnels — sont ceux pour qui la pratique du sport est quotidienne; pour la plupart, c'est une activité dominicale avec parfois une ou deux séances d'entraînement dans la semaine; pour beaucoup enfin, leur activité physique est limitée aux vacances d'hiver et d'été.

Certes les spectateurs sportifs sont plus nombreux que les pratiquants : le Tour de France cycliste en offre un témoignage annuel, ainsi que les grandes rencontres nationales et internationales. Mais il ne faut pas oublier qu'il y a des pratiquants non recensés, car, ne voulant ou ne pouvant participer aux compétitions, ils ne prennent pas de " licence " sportive (équitation, volley-ball, ski, etc.).

Grâce à la situation géographique de la France, à la diversité de son relief, les activités de plein air, de la marche à la pêche sous-marine, du nautisme au ski, de la spéléologie à l'escalade, connaissent une vogue croissante; réaction sans doute contre la mécanisation et la concentration urbaine que ce retour à la nature, à l'effort personnel souvent solitaire.

La rançon de la liberté du sport, c'est la dispersion des efforts et l'inconstance des résultats. L'absence d'un sport d'Etat nous crée dans certaines épreuves internationales un lourd handicap. Pourtant les succès de nos équipes de basket, de rugby (déplacement en Afrique du Sud), de football (coupe du Monde en Suède), les exploits de certains athlètes, nageurs, skieurs ou alpinistes, prouvent la valeur et surtout les possibilités des Français.

Mais le sport reste à nos yeux un moyen et non une fin. De Pascal (" Rien ne nous plaît que le combat, mais non pas la victoire ") à Coubertin (" L'important aux Jeux Olympiques n'est pas d'y gagner, mais d'y prendre part "), la tradition française du sport se maintient. Il s'agit moins de créer une élite que de développer la masse, moins de préparer des champions que de former des hommes, des êtres meilleurs, mieux armés certes pour les luttes de la vie, mais plus capables aussi de goûter les joies de la vie; surtout il s'agit de permettre aux hommes, par l'Education Physique et le Sport, à l'intérieur du pays comme par delà ses frontières, de se mieux connaître, pour se mieux comprendre et se mieux aimer.

R. BOISSET
Inspecteur général de l'Instruction publique.

LA FRANCE
DANS LE MONDE D'AUJOURD'HUI

Nous voici au terme du voyage, un peu étourdis peut-être. Tant d'images, et si diverses, de la vie française ont passé devant nous; tant de réflexions nous ont été suggérées, qui parfois semblaient se contredire! Que conclure? Quelles sont aujourd'hui les chances de la France? Quelle est sa mission? Les innombrables amis qu'elle compte toujours dans le monde et qui la jugent irremplaçable, que peuvent-ils attendre d'elle? A ces questions, il n'est pas un chapitre de ce livre qui n'apporte une réponse fragmentaire. La synthèse est plus malaisée. En élargissant les perspectives, M. Maurice Duverger invite chaque lecteur à la tenter pour son compte.

Rien n'est plus difficile que de déterminer la place tenue par un pays dans la communauté mondiale. Seule son influence économique peut être mesurée avec quelque précision : une bonne analyse statistique révèle la participation de chaque nation à la production et aux échanges universels. Encore oublie-t-elle le rôle possible des inventions faites par cette nation, l'action possible de ses citoyens travaillant comme cadres et techniciens dans des entreprises étrangères, etc... L'influence politique s'apprécie plus difficilement. Recenser les populations, compter les soldats et dénombrer les armées ne suffit pas. La position d'un pays dans un réseau d'alliances, sa situation géographique, ses contacts : tous ces éléments et bien d'autres entrent en ligne de compte. Dire que la France est une nation moyenne exprime assez bien — mais assez vaguement — sa position matérielle dans le monde d'aujourd'hui. La plus petite des grandes nations ou la plus grande des petites : on hésite entre ces deux formules, qui déterminent peut-être les limites du choix diplomatique.

Mais la place d'un pays dans le monde ne se définit pas seulement en termes de puissance. L'image que les étrangers se forment de ce pays est importante : et déjà le fait même qu'ils s'en forment une image. On pourrait ainsi rechercher la place d'une nation définie en termes de rayonnement : expression peu précise, mais qui correspond à une réalité indiscutable. La représentation que le monde se fait de la France est une partie de la France. Sans doute, cette représentation elle-même n'est pas facile à déterminer : la technique des sondages d'opinion, conduits simultanément dans tous les pays, permettrait seule de s'en faire une idée précise. On concevrait fort bien que la Direction des Relations Culturelles entreprenne une enquête de ce genre, qui donnerait à son action des bases solides. En son absence, on est réduit à quelques observations empiriques, très insuffisantes.

N'insistons pas sur l'image du *gay Paris*, bien que son rôle ne soit pas négligeable. Combien de touristes sont dominés par elle, dans leur subconscient, qui découvrent ensuite d'autres aspects moins superficiels de la vie française? Faut-il dire qu'elle est moins déshonorante peut-être qu'on ne le juge d'ordinaire? Cette vision mythique d'un paradis où les instincts s'épanouissent pleinement, n'est-ce pas une première libération de l'hypocrisie puritaine? — Moins discutable, évidemment, est la représentation d'une France qui incarne un certain style de vie, équilibré, harmonieux, sans contrainte. Pays de la douceur de vivre, pays d'une certaine sagesse épicurienne, pays d'un hédonisme modéré : usées, ces formules n'en traduisent pas moins l'un des éléments du prestige français. Beaucoup d'écrivains, de langue allemande notamment, ont été séduits par cet aspect de la France, tout en s'inquiétant de sa fragilité : le monde moderne ne condamne-t-il pas à disparaître ces dernières oasis? Luthy après Curtius s'interroge longuement à ce propos.

Cette image de la France est relativement récente. Au XIXe siècle, c'est le pays des révolutions qui attirait, non celui d'un épicurisme conservateur. " Ici commence le pays de la liberté " : cette formule que la Convention inscrivait sur nos poteaux-frontières hantait le cœur des hommes. Alors, les peuples se révoltaient au chant de la " Marseillaise " et nous empruntaient le 14 juillet comme fête nationale. Aujourd'hui, ce prestige de libérateur tend à passer sur un autre pays : 1917 remplace de plus en plus 1789. Cependant, pour beaucoup d'hommes à travers le monde, l'image de la France reste inséparable d'une certaine conception de la liberté et de la dignité humaines. Le conflit dramatique d'Algérie a parfois terni cette image; mais les Français eux-mêmes ont été les premiers à dénoncer les excès commis à cet égard, et à lutter contre eux, non sans risques.

Le désordre politique français, et la cascade des ministères, répandaient d'autre part l'image d'une France décadente. Cette impression était fausse, bien avant la crise de 1958. Qui étudiait les structures profondes de la nation, découvrait les prémisses d'une renaissance plutôt qu'un déclin. On oppose souvent la France statique et la France dynamique, en leur assignant des limites géographiques. Quelle erreur! Leur frontière est celle des âges. Dans tous les secteurs, une génération nouvelle est en train d'accéder aux leviers de commande, qui rejette les habitudes, les mythes et le style de l'ancienne. Dans la haute administration, dans l'armée, dans l'Université, dans les cadres techniciens, dans la direction des entreprises, dans l'agriculture même, ce phénomène de lutte des classes d'âge est frappant. Il ne s'agit pas, comme à l'ordinaire, du remplacement naturel des vieux par les jeunes. Une sorte de mutation s'est produite, et les fils ne sont plus de la même race que les pères. " La France à l'heure de son clocher " décrite par M. Luthy est celle des quinquagénaires; mais la relève est en train de s'accomplir.

Les événements de 1958 doivent être situés dans cette perspective, pour être pleinement compris. Le brillant essor économique et démographique de la IVe République, rompant avec un siècle de malthusianisme, paraissait freiné par l'impuissance politique. Les générations montantes, qui méprisaient le régime établi, ont accueilli sa chute sans déplaisir, malgré les circonstances inquiétantes qui l'ont entourée. Les réactions à l'événement, au-delà des frontières, ont la même ambivalence : un gouvernement plus fort et plus stable inspire plus de respect; ses arrière-plans militaires et autoritaires engendrent quelques craintes.

Le nouveau régime est visiblement soucieux d'accroître l'influence de la France dans le monde. Il semble parfois poser le problème en termes de puissance plutôt que de rayonnement. La volonté de construire une bombe atomique, pour forcer la porte du club des nations de premier rang, est symptomatique. Mais ce n'est qu'une face d'un diptyque. L'insistance du Président de la République sur la coopération internationale pour aider les pays sous-développés ouvre d'autres perspectives, plus chargées d'espoir. A cet égard, la France pourrait jouer un rôle de contact et de lien, qui correspond à sa tradition la plus profonde.

Dans d'autres domaines, ce même rôle pourrait être important. Aucun n'est plus essentiel pour l'avenir des hommes que le développement de bons rapports entre l'Est et l'Ouest. Certes, la France ne peut guère servir d'intermédiaire diplomatique : les deux puissances géantes préfèreront sans doute s'entendre directement, encore que l'influence d'une nation moyenne puisse être modératrice. Mais on pense surtout au rôle de lien intellectuel, si l'on peut dire. La difficulté essentielle des rapports entre les deux mondes est une difficulté de langue, au sens profond : les concepts de base, qui donnent leur sens aux mots, sont radicalement différents. Il s'agit de confronter une géométrie euclidienne et une géométrie riemannienne. La France seule semble, à l'heure actuelle, proche de concevoir, dans le domaine de la pensée politique, cette géométrie générale, relativiste, qui permet la confrontation. Faut-il dire que, cette fonction de lien entre des univers différents, elle pourrait l'assurer à d'autres égards? Aucun pays n'a fait tant d'efforts pour établir un dialogue entre le Christianisme et l'Islam, par exemple; entre la civilisation africaine et la pensée occidentale aussi. La fameuse vocation universaliste pourrait renaître, si on l'envisageait dans une perspective nouvelle.

Maurice DUVERGER
Professeur à la Faculté de Droit et des Sciences Économiques de Paris.

LA NAISSANCE
DE LA Ve RÉPUBLIQUE

Comment est née la Cinquième République? Quelles voies lui sont ouvertes? Interrogeons celui en qui, à trois reprises, en des heures très sombres, les Français ont placé leur confiance. Les pages qu'on va lire appartiennent à l'histoire.

19 Mai 1958.

... Nous sommes affaiblis, aux prises dans un monde terrible avec d'extrêmes difficultés et de grandes menaces. Mais, dans le jeu de la France, il y a de bonne cartes pour l'avenir : la natalité, l'économie qui a dépassé le cap de la routine, la technique française qui va se développant, le pétrole qu'on a découvert au Sahara. Ces données de notre jeu peuvent permettre demain un vrai renouveau français, une grande prospérité française. Il s'agira que tous les Français en aient leur part et qu'y soient associés des peuples qui en ont besoin et qui demandent notre concours. Mais il est bien vrai que, pour le moment, la passe est mauvaise. Si la tâche devait m'incomber de tirer de la crise l'Etat et la Nation, je l'aborderais sans outrecuidance, car elle serait dure et redoutable. Comme j'aurais, alors, besoin des Françaises et des Français! J'ai dit ce que j'avais à dire. A présent, je vais rentrer dans mon village et m'y tiendrai à la disposition du pays.

(*Conférence de presse tenue par le Général de Gaulle
au Palais d'Orsay*).

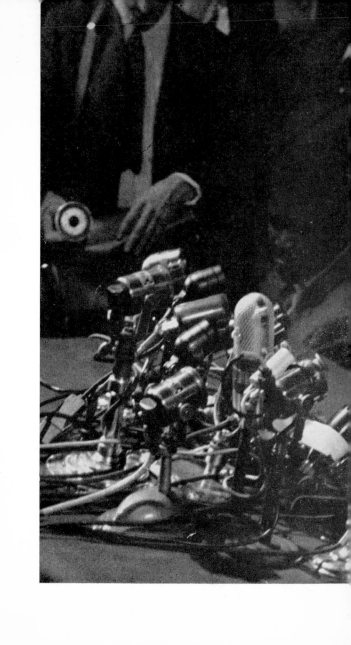

1ᵉʳ Juin 1958.

La dégradation de l'Etat qui va se précipitant. L'unité française immédiatement menacée. L'Algérie plongée dans la tempête des épreuves et des émotions. La Corse subissant une fiévreuse contagion. Dans la métropole des mouvements en sens opposé renforçant d'heure en heure leur passion et leur action. L'Armée, longuement éprouvée par des tâches sanglantes et méritoires, mais scandalisée par la carence des pouvoirs. Notre position internationale battue en brèche jusqu'au sein même de nos alliances. Telle est la situation du Pays. En ce temps même où tant de chances, à tant d'égards, s'offrent à la France, elle se trouve menacée de dislocation et, peut-être, de guerre civile.

(Déclaration du Général de Gaulle à l'Assemblée Nationale).

1ᵉʳ Août 1958.

Un pays rempli de valeurs humaines et matérielles. Un pays qui se découvre des ressources en pétrole, en gaz, en énergie atomique, capables de renouveler son économie tout entière et qui sent monter en lui une jeunesse ardente et nombreuse. Un pays que ses épreuves ont pu affaiblir, diviser, humilier, mais qui a trouvé moyen de rester vivant et libre. Ce pays-là, c'est la France! Mais aussi, la France, c'est un pays où la négligence et le laisser-aller ont failli compromettre l'avenir en une époque dure et dangereuse.

Eh bien! nous avons décidé de rompre avec ces faiblesses, qu'il s'agisse des institutions, des relations avec l'étranger ou de ce qui se passe chez nous...

Notre effort porte déjà ses fruits. La stabilisation commence à s'établir. Le gouvernement garantit que nous bouclerons le budget de 1958 sans recours à l'inflation. Le 31 mai dernier, le déficit de la balance de nos paiements à l'extérieur atteignait 75 milliards de francs. Aujourd'hui, nous sommes en avance de plus de 25 milliards. La moyenne des prix a tendance à se fixer. La valeur du franc sur les marchés du monde n'a pas cessé de s'améliorer. Il est vrai qu'à l'extérieur se dessine la possibilité d'une difficulté nouvelle. Divers pays ont vu se ralentir pour quelque temps le rythme de leur activité. Il pourrait survenir, chez nous aussi, un début de récession, à laquelle le gouvernement aurait le devoir de parer. Mais, en outre, le cas échéant, nous saurions faire jouer la solidarité économique et nationale. Dès à présent, je fais appel aux organisations patronales et ouvrières. Je demande qu'elles entrent en contact afin de créer en commun un fonds de salaires garantis. Ce fonds procurerait aux travailleurs la sécurité d'une rémunération de base et des facilités de reclassement professionnel. Je sais à qui je m'adresse et je suis sûr d'être entendu.

La France a pris le départ dans la course à la prospérité. Pourvu qu'elle tienne la ligne en ordre et résolument, je réponds d'une belle arrivée.

(Allocution radiodiffusée et télévisée, prononcée par le Général de Gaulle).

23 Octobre 1958.

... Je me félicite de vous voir. La dernière fois que j'ai eu ce plaisir, c'était au mois de mai dernier. Comme l'atmosphère, alors, était lourde! Aujourd'hui, le moins qu'on puisse en dire, c'est qu'elle a complètement changé. La confiance a remplacé l'angoisse. L'unité nationale a empêché le déchirement. Le referendum du 28 septembre a proclamé le renouveau de la France.

Car c'est bien, en effet, la volonté du peuple français de s'unir pour l'effort et pour la grandeur qui s'est révélée ce jour-là. Tous les " oui " — il y en avait beaucoup — ont été joyeux et, parmi ceux qui ont voté " non ", combien l'ont fait à contre-cœur!

D'autre part, la participation massive des Algériens à la consultation a établi, pour l'évolution politique, économique, sociale, culturelle de leur pays, une base psychologique qui n'avait jamais existé. Et, sur cette base, il est maintenant possible aux Algériens et aux Métropolitains de construire ensemble l'avenir.

En outre, 25 millions d'hommes de l'Afrique Noire, de Madagascar, de Djibouti, des Comores, ont manifesté spontanément leur volonté d'établir avec la France une libre Communauté, et, en même temps, 55 millions de citoyens de la Métropole, d'Algérie, de la Réunion, des Antilles, de la Guyane, de la Nouvelle-Calédonie, des Nouvelles-Hébrides, des Etablissements français d'Océanie, ont, pour ce qui les concerne, marqué une décision identique. Il y a là un engagement mutuel entre les peuples intéressés qui n'a comporté nulle part, à aucun moment, aucun précédent.

Enfin, la preuve de vigueur et de raison qui a été donnée par notre pays, a produit dans l'univers un effet décisif. Hier, bien peu de gens misaient franchement sur nous. A présent, tout le monde veut parier sur la France.

(Conférence de presse tenue par le Général de Gaulle à l'Hôtel Matignon).

FRANCE ACTUELLE

Textes contemporains

LANGUE - LITTÉRATURE - CIVILISATION

choisis et annotés par

M. BLANCPAIN
Secrétaire général de l'Alliance Française

C. DE LIGNAC
Directrice du service littéraire de l'Alliance Française

Six volumes parus :

   I *Des Flandres à la Provence*

  II *De Passy au Père Lachaise*

 III *De Poincaré à De Gaulle*

 IV *De l'âge heureux à l'âge adulte*

  V *Compagnons et maîtres*

 VI *Usines et grandes affaires*

Douze volumes prévus :

Les textes de ces six volumes sont extraits d'œuvres des *écrivains d'aujourd'hui* : Georges Duhamel, Jules Romains, Maurice Genevoix, Marc Blancpain, Henri Bosco, Jacques Soustelle, Serge Groussard, Simone de Beauvoir, Marcel Aymé, André François-Poncet, etc....

Ces petits recueils, joliment présentés, de 80 pages chacun, où chaque texte est accompagné d'*exercices de conversation et de dissertation*, constituent le complément indispensable de " La France d'aujourd'hui " pour quiconque veut connaître non seulement les différents aspects de la France, mais aussi et surtout les Français eux-mêmes, leurs labeurs et leurs plaisirs, leurs soucis et leurs espérances.

Imprimé en France par BRODARD-TAUPIN, Imprimeur-Relieur, Coulommiers-Paris. Libr. HATIER n° 320. Dépôt légal n° 3863, 3ᵉ trimestre 1961. 57395-7-1961.